Culture coloniale

Collection Mémoires

L'histoire des idées, des sensibilités, des créations dans le monde, au travers de lieux symboles saisis à des moments charnières de bouillonnement ou de rupture.

Le suivi éditorial de cet ouvrage a été assuré par Laurence Lhommedet et Bertrand Richard.

Tél. : 01 44 73 80 00. Fax : 01 44 73 00 12. E-mail : autrement@filnet.fr
Dépôt légal : 1er trimestre 2003. Imprimé en France.
ISBN : 2-7467-0299-1. ISSN : 1157-4488.

PASCAL BLANCHARD, SANDRINE LEMAIRE

Culture coloniale

La France conquise par son empire, 1871-1931

Cet ouvrage a été réalisé en collaboration avec
l'Association Connaissance de l'histoire de l'Afrique contemporaine (ACHAC).

Éditions Autrement - collection Mémoires n° 86

« Exposition nationale coloniale, Marseille, 1922 », affiche de David Dellepiane, 1922.

AVANT-PROPOS
LA CONSTITUTION D'UNE CULTURE COLONIALE EN FRANCE

À la fin du XIXe siècle, la France affirme poursuivre son parcours vers le « progrès », notamment à travers l'acte colonial, dans une perspective utopique de création d'une *nouvelle société* et d'une mystique républicaine des valeurs universalistes. S'inscrivant dans le continuum postrévolutionnaire de la campagne d'Égypte, cette dynamique coloniale se place sous le signe de la civilisation, de la grandeur nationale, de la science et du progrès. La nation, issue de la Révolution française, apporte la *liberté* et non l'*oppression*, le *développement* et non l'*exploitation* aux peuples qu'elle « libère ».

Loin de cette vision idéalisée, les deux grandes vagues conquérantes du XIXe siècle répondent beaucoup plus à des intérêts internes et politiques qu'à une destinée de la nation universelle. La conquête de l'Algérie en 1830, qui devient la partie la plus conséquente de l'empire prérépublicain, est la fuite en avant d'un régime vers l'outre-mer - celui de la Restauration, qui a échoué en matière de politique intérieure -, alors que la première vague de conquêtes de la IIIe République à partir de 1879 [1] (en Indochine et en Afrique

1. À la veille de la défaite de Sedan, le domaine colonial français s'étend sur un peu moins d'1 million de kilomètre carrés et rassemble un peu plus de 5,5 millions d'habitants. L'Algérie en est la partie la plus importante, outre les colonies héritées de l'Ancien Régime, comme les Antilles, la Guyane, dans l'océan Indien La Réunion et les cinq comptoirs des Indes et, dans le Pacifique, Tahiti, Tuamotu, les Marquises et la Nouvelle-Calédonie. Les places d'Afrique noire sont modestes, avec le Sénégal et les postes de Conakry, d'Assinie, Grand-Bassam, Cotonou et Libreville. Enfin, en Asie, la France commence sa colonisation de la future Indochine, avec la Cochinchine et le Cambodge.

noire, à Madagascar et au Maghreb) résulte jusqu'en 1885[2] de la construction volontaire du nouveau régime des républicains opportunistes ainsi que d'une légitimité basée sur le principe de puissance à l'échelle internationale, mais aussi d'une volonté de revanche pour l'armée humiliée par la défaite de Sedan. La seconde vague conquérante est la finalisation géostratégique des conquêtes précédentes. Au siècle suivant, le constat est identique. Le Maroc est une réponse diplomatique aux volontés d'expansion « germaniques » ; le territoire de Mauritanie et celui du Niger sont des aménagements administratifs internes à l'organisation de l'Empire ; la guerre du Rif, au milieu des années 1920, s'inscrit autant dans le désir de souligner la puissance de la France que dans celui du Cartel des gauches d'affirmer sa « fibre nationale » en s'opposant à l'« activisme » communiste[3] ; la stratégie au Levant répond avant tout à une opposition séculaire avec l'Empire britannique au Moyen-Orient. Autant d'exemples qui nous éloignent d'un destin propre à la France en matière d'expansionnisme colonial.

Tout au long de ce processus, de 1871 à 1931, la France est passée d'une société exclusivement hexagonale[4] à un environnement impérial. En même temps émerge et s'impose une *culture coloniale* qui atteint son apogée au moment des commémorations du centenaire de la conquête de l'Algérie et de l'Exposition coloniale internationale de 1931. Cette culture, sous des formes multiples, se diffusera et s'inscrira en profondeur dans la société française au cours des trois décennies suivantes, jusqu'au moment des indépendances et de la guerre d'Algérie ; avant de muer, au cours de la période postcoloniale, jusqu'à s'échouer dans le débat sur la « crise » de l'intégration - une « mécanique grippée », écrit Jean-Pierre Worms[5] - au cours de la campagne présidentielle de 2002.

---

2. Cette première vague coloniale prend fin avec la chute de Jules Ferry, le changement de majorité aux élections législatives d'octobre (à la suite desquelles la droite monarchiste passe de 90 à 220 élus et les opportunistes s'écroulent) et le congrès de Berlin, premier partage officieux de l'Afrique entre les grandes puissances occidentales.
3. Une affiche des Républicains nationaux (rassemblement à des fins de propagande des droites), créée par Galland, dans son style brut rouge-noir, résume cette dialectique de la lutte anticommuniste aux colonies : Doriot, armé d'un couteau, le tend au leader nationaliste rifain Abd el-Krim - qui tient le drapeau rouge en étendard -, pour poignarder Marianne, en ombre sur la partie droite de l'allégorie.
4. Excepté les quelques territoires coloniaux hérités de l'Ancien Régime ou des restaurations successives comme le Sénégal, l'Algérie, les Antilles, la Nouvelle-Calédonie...
5. Jean-Pierre Worms a soutenu cette approche dans son rapport adopté par le Conseil de l'Europe le 1er février 1993 en tant que rapporteur du projet lors de la Convention européenne des droits de l'homme sur le droit des personnes appartenant à des minorités nationales et dans le cadre d'un article, « Modèle républicain et protection des minorités nationales », in *Hommes et*

Aux origines de la culture coloniale

La France s'est installée dans l'entreprise coloniale en même temps que dans la IIIe République naissante. Tout au long de ces années s'ébauchent les fondements de ce qui va constituer une culture coloniale à la française. Cette culture devient un corps de doctrine cohérent, où les différents savoirs sont assemblés, affectant alors tous les domaines de la pensée, de la connaissance et des institutions. L'objet de notre approche est de cerner aussi bien les plus puissants supports de diffusion de cette culture (littérature, chanson, cabaret, propagande, théâtre, presse, exposition, exhibition, manuel scolaire, livre de lecture, image fixe, cinéma...) que les principaux espaces sociaux servant de relais (école, monde militaire, mécanisme économique, agence de propagande, monde savant, discours républicain...), ainsi que les moments clés de sa promotion (expositions coloniales et universelles, Grande Guerre, commémorations, union nationale, conquêtes coloniales...).

Au cours de ce processus, la Grande Guerre constitue un moment charnière où la réalité coloniale a « pénétré en profondeur la société française[6] » et marque « une rupture dans la découverte de l'altérité et la mise en scène des populations colonisées puisqu'elle fut marquée par l'arrivée massive de contingents de tirailleurs et travailleurs maghrébins, indochinois ou africains[7] ».

On distingue trois moments dans cette lente pénétration de la culture coloniale dans la société française : le temps de l'*imprégnation* (de la défaite de Sedan à la pacification du Maroc), le temps de la *fixation* (de la Grande Guerre à la guerre du Rif) et le temps de l'*apogée* (de l'Exposition des Arts décoratifs à l'Exposition coloniale internationale de 1931)... Au croisement de la chronologie, des multiples supports culturels, des enjeux et de l'objet discursif traité, nous avons choisi de multiplier les approches pour mieux cerner ses modes d'expression. Cette transversalité de la démarche permet de comprendre la complexité d'un phénomène pour-

---

Migrations, n° 1197, avril 1996. Il développe son approche sur le modèle d'intégration républicain qui relèverait « non seulement des idées de la Révolution française qui lui fournissent ses principes fondateurs et ses concepts de référence, mais aussi des modalités concrètes de mise en œuvre de ces principes... ».

6. Mourir : l'appel à l'empire, partie II du présent ouvrage, « Fixation d'une appartenance ».

7. Exhibitions, expositions, médiatisation et colonies, partie I, « Imprégnation d'une culture ». Rappelons en outre que, toute présence confondue, et depuis 1914, près de 1 million de « coloniaux » (y compris les Chinois recrutés et les « colons » d'origine européenne) sont venus en métropole.

tant extrêmement simple : comment les Français sont devenus coloniaux sans même le vouloir, sans même le savoir, sans même l'anticiper. Non pas coloniaux au sens d'acteurs de la colonisation ou de fervents soutiens du colonialisme, mais coloniaux au sens identitaire, culturel et charnel. En un mot, comment s'est constituée cette culture coloniale, à la fois proche - car issue de - et éloignée de l'entreprise coloniale outre-mer proprement dite, et fort distincte - avec ses propres mythes, rythmes et enjeux - du colonialisme (ou de l'anticolonialisme) et des lobbies regroupés alors au sein du parti colonial.

Pourtant, essayer de donner une définition de la culture coloniale, c'est entrer dans un champ théorique et abstrait qui n'est pas l'objet de notre démarche tant la notion de *culture de masse* est déjà complexe, comme le montre un ouvrage récent[8]. Élément de ce vaste champ d'étude, la définition de ce qu'est la culture coloniale - sur les traces du livre d'Edward Saïd *(Culture et Impérialisme)* et dans le prolongement de l'ouvrage fondateur de Raoul Girardet *(L'Idée coloniale en France)* - pourrait être à elle seule l'objet d'un ouvrage. Dans ce premier volume d'une trilogie à venir, nous avons plutôt cherché à en cerner les contours. Et, d'une certaine manière, définir les limites, c'est déjà donner une définition. La culture coloniale, c'est ce qui fait notre différence, issue de l'histoire, dans notre relation aux autres, aux ex-colonies et au monde, par rapport aux autres puissances occidentales, coloniales ou pas. C'est l'impact profond de cette culture, dans notre pays, et à tous les niveaux, sur les pratiques, les institutions, les valeurs, les enjeux, les productions artistiques..., sans même évoquer les enjeux politiques (l'intégration, la Françafrique, la

8. En effet, Jean-Pierre Rioux et Jean-François Sirinelli montrent à la fois la complexité de l'histoire culturelle et la nécessité de cette étude pour comprendre certains phénomènes majeurs de l'histoire de France, tout en soulignant la « nature polymorphe de la culture de masse » : « L'histoire culturelle, en effet, étudie la diffusion, dans l'espace social, et la transmission, dans le temps, de ce qui est chargé de sens, aussi bien donc les grands courants intellectuels que les perceptions individuelles ou collectives relevant de registres moins élaborés. Mais elle analyse aussi, autant que faire se peut, l'articulation entre ces idéologies ou ces idées et ces représentations collectives plus diffuses et donc, à leur croisée, l'infrastructurel. [...] Cette histoire, au contraire, permet seule de penser dans leur intégralité les processus de circulation des faits non matériels dans une société et de placer cette analyse dans sa perspective nécessairement cinétique mais aussi anthropologique, et la conséquence en est essentielle pour la définition même de la culture de masse : cette dimension d'anthropologie historique légitimement revendiquée par l'histoire culturelle conduit, en effet, à ne pas cantonner l'étude de la culture de masse à la trilogie productions culturelles-vecteurs-publics, mais à y insérer aussi les visions du monde en découlant », in *La Culture de masse en France de la Belle Époque à aujourd'hui*, Fayard, 2002, p. 11.

guerre d'Algérie...) et médiatiques (place des minorités, racisme, droit de vote des étrangers...). La culture coloniale, c'est aussi et surtout ce qui fait sens dans notre histoire récente - au cœur de l'histoire « nationale » ou tout simplement de l'« histoire de France » -, lorsqu'on l'analyse à l'aune de l'influence coloniale : évolution de la citoyenneté depuis 1830, engagement de la République dans l'entreprise outre-mer, succès populaire de l'Exposition de Vincennes, impact spécifique de la crise économique, enjeux démographiques, mutations de l'armée, débat sur la nation, vague migratoire, politique d'immigration, lutte anticommuniste...

La culture coloniale, c'est enfin cette omniprésence dans la société française de son domaine colonial, qui devient progressivement la Plus Grande France, puis l'empire, la France d'outre-mer et enfin l'Union française. Cette place du domaine colonial dans notre imaginaire et dans nos structures n'est pas le fruit exclusif d'une propagande d'État (bien que sur ce dernier point la contribution de Sandrine Lemaire[9] montre le rôle central et relais de celle-ci), mais le résultat d'un faisceau d'influences, de relais et d'interactions dont on ne mesure qu'aujourd'hui l'importance. Cette culture se constitue donc par strates. Dans ce processus, les expositions universelles sont des dates structurantes, celle de 1889 tout particulièrement. Elle marque sans conteste le premier apogée de la culture coloniale en France, commémorant de plus le centenaire de la Révolution française et l'entrée dans la modernité (avec la tour Eiffel), ainsi que la victoire récente de la République. Même si les expositions universelles parisiennes précédentes (1855, 1867 et 1878)[10] avaient donné leur place aux colonies et si les expositions de la décennie en dehors de l'Hexagone avaient ouvert un espace de plus en plus large au colonial[11], celle de 1889 est le signe d'une volonté nouvelle. L'Afrique du Nord et l'Indochine sont les grandes attractions de l'exposition, aux côtés des *zoos humains* d'Afrique noire et des 400 individus exhibés, dont une vingtaine de Tahitiens et de Kanaks. Le congrès colonial réuni pour

9. Propager : l'Agence générale des colonies, partie II, « Fixation d'une appartenance ».
10. Voir sur cette question le travail de maîtrise de Raphaëlle Ernst, *Les Mondes coloniaux dans les expositions universelles à Paris (1855-1900). Le Cas de l'empire français*, concernant l'accroissement de la présence des colonies et des colonisés dans les expositions universelles parisiennes au XIXe siècle.
11. Notamment celles d'Anvers (1885), de Barcelone (1888) et de Bruxelles (1888) ou celle d'Amsterdam (1883). À Anvers, pour la première fois, la France présentait une majorité d'exposants coloniaux par rapport aux métropolitains, dans un rapport de 58/42.

l'occasion consacre les grandes lignes de l'idéologie coloniale de la République : assimilation des indigènes, affirmation de la suprématie de la civilisation française, libéralisme économique à l'avantage de tous, libéralités politiques, uniformisation des lois de la République... Autant de « beaux principes » qui ne seront jamais mis en pratique dans les colonies. Dans le prolongement de l'exposition et du congrès sont mis en place les piliers structurels du lobby colonial, qui au quotidien vont guider la pénétration de l'idée coloniale en métropole et la formation des élites. En premier lieu, le très puissant Comité de l'Afrique française, créé dès 1890, puis le groupe colonial à la Chambre deux ans plus tard et, enfin, l'Union coloniale en 1893, autant de matrices qui constituent la surface visible du parti colonial. Toutes les tendances politiques et puissances économiques ou administratives s'y retrouvent, du prince d'Arenberg à Leroy-Beaulieu, de Charles-Roux à Siegfried, d'Archinard à Binger... Par la suite, des comités plus spécialisés se constitueront : comités de l'Égypte, de l'Asie française, du Maroc, de l'Océanie française... En parallèle, le groupe colonial à la Chambre ne cesse de grossir, rassemblant plus de 200 élus en 1902 et donnant à la France 75 % de ses ministres des Colonies entre 1894 et 1900. L'Union coloniale est de loin l'instrument de propagande le plus actif, relayé par de nombreuses sociétés relais[12], avec ses ouvrages ou ses revues, comme *La Quinzaine coloniale* ou celles qu'elle finance, telles *La Politique coloniale* ou *La Dépêche coloniale*. Le rythme des conférences, dîners-débats et congrès est soutenu, ce qui structure une conscience coloniale de plus en plus vivace au niveau des élites[13]. Enfin, dernier pilier, l'École coloniale est créée en 1899 pour former l'administration envoyée outre-mer[14].

---

12. De nombreuses sociétés de soutien à la colonisation sont créées à cette époque : la Colonisation française, la Ligue coloniale de la jeunesse, le Comité Dupleix, la Société de propagande coloniale, L'Africaine, la Ligue coloniale française, l'Action coloniale et maritime, la Société d'expansion coloniale et, en 1900, le Comité de l'Asie française, puis, comme une réponse à la poussée cléricale, en 1905, le Comité d'action républicaine aux colonies.
13. On a souvent moqué le parti colonial comme le « parti où l'on dîne ». Dans *Histoire de la France coloniale* (t. II, *L'Apogée, 1871-1931*, 1996, p. 336), cette spécificité du lobby est analysée comme une force, car ce parti et sa soixantaine d'organisations « préparaient la conquête idéologique de la France et l'éducation coloniale des Français ». La grande presse ironisait, mais « les dîners sont peut-être des lieux de pouvoir que l'historien ne doit pas bouder ». De même, à la suite des travaux de Kanya-Forstner, Andrew Grupp, Marc Lagana et Sandrine Lemaire, on sait maintenant qu'une cinquantaine de responsables de premier plan constituaient l'armature nécessaire et suffisante de ce lobby colonial français.
14. Rappelons que le bilan de l'École coloniale est modeste puisque, à la veille de la guerre, moins d'un cinquième des administrateurs en poste outre-mer en sont issus.

Autant de mouvements et de structures stratégiques, mais qui ne constituent pas pour autant des mouvements de masse populaire - ce qui explique qu'en 1914 une revue coloniale française écrive : « L'éducation coloniale des Français reste à faire[15]. » D'ailleurs, à ce moment, la place des colonies dans le budget de l'État est modeste, ne représentant que 2 % de celui-ci, soit trois fois moins que celui de l'Instruction publique, mais plus que celui de la Marine[16] ou le double de celui de l'Agriculture. Pourtant, à travers la myriade de comités, organismes, conférences, congrès, de la quarantaine de revues et bulletins coloniaux, des multiples expositions nationales et locales, l'opinion a été traversée de tous côtés par l'omniprésence du colonial. Les Français ne sont pas, sans aucun doute, des coloniaux fanatiques (les ligues coloniales allemandes regroupent trois à quatre fois plus de militants à la même époque), mais ils ont été pénétrés bien plus en profondeur par cette culture coloniale que leurs voisins qui possèdent eux aussi des empires outre-mer. Plus qu'un engagement politique, c'est bien au niveau culturel que cette présence de l'ailleurs outre-mer se manifeste. D'ailleurs, la métamorphose des anticolonialistes en 1914 le souligne : aucun d'eux ne réclame la fin du colonialisme, tout au plus réclament-ils qu'il soit « humain ». L'immédiat après-guerre sera, de fait, une rupture importante, puisque l'État prend conscience de sa mission propagandiste et de la nécessaire réorganisation des multiples comités et associations existants. C'est ce que montre ici même Sandrine Lemaire, en dressant le tableau d'un État qui fédère, organise et veut dispenser un savoir colonial auprès de tous les Français[17]. Albert Sarraut, ministre des Colonies, souligne cette nécessité en 1920 : « Il est absolument indispensable qu'une propagande méthodique, sérieuse, constante, par la parole et par l'image, le journal, la conférence, le film, l'exposition, puisse agir dans notre pays sur l'adulte et l'enfant [...]. Nous devons améliorer et élargir dans nos écoles primaires, nos collèges, nos lycées, l'enseignement trop succinct qui leur est donné sur notre histoire et la composition de notre domaine colonial. Il faut que cet enseignement soit plus vivant, plus expressif, plus pratique, que l'image, le film, la projection renseignent et amusent le jeune Français ignorant de nos colonies. »

15. *Bulletin de la Ligue coloniale*, 1914.
16. Ancien protecteur et tutelle administrative des colonies.
17. Propager : l'Agence générale des colonies, partie II « Fixation d'une appartenance ».

Le Petit Journal

ADMINISTRATION

5 CENT. SUPPLÉMENT ILLUSTRÉ 5 CENT.

ABONNEMENTS

Numéro 1007

DIMANCHE 6 MARS 1910

HONNEUR AUX HÉROS DE L'EXPANSION COLONIALE !

Le Petit Journal, « Honneur aux héros de l'expansion coloniale », 6 mars 1910.

L'instrumentalisation étatique de la culture coloniale

Lorsque l'État prend le relais en matière de promotion de l'idée coloniale en France au lendemain de la Grande Guerre - à travers l'Agence des colonies et les expositions officielles[18] -, il prend le relais du monde des savants[19], des différents secteurs économiques[20] et du monde du spectacle, qui s'épanouit depuis le milieu du XIXe siècle[21]. C'est ce qu'établissent ici Gilles Boëtsch, Catherine Coquery-Vidrovitch et Sylvie Chalaye. De même, la littérature a, bien avant la propagande d'État, joué un rôle central, sans grande discordance, dans ce processus de promotion de l'entreprise coloniale, comme le souligne Alain Ruscio : « [...] les partisans du colonialisme avaient mille lieux, mille occasions pour s'exprimer. Ses adversaires, ou ses critiques, étaient marginalisés [...][22]. »

La littérature exotique comme la chanson coloniale ou le monde scolaire[23] sont des relais essentiels de cette culture. L'école républicaine joue ainsi un rôle majeur en ancrant profondément dans les consciences la certitude de la supériorité du système colonial français tout en permettant la démocratisation de cette culture. Très vite, le cinéma[24] et l'image fixe renforcent et diffusent le *bain colonial* auprès de l'ensemble des populations, aussi bien rurales qu'urbaines, avec une puissance d'évocation bien plus grande. Chaque image contribue à l'élaboration d'un imaginaire social par lequel la communauté nationale se construit en s'appropriant un patrimoine commun. L'opinion semble de plus en plus convaincue par l'entre-

18. La France impériale exposée en 1931 : une apothéose, partie III « Apogée d'un dessein », et Propager : l'Agence générale des colonies, partie II, « Fixation d'une appartenance ».
19. Sciences, savants et colonies, partie I « Imprégnation d'une culture ».
20. Vendre : le mythe économique colonial, partie II, « Fixation d'une appartenance ».
21. Dans la première moitié du XIXe siècle, précise Sylvie Chalaye, « les colonies évoquaient au théâtre des contrées où sévissait l'esclavage. C'étaient essentiellement des mélodrames romantiques qui condamnaient la cruauté des colons et leur impitoyable âpreté. Après 1848 et l'abolition de l'esclavage, ces sujets passèrent de mode et l'on relégua les Antilles au rang de "vieilles colonies" tandis que les aspirations coloniales nouvelles se tournaient d'abord en direction de l'Afrique », in Spectacles, théâtre et colonies, partie I, « Imprégnation d'une culture ».
22. Littérature, chansons et colonies, partie I, « Imprégnation d'une culture ». Voir aussi la publication des actes du colloque d'Aix-en-Provence, *Littératures et temps colonial. Métamorphoses du regard sur la Méditerranée et l'Afrique*, Edisud, 1999.
23. École, pédagogie et colonies, partie I, « Imprégnation d'une culture ».
24. Olivier Barlet et Pascal Blanchard soulignent que le cinéma colonial « a rempli une fonction de médiatisation essentielle dans la pénétration de la culture coloniale dans toutes les strates sociales et économiques, mais a donné aussi un sentiment de proximité à l'égard de ces mondes qui pouvaient sembler lointains », in Rêver : l'impossible tentation du cinéma colonial, partie II « Fixation d'une appartenance ».

prise outre-mer, à la fois par son apport essentiel dans la Grande Guerre, par le mirage du marché autarcique sans cesse promu et par l'importance stratégique de celui-ci, comme le montre l'union nationale autour de la question coloniale dans la grande presse et au sein des partis politiques français de la gauche socialiste à la droite nationaliste à la fin des années 1920. Une union nationale qui s'exprime de façon explicite autour de l'apothéose de Vincennes : « Une nouvelle ère coloniale s'ouvre en France à la veille de l'Exposition coloniale internationale de Vincennes de 1931. À cet instant, le paysage politique français est quasi unanime derrière l'entreprise coloniale. Tous semblent partager un sentiment identique : l'empire est nécessaire à la France, la France est une puissance coloniale, et être anticolonial, c'est être antifrançais[25]. » Ce consensus transcendant les clivages politiques et idéologiques permet ainsi d'accélérer le processus par lequel ce discours se mue en culture populaire puisque rien ne semble plus faire obstacle à sa diffusion à grande échelle auprès de la population.

De toute évidence, cet imaginaire colonial se constitue et traverse des formes culturelles très hétérogènes (du manuel scolaire aux plus illustres scènes de théâtres parisiens[26]), et sa très large diffusion est permise par l'avènement de la culture de masse[27]. Ses effets « sont autoentretenus parce que les principaux schèmes qui configurent cet imaginaire (hiérarchisation du monde et des peuples, glorification de la culture européenne et des Lumières), d'une forme culturelle à une autre (les expositions coloniales, la presse, les cartes postales, etc.), se répondent et se renforcent mutuellement, sans réel changement de contenu, et parce que ces formes sont principalement non politiques[28] ».

C'est à ce niveau que le concept de culture coloniale prend tout son

---

25. L'union nationale : la « rencontre » des droites et des gauches à travers la presse et autour de l'Exposition de Vincennes, partie III, « Apogée d'un dessein ».

26. Sylvie Chalaye rappelle que : « Au tournant du siècle le théâtre reste un genre artistique populaire qui touche les masses et peut facilement façonner l'opinion, et c'est au théâtre que l'on voit se construire, avec notamment la représentation de l'Afrique qui cristallise les premiers élans coloniaux de l'empire, ce que l'on pourra appeler l'"idéologie coloniale". Celle-ci repose sur des enjeux très simples. Il s'agit notamment de légitimer la conquête en la justifiant par l'aide qu'elle apporte en pacifiant, en soignant, en arrachant les sauvages à leur ignorance et à leur hébétude. »

27. Voir Dominique Kalifa, *La Culture de masse en France. 1860-1930*, t. I, La Découverte, 2001, ainsi que J.-P. Rioux et J.-F. Sirinelli, *La Culture de masse en France de la Belle Époque à aujourd'hui*, *op. cit.*

28. Nicolas Bancel précise que, si « cette culture coloniale populaire ne débute pas avec l'entre-deux-guerres, cette période va en établir les contours quasi définitifs et largement s'insinuer dans l'opinion », in Le bain colonial : aux sources de la culture coloniale populaire, partie III, « Apogée d'un dessein ».

sens. Il ne s'agit pas simplement d'un énoncé propagandiste, d'une vulgate étatique, mais bien d'une culture au sens d'une imprégnation populaire et large qui n'a, en fin de compte (à partir des années 1920), plus grand-chose à voir avec la colonisation proprement dite. La France a changé, elle a muté ; la colonie, comme l'armée et l'école, fait partie de la geste républicaine. La France, dans ses rues, ses villes[29], sa géographie, ses expositions universelles, nationales et coloniales, ses « leçons de choses[30] », son histoire, son destin, son économie[31], sa publicité[32], ses arts, sa musique, sa littérature[33], son cinéma, ses hommes politiques ou ses officiers..., s'imprègne de cette présence du « colonial ». Avec la Grande Guerre, la propagande prend un essor nouveau et touche toutes les classes d'âge. Dès lors, des « centaines de cartes postales, photographiques ou illustrées, de vignettes publicitaires, d'affiches, de unes et reportages dans la presse, d'objets manufacturés, de romans et de films du cinéma des armées vantent la bravoure du fidèle "Y'a bon" (slogan repris par une marque de chocolat en poudre avec succès), du féroce "turco", de l'intrépide spahi ou de l'habile Tonkinois[34] ». Le thème colonial est à la mode ; pas un support, pas un média, pas une année sans un événement ayant pour thème les colonies. L'outre-mer est devenu intime aux Français, proche, banal, naturel.

De façon visible ou invisible, trois générations d'hommes politiques[35] seront influencées, formées ou issues de cet espace colonial. De Doriot à Lyautey, de Gambetta à Ferry, de Faure à Poincaré, de Doumergue à Lebrun, de La Rocque à Pétain, de Sarraut à Viollette, de Clemenceau à Mitterrand,

29. Voir sur ce point l'ouvrage collectif *Le Paris noir*, Hazan, 2001, et, à paraître, *Le Paris arabe*, La Découverte/Générique/ACHAC, 2003.

30. Exhibitions, expositions, médiatisation et colonies, partie I, « Imprégnation d'une culture ».

31. Vendre : le mythe économique colonial, partie II, « Fixation d'une appartenance ».

32. Les ouvrages *Négripub, L'Affiche orientaliste, Au-delà de Suez* et *Images et Colonies* proposent un vaste panorama de cette publicité à caractère exotique ou colonial.

33. « Du début du XIXe siècle jusqu'à 1931, précise Alain Ruscio, une grande quantité d'écrivains renommés ont ainsi écrit sur les colonies : Victor Hugo, Alphonse Daudet, Pierre Loti, Charles Baudelaire, Arthur Rimbaud, Jules Verne, Guy de Maupassant, Guillaume Apollinaire, Blaise Cendrars, André Gide, Henry de Montherlant, Louis-Ferdinand Céline... Mais aussi d'autres, moins connus aujourd'hui, qui eurent cependant leur heure de gloire : Claude Farrère, les frères Jérôme et Jean Tharaud, les frères Paul et Victor Margueritte, Marius-Ary Leblond, Georges Groslier, Isabelle Eberhardt, Louis-Charles Royer, Myriam Harry, Pierre Mac Orlan, Louis Boussenard, Louis Noir, Jules Boissière, Robert Randau, Louis Bertrand, Jean d'Esme, Pierre Mille... D'ailleurs, le prix Goncourt, créé en 1903, couronne dans ses premières années plusieurs romans de ce genre », in Littérature, chansons et colonies, partie I, « Imprégnation d'une culture ».

34. Mourir : l'appel à l'empire, partie II, « Fixation d'une appartenance ».

35. Les femmes étant au cours de cette période exclues *de facto* de l'espace du colonial et du champ du politique, cette influence reste, précisons-le, avant tout une histoire très masculine.

c'est une grande partie des élites de la nation qui verront leur destin changer avec les colonies. On oublie trop souvent que, depuis la défaite de Sedan, et jusqu'au début des années 1930, le pays est en « guerre coloniale » permanente... Cela explique que l'empire fut une école de formation (et de promotion rapide pour les militaires) des élites de la France, des élites républicaines, pour une France en construction. La France devient cette nation qui construit ses « hommes nouveaux » dans ce champ d'expérimentation *vierge* que constitue le domaine colonial. Ce contexte est omniprésent, dans la presse, la bande dessinée ou le cinéma, et il induit une relation au monde particulière. Une « conquête permanente », au nom des valeurs universalistes, qui place la République en parfait continuum de la Révolution française et des régimes précédents qui ont « fait la France ». Plus qu'un destin, il s'agit désormais d'une mission. Les colonisateurs acquièrent alors une supériorité naturelle et légitime car de ce mouvement spontané ils font une mission civilisatrice. La colonisation est un *idéal humanitaire*. Droit de coloniser et devoir d'éduquer vont de pair. Jules Ferry l'exprime clairement : « Les races supérieures ont un droit vis-à-vis des races inférieures [...] parce qu'il y a un devoir pour elles. Elles ont le devoir de civiliser les races inférieures[36]. »

Le silence de la mémoire...

Depuis les indépendances, cette culture coloniale semble particulièrement invisible et sujette à l'occultation et à la manipulation. Comme pour la Seconde Guerre mondiale, c'est un moment de notre passé qui a du mal à entrer dans le champ de la mémoire historique collective. Ce rapport entre les deux phénomènes historiques - mis en exergue par un colloque récent[37] - montre bien les enjeux de ces deux moments charnières. L'un a produit une rupture sans précédent dans l'histoire contemporaine, notamment en France avec Vichy ; l'autre une culture invisible qui est présente dans de nombreux pays européens, y compris ceux qui n'ont jamais eu de passé colonial, et qui, en France, redevient manifeste depuis le milieu des années 1990 à travers le débat sur l'intégration des populations issues de l'ex-domaine colonial[38]. En France on constate que, excepté la guerre d'Algérie

36. Discours de Jules Ferry à la Chambre des députés, 28 juillet 1885.

37. Colloque Erasmus de l'université de Rotterdam, « The Silenced Past. On the Nature of Historical Taboos », 1990.

38. Voir sur ce point le livre *Zoos humains*, La Découverte, 2002, qui montre comment de façon généralisée la culture coloniale, celle de l'exhibition de l'exotique et de l'Autre, peut traverser les

(moment hors norme au niveau du champ politique, symbolique et émotionnel de la nation), aucun instant colonial ne s'impose dans notre mémoire collective actuelle, comme si cela constituait un tabou[39]. En effet, point de conquête de l'Algérie ou d'expédition d'Égypte entre la Révolution française et la Commune ; pas de Tonkin, de Tunisie ou de Madagascar entre Sedan et l'affaire Dreyfus ; pas de Maroc ou d'exposition coloniale à l'aube de la Grande Guerre ; pas de centenaire de l'Algérie, d'Exposition coloniale marseillaise de 1922 ou parisienne de 1931, de guerre du Rif, de Yen Bai, de conflit au Levant à la veille de la crise économique ; pas un événement dans l'Union française, excepté le « conflit indochinois » entre Vichy[40] et la guerre d'Algérie. Enfin, presque rien - juste un référendum sur la Nouvelle-Calédonie en 1988 - entre Mai 68 et la Coupe du monde de 1998 avec sa génération black-blanc-beur... Autant dire que le colonial semble expurgé de notre mémoire, de notre culture actuelle, de nos héritages collectifs.

De toute évidence, la colonisation n'aurait pas sa place, ou alors très réduite, dans ce qui constitue aujourd'hui le panthéon républicain et l'histoire de France ! Exception faite, on l'a dit, de la guerre d'Algérie. Cela nous renvoie à une configuration dans laquelle le passé colonial est encore inaudible et ne peut être assumé[41]. Cette impossibilité à faire surgir cette histoire tient probablement à plusieurs facteurs : le simple travail du temps, ce fameux « travail de deuil » qui s'opère sur une ou deux générations, n'a pas véritablement commencé[42]. De plus, l'histoire coloniale remet en question

---

frontières, jusqu'à toucher les États impérialistes comme les États-Unis ainsi que les pays non colonisateurs telle la Suisse. L'ouvrage de Nicolas Bancel et Pascal Blanchard, *De l'indigène à l'immigré*, Gallimard, coll. « Découvertes », 2002 (1997), permet d'appréhender les prolongements contemporains de cette imprégnation en France, de même que le dossier spécial de la revue *Migrations Société* de mai-août 2002, qu'ils ont codirigé avec Sandrine Lemaire, intitulé « Colonisation, immigration : le complexe impérial », qui aborde le phénomène à l'échelle européenne.

39. Voir à ce sujet le récent essai de Marc Ferro, *Les Tabous de l'histoire*, Nil Éditions, 2002.

40. La question des colonies au moment de Vichy est une question qui commence à peine à être abordée, et encore il s'agit d'études parcellaires, sur l'Algérie, l'A-OF, les Antilles, l'Indochine, Madagascar. Aucune synthèse globale n'existe. Encore moins sur l'état de l'opinion pendant ces années. Nous avons proposé en 1993 une brève étude, dans le catalogue *Images et Colonies*, sur cette question : « La révolution impériale ». En ce qui concerne l'organisation de la propagande et le rôle de l'Agence économique des colonies, on consultera la thèse de Sandrine Lemaire présentée à l'Institut universitaire européen de Florence (2000).

41. Nous reprenons ici une partie de l'analyse d'un article récent sur les rapports entre histoire et mémoire pour *Les Cahiers français* de La Documentation française (« Les pièges de la mémoire coloniale », Pascal Blanchard et Nicolas Bancel, septembre 2001).

42. Vichy est à cet égard un exemple très intéressant. Il a fallu près de cinquante ans avant que la mémoire de Vichy ne soit partiellement démystifiée et socialisée, depuis la parution du livre de Paxton en 1973 jusqu'à l'interview de François Mitterrand sur son passé vichyssois, à une heure

de nombreux référents identitaires qui forment l'imaginaire social, et la remise en cause de ces référents pose problème car elle nécessite une (re)fondation, une (re)formulation de ces mêmes référents, et simultanément impose une réécriture de l'histoire pour rendre compatible l'incorporation de la mémoire coloniale à l'imaginaire social. Enfin, la notion de culture coloniale est encore une donnée invisible, qui empêche la société française actuelle d'appréhender ce passé. En effet, les Français ne se pensent pas coloniaux, bien au contraire. Pour eux il n'y a pas d'héritage, pas de continuum. Tout s'est arrêté en 1962... La France n'aurait fait que remplir une mission dont nous sortirions immaculés, presque fiers... à part le « malheureux dérapage » de la torture en Algérie.

Comme le rappelle, avec justesse et ironie, Marc Ferro : « En France, la tradition républicaine fait de notre pays celui qui incarne la révolution, la liberté, l'égalité, la fraternité, les droits de l'homme, la civilisation dans le cadre de l'expansion coloniale. La tradition a considéré que, puisque la France incarnait la république et ses vertus, le monde tournait les yeux vers elle, qui non seulement avait une grande histoire mais en plus avait révolutionné le monde... Ceux qui n'étaient pas français ne pouvaient que souhaiter le devenir, et c'est pour cela qu'aux colonisés, par exemple l'Algérie, on distribuait la nationalité française seulement au compte-gouttes, comme une récompense suprême[43]. » Autrement dit, ils rêvaient tous d'être français, et la République avait bien rempli sa *mission* en les accompagnant des ténèbres à la lumière. Jaurès, en 1884, ne dit pas autre chose : « Quand nous prenons possession d'un pays, nous devons amener avec nous la gloire de la France, et soyez sûrs qu'on lui fera bon accueil, car elle est pure autant que grande, toute pénétrée de justice et de bonté. Nous pouvons dire à ces peuples, sans les tromper, que jamais nous n'avons fait de mal à leurs frères volontairement ; que les premiers nous avons étendu aux hommes de couleur la liberté des Blancs, et aboli l'esclavage [...]. Que là enfin où la France est établie, on l'aime, que là où elle n'a fait que passer, on la regrette ; que partout où sa lumière resplendit, elle est bienfaisante ; que là où elle ne brille plus, elle a laissé derrière elle un long et doux crépuscule où les regards et les cœurs restent attachés[44]. » Comme on le voit, les thèses de Jules Duval (*Les Colonies et la Politique coloniale de la France*, publié en 1864), de Paul

de grande écoute, en 1993. Ce temps doit aussi opérer son travail sur la mémoire de la colonisation et du colonialisme.

43. Marc Ferro, *Les Tabous de l'histoire*, *op. cit.*, p. 28.

44. Jean Jaurès, conférence tenue à l'Alliance française, 1884.

Leroy-Beaulieu (notamment *De la colonisation chez les peuples modernes*, publié en 1874, reprise d'un ouvrage de 1870), de Renan (dans *La Réforme intellectuelle de la France*, édité en 1871) ont été digérées, adaptées et intégrées par les plus illustres républicains, de gauche comme de droite, de Jules Ferry au prince d'Arenberg, de Maurice Rouvier à Gambetta, de Delcassé à Poincaré. Toute une génération d'hommes politiques est convaincue de l'entreprise coloniale dans le destin de la France.

Pourtant, on mesure très vite les limites de ce discours dans le rapport de soumission de l'Autre : « La colonie préconise aux indigènes d'"évoluer", de se civiliser, mais point trop n'en faut : l'adhésion aux valeurs républicaines d'égalité et de fraternité ne saurait combler le gouffre entre les cultures. L'"évolué" des films coloniaux n'est jamais adulte par exemple : soit enfant turbulent, soit élève trop appliqué. La différence ne peut que persister, et il reste inexorablement au cœur des ténèbres ; la mise à distance doit toujours être maintenue. Alors que le maintien de la colonie comme un espace rêvé plutôt qu'appréhendé dans sa réalité en empêche la compréhension et ne laisse place qu'à la séduction, cette phobie du mélange et de la perte de sa propre intégrité, encore si vivace aujourd'hui, dénote la faillite de l'assimilation coloniale. Miroir d'une relation impossible, le cinéma colonial rend visible [cette] contradiction d'une aventure qui ne pourra qu'être durablement dramatique et porte avant l'heure, dans ses fictions mêmes, la décolonisation[45]. »

Dans un tel contexte, l'amnésie coloniale (qui peut se cacher derrière une production historique importante sur certains thèmes[46]) laisse ainsi le champ libre à la mythification et à une « nostalgie coloniale » - à la fois

45. Rêver : l'impossible tentation du cinéma colonial, partie II, « Fixation d'une appartenance ».
46. Benjamin Stora a raison d'insister, dans un article du journal *Le Monde* du 19 mars 2002 (« La mémoire retrouvée de la guerre d'Algérie »), sur le contexte nouveau depuis cinq ans et la mort de François Mitterrand. Parlant de la « génération algérienne » aux commandes qui a soif de commémorations et de la multitude des émissions et ouvrages sur la question qui envahissent l'« espace public », il souligne que nous sommes passés « d'une sensation d'absence à une sorte de surabondance ». Une sorte de mémoire envahissante qui étoufferait l'histoire en construction et provoquerait une dichotomie entre « fait colonial » et « guerre d'Algérie » se met en marche, donnant naissance à des mémoires parallèles « communautarisées ». Cette absence de métissage de la mémoire, qui se double d'une sortie de la guerre du champ plus général de la colonisation, donnerait à penser que la guerre n'est pas l'aboutissement « normal » de la colonisation. Et l'auteur de conclure que « le travail de mémoire sur la guerre d'Algérie n'est donc pas fini ». Il ne fera sens, pensons-nous, que lorsqu'il s'inscrira pleinement dans une histoire coloniale plus vaste. Pour un point de vue contraire, insistant sur le déficit de mémoire, on peut lire l'article de Claude Liauzu, « Immigration, colonisation et racisme : pour une histoire liée », in *Hommes et Migrations*, n° 1228, novembre 2000.

Le Petit Journal, « Convoi d'insurgés marocains prisonniers », 14 novembre 1897, dessin de Carrey.

dans la frange la plus extrémiste de la droite nationale[47] et au sein des républicains traditionalistes, notamment les chevènementistes[48] -, qui s'appuient sur les représentations collectives construites pendant la colonisation et sur une culture coloniale qui a produit de la croyance en cette même mission civilisatrice. Cela explique pourquoi notre historiographie actuelle exclut *de facto* toute interaction entre histoire nationale et histoire coloniale, pourtant indissolublement liées[49]. Cette dialectique complexe se double d'un syndrome de la repentance sur les « crimes » de la République, repentance qui bloque toute appréhension de cette mémoire sous prétexte de fragiliser cette même République des droits de l'homme. Pourtant, précise Françoise Vergès, il faut résister à cette équation un peu facile qui bloque le débat depuis plus de quarante ans : « La République est innocente, elle ne peut être mise en procès. Toute assimilation entre République et crime doit être rejetée car elle fait le jeu des ennemis de la République. Quiconque met en cause la République attaquerait les principes mêmes de la nation, fille de la Révolution français[50]... » Fermez le ban ! Il convient de sortir de cette dialectique sans solution et de dépasser les enjeux idéologiques, pour mettre

47. « L'heure de la *reconquête* est venue », affirme Le Pen entre les deux tours de la présidentielle... Il y a quelques années à Nice, il annonçait à ses militants que la France ne perdrait pas « deux fois » la guerre d'Algérie et sa fierté de l'empire. Enfin, lors de son clip-diaporama de campagne du second tour de la présidentielle (2002), le candidat Le Pen retraçait son parcours de « Français national » à travers l'évocation de son engagement en Indochine et en Algérie... Autant de référents qui le désignent comme l'héritier numéro un dans l'espace politique actuel de la « grandeur coloniale de la France ». Dans un article récent du journal *Le Monde* (mai 2002), André Laurens revenait sur les origines post-Algérie française du FN (« Les soldats de l'Algérie française »).
48. Dans *Le Nouvel Observateur* (25-31 octobre 2001), Jean-Pierre Chevènement écrit : « On ne peut juger la période coloniale en ne retenant que son dénouement violent. Jusque-là rien que de très banal. « Mais, précise-t-il, il ne faut pas oublier l'actif, et en premier lieu l'école, apportant aux peuples colonisés, avec les valeurs de la République, les armes intellectuelles de leur libération. » Jean-Pierre Chevènement est pourtant parfaitement au courant des taux de scolarisation lors de la période coloniale, mais il retourne ce vieil item des républicains coloniaux (l'éducation) en l'associant subtilement à l'argument de libération nationale... Le grand écart historique est ici paradoxal, ce qui n'empêche pas au final l'auteur de soutenir sans paradoxe que « c'est la France qui a permis à l'Algérie d'être une grande nation »... Ferry, Gambetta, Sarraut, Moutet, Mollet, Mitterrand, Chevènement..., la filiation des républicains coloniaux est longue.
49. La crise de l'histoire coloniale a commencé dès le début des années 1970, et depuis trente ans elle n'en est pas sortie, d'après Catherine Coquery-Vidrovitch (*Histoire coloniale et Décolonisation*, Cahiers du Gemdev, juin 1991). Cette crise de l'histoire coloniale est liée à la « discipline » et à ses références classiques, ainsi qu'à la profonde césure entre l'histoire occidentale (en mouvement) et celle des pays du tiers-monde (émergente). En fait, l'histoire de la colonisation (et du colonialisme en tant que système) est née avec les indépendances - dans la passion -, pour presque aussitôt s'inscrire dans la « marginalité ».
50. Coloniser, éduquer, guider : un devoir républicain, partie III, « Apogée d'un dessein ».

L'Assiette au beurre, « L'Algérie aux Algériens », 9 mai 1903, dessin de J. Grandjouan.

en exergue les matrices historiques d'une mutation essentielle de la France contemporaine et réintroduire l'histoire coloniale dans l'histoire de France.

Les origines coloniales de la France...

Il faut saisir en quoi la culture coloniale est aussi intimement liée à la nature de la France, à son histoire, à son passé, en un mot à la République, plus précisément aux valeurs et à l'idéologie sur lesquelles la République repose. Cette prise en charge de l'idée coloniale par les républicains dès les origines s'explique par plusieurs facteurs. En premier lieu par la nécessité de créer un idéal transcendant les clivages politiques (les républicains sont menacés par les monarchistes, la droite conservatrice et une tendance radicale en formation) et les mouvements sociaux (avec la formation d'un prolétariat urbain émergeant issu de la première révolution industrielle). À cela s'ajoutent l'armée, dirigée par une aristocratie très rétive à l'idée républicaine, et le contexte des disparités culturelles régionales qui constitue un obstacle à la consolidation d'un État-nation républicain. L'idéal colonial, formulé dès le début des années 1880 comme une utopie civilisatrice (la « mission civilisatrice »), s'inscrit donc en profondeur dans le registre des universaux prêchés par la République et largement diffusés par une iconographie univoque, multiple et omniprésente. Ces images véhiculées par les *médias de masse* « étaient simplifiées afin d'être mieux comprises, perçues et retenues par le plus grand nombre[51] ».

Ce qu'on ne saurait ignorer, c'est qu'au même moment la colonisation est intégrée par les républicains à un dispositif de mobilisation idéologique à usage interne qui préfigure les formes futures de la culture coloniale. Les républicains opportunistes, politiquement fragiles, menacés en permanence par un possible retour de la monarchie ou d'un nationalisme revivifié, introduisent ou poursuivent des réformes visant à mobiliser la population et à créer une unité nationale, et par ailleurs susceptibles d'asseoir socialement et politiquement leur pouvoir. Il s'agit, bien entendu, de la loi sur l'école

---

51. Exhibitions, expositions, médiatisation et colonies, partie I, « Imprégnation d'une culture ». Voir aussi l'ouvrage collectif *Images et Colonies*, BDIC/ACHAC, 1993, et la synthèse de N. Bancel et P. Blanchard, *De l'indigène à l'immigré, op. cit.* Au-delà des images, on imagine même, en 1894, une *Marseillaise* (du Dahomey) coloniale (à lire dans le rythme) : « Si, sur cette terre étrange / Nous devons verser notre sang / Nous attendrons l'heure dernière / En Français dignes de leur rang / O France, alors, dans ta mémoire / Garde un fidèle souvenir / À tes fils qui surent mourir / Au loin, pour ton nom, pour la gloire ! »

obligatoire en 1882 et de la généralisation de la conscription, de même que de l'encouragement par les républicains des tentatives alors les plus marquantes pour créer une unité nationale autour de leur projet. Le projet républicain tente de répondre ainsi à la question de la création d'une communauté nationale en gestation, communauté encore à l'état d'ébauche car menacée par les divisions politiques, par les fractures régionales, par l'hétérogénéité linguistique, par des institutions hostiles comme l'Église et l'armée. Le pouvoir républicain est donc, dans ce contexte, un pouvoir obsédé par sa fragilité, et toute la stratégie idéologique des républicains est de récupérer pour leur propre compte l'idée de nation, d'unité nationale, et de créer les valeurs politiques transcendantes à même de mobiliser autour du pouvoir la plus large partie de la société. Dans un tel processus, l'édification d'un empire est un champ fécond pour expérimenter, tester et renforcer le modèle républicain.

De fait, tout au long de la lente construction de l'« État français » (et non de la nation), largement soutenue par les savants et les hommes de lettres, du rattachement du Languedoc à l'annexion de la Savoie, l'espace français est en perpétuel mouvement. En même temps s'est affirmé un système de valeurs, que la République fera, ou non, siennes (de Clovis à saint Louis, de Jeanne d'Arc à Napoléon) et qui seront le substrat de l'identité nationale[52]. Cette apologie de la conquête, des âmes, des cœurs et des terres, ne peut qu'être mise en parallèle de l'expansionnisme colonial à venir et amorce la « mission civilisatrice » en gestation. La généalogie du discours colonial d'État - où se mêle habilement le colonial comme prolongement du national et condition de sa puissance - ne quittera plus jusqu'aux indépendances le registre de la nécessaire diffusion des « lumières » de la République à des peuples perçus comme inférieurs biologiquement et culturellement. Un contexte largement validé par les savants et l'anthropologie, pour qui « la finalité de la connaissance scientifique se plaçait résolument dans un principe d'édification d'un ordre colonial qui faisait du savoir sur autrui (ses mœurs, ses coutumes, son environnement) un élément essentiel de la construction de cet ordre. Par l'omniprésence de ce discours, par sa proximité, voire son interaction, avec le système colonial en formation, par la légitimation progressive de cet ordre colonial *via* la hiérarchisation de l'humanité, les savants ont progressivement contribué à créer une

52. Voir notamment l'ouvrage d'Anne-Marie Thiesse, *La Création des identités nationales en Europe, XVIIIe-XXe siècles*, Seuil, 1999.

culture de la différence[53] - culture qui est devenue très rapidement indispensable à ce même ordre colonial[54]. »

Pour beaucoup, influencés par la pensée d'Ernest Renan sur la communauté d'« êtres vivants dans un même territoire », la France ne sera la France que lorsqu'elle aura parachevé son œuvre d'uniformisation des citoyens (quelle que soit leur couleur) et du territoire (à l'image de l'Algérie devenue département français, ou auparavant la Corse). Encore que, de cette communauté, semblent clairement exclus les « Noirs d'Afrique », les « peuples barbares et fanatiques[55] », les « races inférieures » et autres « populations non assimilables »..., autant dire la quasi-totalité des populations non blanches de l'empire. À cet effet, rappeler la définition du mot *nègre* du *Grand Dictionnaire Larousse universel du XIXe siècle* (1865) qui précède la vague de conquêtes républicaines est éclairant : « C'est en vain que quelques philanthropes ont essayé de prouver que l'espèce nègre est aussi intelligente que l'espèce blanche. Quelques rares exemples ne suffisent point pour prouver l'existence chez eux de grandes facultés intellectuelles. Un fait incontestable et qui domine tous les autres, c'est qu'ils ont le cerveau plus rétréci, plus léger et moins volumineux que celui de l'espèce blanche, et comme, dans toute la série animale, l'intelligence est en raison directe des dimensions du cerveau, du nombre et de la profondeur des circonvolutions, ce fait suffit pour prouver la supériorité de l'espèce blanche sur l'espèce noire[56]. »

L'Hexagone est une suite de conquêtes, régionales ou coloniales, évoluant vers la notion d'empire (avec tout ce que ce mot contient de puissance « romaine ») ou de Plus Grande France qui fait exploser les schémas classiques de l'identité nationale à travers le concept d'assimilation. Territoires coloniaux et marches régionales s'inscrivent dans le même processus d'absorption par la nation, l'important étant alors de « rendre français ». La colonisation « outre-mer » n'est donc pas en rupture avec le passé, elle s'inscrit au contraire dans un continuum consubstantiel à la construction de la

---

53. Sur ce point précis, voir Claude Liauzu, « Jalons pour une histoire des sciences sociales face au racisme », in *Cahiers de la Méditerranée, Politique et altérité* (sous la direction de Robert Eschallier, Ralph Schor et Yvan Gastaut), décembre 2000, p. 11-24.

54. Sciences, savants et colonies, partie I, « Imprégnation d'une culture ».

55. Les populations du Maghreb ne font pas exception, comme le précise Topinard dans son ouvrage publié en 1890, *Les Types indigènes de l'Algérie* : « Je l'ai déjà dit et, à mon retour d'Algérie, je le répète avec une conviction absolue, l'Arabe est une race qui a fait son temps. »

56. A. de Quatrefages (*L'Espèce humaine*, 1861) analyse à la même époque la capacité des populations africaines à se « civiliser » : « Entraînés par certaines habitudes d'esprit et par un amour-propre de race qui s'explique aisément, bien des anthropologistes ont cru pouvoir interpréter les

nation française, puis, par héritage, à la République[57]. Car, explique ici même Françoise Vergès[58], la République « donne à ses fidèles mission d'accomplir un devoir : celui de propager la bonne parole. La mission civilisatrice a diverses facettes : elle se veut cause humanitaire, idéologie de l'assimilation, justification de l'intervention coloniale. C'est au nom des principes républicains mêmes que la conquête coloniale doit se faire. »

En parallèle de ce processus propre au geste républicain, les milieux économiques sont progressivement convaincus par l'entreprise coloniale, sans que jamais pour autant ce mouvement soit unanime. N'oublions pas que l'enjeu économique est modeste à l'arrivée de la IIIe République, puisque les échanges économiques avec les possessions d'outre-mer ne représentent qu'à peine 5,5 % du commerce français (dont les deux tiers avec l'Algérie). De même, la grande majorité des économistes de renom critique alors le colonialisme[59], et une grande partie des élus de la République - lors du débat colonial à la Chambre en décembre 1885[60] - se pose la question de savoir s'il faut ou non quitter Madagascar et le Tonkin. Catherine Coquery-

---

différences physiques qui distinguent les hommes les uns des autres et considérer comme des caractères d'infériorité ou de supériorité de simples traits caractéristiques. [...] Toutes les interprétations analogues sont absolument arbitraires. Doit-on conclure [...] que les races humaines sont égales entre elles, qu'elles ont toutes les mêmes aptitudes et peuvent s'élever à tous égards au même degré de développement intellectuel ? Ce serait s'écarter du vrai et tomber dans une exagération évidente. [...] L'ensemble de conditions qui a fait les races a eu pour résultat d'établir entre elles une inégalité actuelle qu'il est impossible de nier. Telle est pourtant l'exagération dans laquelle sont tombés les négrophiles de profession, lorsqu'ils ont soutenu que le nègre dans le passé et tel qu'il est est l'égal du Blanc. » Ce débat reprend celui déjà mené dans les années 1840 au sein de la Société d'ethnologie, lancé par le saint-simonien Gustave d'Eichthal, et dans lequel Victor Courtet de l'Isle et Victor Schoelcher sont intervenus activement sur les capacités de la « race noire » en rapport avec la « race blanche ». À ce sujet, voir l'article de Sandrine Lemaire, « Gustave d'Eichthal ou les ambiguïtés d'une ethnologie saint-simonienne : du racialisme ambiant à l'utopie d'un métissage universel », in Philippe Régnier (dir.), *Études saint-simoniennes*, PUL, 2002.

57. Coloniser, éduquer, guider : un devoir républicain, partie III, « Apogée d'un dessein ».

58. Ironie de l'histoire, le journal de Gambetta, qui sera l'un des tout premiers à appeler à l'entreprise coloniale, porte un nom prémonitoire : *La République française*.

59. Voir à ce sujet *Le Journal des économistes*, dirigé alors par Molinari, qui ne cesse de critiquer cette politique « malfaisante pour la France », ou l'ouvrage de Laveleye édité en 1878, *Éléments d'économie politique*.

60. Épisode souvent oublié, qui montre la fragilité de l'entreprise coloniale au début de la IIIe République, le débat qui fait suite au changement de législature, en décembre 1885, est un tournant majeur dans le *tempo* colonial français. La commission, avec à sa tête Pelletan et Hubbard, composée de 33 membres, se prépare à couper les crédits pour les opérations à Madagascar et au Tonkin. Ce qui marquerait un coup d'arrêt définitif pour la colonisation de ces deux pays. Le lobby colonial s'organise, les débats tournent autour de l'intérêt économique et diplomatique de telles conquêtes, de l'honneur de l'armée et de la France... La poursuite de l'entreprise et le vote des crédits se fera à quatre voix de majorité... Par la suite, la poursuite de l'entreprise de

Vidrovitch précise d'ailleurs que, au lendemain de la guerre de 1870, la grande majorité des milieux politiques et économiques français avait encore « grand mal à se laisser persuader par les "expansionnistes" coloniaux que les colonies étaient une "bonne affaire". Seule une minorité croyait dur comme fer à la "richesse" prometteuse d'un nouvel empire et s'évertuait à convaincre les Français de la nécessité de commercer avec la Plus Grande France. » D'ailleurs à l'Exposition universelle de Vienne (1873), la place du domaine colonial parmi les exposants reste modeste, puisqu'elle est inférieure à 3 % - et encore faut-il noter la surreprésentation de l'Algérie. Progressivement, les produits tropicaux vont « [faire] partie des matières premières indispensables à l'industrialisation métropolitaine. Toutes les firmes nationales en avaient directement ou indirectement besoin, aussi bien pour huiler leurs machines que pour éclairer leurs ateliers. [...] Les industries textiles métropolitaines furent [ensuite] les grandes bénéficiaires du marché africain, indochinois ou malgache. Les firmes avaient déjà, du temps de la traite négrière, l'habitude d'écouler sur le marché précolonial les textiles de rebut dont la clientèle métropolitaine ne voulait pas. » « On ferait donc une erreur, conclut Catherine Coquery-Vidrovitch, en pensant que seules quelques firmes spécialisées entretenaient avec les colonies des liens privilégiés. [...] les secteurs les plus favorables à l'expansion coloniale furent ceux de la sidérurgie et de l'industrie textile, c'est-à-dire les deux secteurs les plus fragiles et les plus rétrogrades de l'économie française[61]. » On le voit, la pénétration des milieux économiques se fait progressivement, mais reste secondaire par rapport à celle de la société en général.

Culture coloniale et anticolonialisme

Au cours des années 1890-1910, l'opposition politique à la colonisation se cristallise à la fois dans la droite conservatrice et monarchiste et dans la gauche socialiste et contestataire. La célèbre réponse de Déroulède à Ferry synthétise parfaitement la position de la droite nationaliste : « J'ai perdu

---

conquête et le vote des crédits nécessaires se feront de façon plus discrète. Avec la mise en place du sous-secrétariat aux Colonies et la présence du patron du lobby colonial Eugène Étienne au gouvernement, la question d'un changement de politique ne se posera plus.

61. Vendre : le mythe économique colonial, partie II, « Fixation d'une appartenance ». Voir aussi les travaux de Jacques Marseille, *Empire colonial et Capitalisme français. Histoire d'un divorce*, Albin Michel, 1984.

« Jardin zoologique d'Acclimatation, Achantis », affiche d'Émile Lévy, 1887.

deux enfants et vous m'offrez vingt domestiques. » La gauche républicaine n'est pas en reste et s'inscrit dans la même perspective, comme l'écrit Juliette Adam : « Chaque pelletée de terre coloniale me paraît une pelletée de terre rejetée de l'Alsace-Lorraine en Prusse[62]. » Ces oppositions découlent de motifs hétérogènes et pourtant proches : pour la droite conservatrice et une partie de la gauche[63], la colonisation participe à la dilution de la puissance française, alors que toutes ses forces devraient se concentrer sur la reconquête de l'Alsace et de la Lorraine ; pour l'ultragauche et les socialistes - ceux-ci sont passés d'une dizaine à la Chambre en 1885 à une cinquantaine au tournant du siècle et restent très divisés sur la question -, le thème anticolonial s'inscrit dans ses combats traditionnels contre l'Église (les missionnaires), le grand capital (les compagnies), l'État (l'administration) et l'armée (les conquérants). Mais, tout en fustigeant les « excès » de la conquête (indigènes brutalisés, massacres, pacification, enrôlement et travail forcés, viols, déplacement de populations, torture, répression...), seule une minorité remet véritablement en question le dogme de la supériorité de la civilisation européenne[64]. Excepté sans doute la frange des socialistes les plus ultras (les guesdistes) depuis la déclaration de septembre 1895 contre la politique coloniale de la France, une des « pires formes de l'exploitation capitaliste », ou Paul Louis, dans *La Revue socialiste*, qui exprime la « plainte douloureuse de l'humanité violée ». Ce dernier reste un des plus virulents penseurs de l'anticolonialisme - notamment dans un ouvrage théorique édité en 1905, *Le Colonialisme* -, avec Gustave Hervé qui dénonce, dans son journal *La Guerre sociale*, la « violence coloniale », Félicien Challaye, opposant farouche de l'action des grandes compagnies, Vigné d'Octon, critique virulent de l'administration coloniale, Léon Bloy, principal dénonciateur des exactions coloniales, et Francis de Pressensé, chantre de l'anticapitalisme colonial. Autant de figures oubliées aujourd'hui qui constituent un panorama, presque exhaustif, de l'anticolonialisme français au tournant du siècle.

Ces formes diverses de l'« anticolonialisme » vont rapidement s'essouffler, pour disparaître presque complètement après la Première Guerre mon-

---

62. Cité dans *Histoire de la France coloniale*, t. II : *L'Apogée, 1871-1931*, 1996, p. 100.
63. Voir à ce sujet Raoul Girardet, *L'Idée coloniale en France*, Seuil, coll. « Points », 1971, Pascal Blanchard, *Nationalisme et Colonialisme*, université Paris-I, 1994, et L'union nationale : « la rencontre » des droites et des gauches à travers la presse et autour de l'Exposition de Vincennes, partie III, « Apogée d'un dessein ».
64. Excepté, au sein de la tendance anarcho-syndicaliste, quelques publicistes et l'équipe regroupée au sein de la revue *L'Assiette au beurre*.

diale, étouffées par la culture coloniale dominante, au point que la droite nationale - du ralliement de l'Action française à Vichy - devient le soutien le plus actif de l'idée coloniale dans le pays[65] et que l'ultragauche marginalise la thématique coloniale dans son combat. Nous ne sommes plus au temps des harangues de Clemenceau[66] (désormais en discussion au Levant pour les mandats français), et le contexte est à l'union nationale derrière les colonies. La droite conservatrice traditionnelle[67] est totalement gagnée et investie dans la grandeur coloniale, d'autant que la Première Guerre mondiale a soldé sa vieille obsession de victoire sur l'Allemagne. Pour la gauche radicale et socialiste, la colonisation devient un thème central, et pour les communistes, jusqu'alors actifs à dénoncer l'entreprise coloniale sous la conduite de Jacques Doriot - auteur de la brochure *Communisme et Colonialisme* et très actif au moment du Rif ou en Indochine -, la lutte pour les indépendances devient secondaire.

L'anticolonialisme français devient donc marginal au cours des années 1910-1930, comme souterrain, étouffé, inaudible, sauf peut-être dans le monde des lettres. Comme le souligne Alain Ruscio, de nombreux écrivains prennent le relais des politiques, à la suite du « grand choc de la Première Guerre mondiale [qui] amène les Français à relativiser les affirmations péremptoires sur la supériorité de la "race blanche". Les surréalistes décochent mille et une flèches à la suffisance bourgeoise. [...] Louis Aragon, lors de l'Exposition internationale coloniale de Vincennes (1931), écrit des vers vengeurs : *Il pleut sur l'Exposition coloniale*, à l'image de ceux tirés de *Front rouge* saluant une insurrection nationaliste au Viêt-nam[68] »... Mais que représentent ces réactions lucides, dans une société fascinée - ou tout simplement peu ou pas concernée directement - par l'empire ?

65. Dans cet engagement, le Parti populaire français de Jacques Doriot est le plus actif, prenant même le qualificatif propagandiste de « Parti de l'empire ».

66. « Races supérieures, races inférieures ! C'est bientôt dit. Pour ma part, j'en rabats singulièrement depuis que j'ai vu des savants allemands démontrer scientifiquement que le Français est d'une race inférieure à l'Allemand. Non il n'y a pas de droit des nations dites supérieures contre les nations dites inférieures [...]. Mais n'essayons pas de revêtir la violence du nom hypocrite de civilisation. La conquête que vous préconisez, c'est l'abus pur et simple de la force que donne la civilisation scientifique sur les civilisations rudimentaires pour s'approprier l'homme, le torturer, en extraire toute la force qui est en lui au profit du prétendu civilisateur », in Georges Clemenceau, *Discours à la Chambre des députés*, 1885.

67. À l'image de l'un de ses leaders, Louis Marin, incontournable patron de la Fédération républicaine, chantre de l'anthropologie conservatrice, personnalité incontournable des sociétés savantes de géographie et membre influent du parti colonial.

68. Littérature, chansons et colonies, partie I, « Imprégnation d'une culture ».

Consensus colonial et union nationale

Cette nouvelle configuration politique, issue de la Grande Guerre, permet la consolidation d'un consensus colonial. Celui-ci est porté par la majorité des élites politiques, soutenu par l'Agence des colonies et ses porte-parole[69] et entretenu par l'école républicaine. Cette dernière va particulièrement agir sur la génération de l'entre-deux-guerres, comme l'illustre Gilles Manceron à travers ces *indications pédagogiques* extraites d'un manuel de géographie de 1913 destiné aux futurs instituteurs : « Nous tenons à insister dès maintenant sur la nécessité de faire, dans l'enseignement géographique élémentaire, une large place à l'étude de *notre* empire colonial. Les colonies jouent d'ores et déjà et joueront de plus en plus un rôle considérable dans la vie économique du pays ; il importe donc que les petits Français connaissent les ressources des terres immenses sur lesquelles flotte *notre* drapeau. » Cette thématique est aussi omniprésente dans la presse enfantine, la bande dessinée *(Tintin au Congo)* ou les livres de lecture[70], autant d'espaces de formation à la culture coloniale pour les tout-petits et les enfants. L'image de la sauvagerie accompagne cette dialectique pédagogique, tout en structurant une image paradoxale. Car, précise Sylvie Chalaye[71], en s'attachant au monde du spectacle : « [...] si sauvagerie et animalité de l'indigène devaient justifier l'action française aux colonies, il ne fallait pas pour autant entretenir l'effroi. À côté de l'épouvante que pouvaient convoquer ces spectacles qui donnaient de l'Afrique l'image d'un continent effroyable, l'idéologie coloniale s'était empressée de désamorcer la terreur que pouvait générer la sauvagerie des indigènes en la retournant en sujet de moquerie et en valorisant le divertissement exotique. » On le voit, de la colonisation les Français n'ont vu que le miroir qui leur était tendu. Cette culture coloniale au quo-

69. La liste est longue des auteurs, journalistes, personnalités, directeurs de presse, artistes et autres hommes de sciences qui ont émargé sur les registres des aides allouées par l'agence au cours de l'entre-deux-guerres, comme le montre Sandrine Lemaire dans sa thèse *L'Agence économique des colonies. Instrument de propagande ou creuset de l'idéologie coloniale en France (1870-1960) ?*, Institut universitaire européen, 2000.

70. Les « livres de lecture, précise Gilles Manceron, sont parvenus à ancrer dans les mentalités non seulement le patriotisme, mais aussi la conscience de l'empire français et le sentiment de supériorité sur les indigènes qui légitiment la colonisation. De leur côté, tous les manuels des différentes matières scolaires - même ceux de grammaire sont porteurs d'une morale et d'un regard sur le monde - diffusent l'idée que les colonies appartiennent personnellement aux écoliers et les enrichissent eux-mêmes comme elles enrichissent le pays » (École, pédagogie et colonies, partie I, « Imprégnation d'une culture »).

71. Spectacles, théâtre et colonies, partie I, « Imprégnation d'une culture ».

tidien, qui leur renvoie une image de leurs désirs, pas seulement une prétention à la puissance, pas seulement une fierté cocardière, est une sorte d'allégorie de leur désir sur eux-mêmes, projetée dans la douce utopie coloniale d'un monde irréel qui n'a que peu de liens avec la réalité coloniale. Lorsque la réalité s'imposera derrière les images, c'est l'utopie coloniale[72] qui va s'effondrer et donc la part de rêve et de projection de *ce qu'aurait pu être* la métropole. Pour autant la culture coloniale aura fait son œuvre, aura tissé sa toile, aura touché les consciences et marqué les esprits. Elle aura surtout contribué à « faire la France » des Trente Glorieuses et celle des générations suivantes[73].

À un autre niveau, la culture coloniale a aussi - et surtout - produit une culture de la différence dévastatrice. Car, en toile de fond de ce processus, s'élabore une figure de l'Autre, du statut de sauvage à celui d'indigène, dans les méandres complexes du discours républicain de la mission civilisatrice en marche. Sur ce dernier point, l'impact est majeur, puisque ce discours « abstrait » rencontre une réalité objective : l'arrivée d'immigrés « exotiques » en métropole. Une arrivée concomitante aux premières réactions de rejet de ces *indésirables* sous l'influence de Georges Mauco et de nombreux autres publicistes français. La grande presse devient un relais naturel de cette stigmatisation. De *L'Ami du peuple* à *Gringoire*, de *L'Action française* au *Figaro*, de la presse conservatrice à la presse populaire, c'est alors un discours rémanent. L'année de l'Exposition coloniale, le quotidien *Le Peuple* (17 janvier 1931) propose une enquête à ses lecteurs sur le Paris « colonisé » par les exotiques : « La rue Harvey, dans ce coin de Paris, est un vrai morceau d'Afrique : à la tombée du jour, quand les usines de sucre essaiment sur le pavé leurs équipes, elle s'emplit d'un grouillement d'hommes bistrés et résonne de rauquements arabes. En un instant, les petits débits alignés en une double file ont aspiré toute cette foule : sous la lumière rare, entre les murs fumeux, les Nord-Africains s'entassent et, tandis qu'un phonographe se met à nasiller un air du pays, les dominos s'alignent sur le bois des tables, les cartes courent entre les doigts bruns : la ronda, la baya commencent leur danse endiablée qui, peu à peu, grignote les payes, entame les économies, fait perdre à ces enfants et leur argent et leur raison... À la même heure, une foule pareille se répand à la Villette, à Javel, à Boulogne, à Saint-

72. Voir à ce sujet l'excellent ouvrage d'Alice Conklin, *A Mission to Civilize. The Republican Idea of Empire in France and West Africa, 1895-1930*, Stanford, Stanford University Press, 1997.
73. Cette génération sera l'objet du troisième volume de *Culture coloniale*, traitant de la période 1962 (fin de la guerre d'Algérie) à 2002 (élection présidentielle).

Ouen, à Gennevilliers. Sortis de l'atelier où le travail les éreinte, Kabyles d'Algérie, Kroumirs tunisiens, Soussis et Rifains du Maroc, Chleus hier encore insoumis, colporteurs qui, naguère, poussaient d'un bout à l'autre du Maghreb un maigre bourricot chargé d'une maigre pacotille, tous regagnent les chambrées où, en plein centre de la civilisation occidentale dont, hélas, ils connaissent surtout les rigueurs, ils recréent, tant bien que mal, la vie commune des douars. Combien sont-ils dans la région parisienne : soixante, soixante-dix, quatre-vingt mille, on ne sait pas bien, tant ils ont conservé, en traversant la mer, d'ancestrales habitudes nomades et tant leur méfiance, ou leur ruse, les pousse à changer de nom, à troquer leurs papiers, à dépister la curiosité des services chargés de leur surveillance... » La fracture est nette, le contexte explicite, la métropole s'engage dans une voie qu'elle ne quittera plus, de hiatus entre deux types de populations désirables ou non sur son sol, les assimilables (même avec du temps) et les Autres. Ces Autres, dans le contexte spécifique des années 1930, sont alors les colonisés, les juifs et - à travers un vocable très maurrassien - les « métèques »...

L'indigène au cœur de la culture coloniale

Cette invention de l'indigène[74] consacre « la transformation de la figure de l'Autre-colonisé, devenue centrale dans l'imaginaire collectif français depuis la grande poussée expansionniste coloniale » des années 1880-1885, puis 1890-1910, à la suite d'un « long processus de métamorphose de l'image de l'Autre-dominé, qui commence avec celle de l'esclave au XVIIe siècle pour évoluer, trois siècles plus tard, vers celle de l'immigré-type[75] ». Plusieurs auteurs précisent que ce phénomène trouve sa source dans le conflit mondial de 1914-1918 et prend des formes spécifiques, différentialistes, en fonction des populations stigmatisées. « Trois figures de l'indigène au service de la défense de la mère patrie semblent alors s'imposer : celle du tirailleur - du "Noir" -, dont la sauvagerie est retournée contre plus barbare que lui - le "Boche" - et dont la bravoure, la puissance physique et la "bonhomie" ("y'a bon") se sont mises au service de la France ; celle du cavalier maghrébin, perpétuant une tradition magnifiant la valeur guerrière de l'"Arabe", mais qui fixe définitivement sa fonction, sa percep-

74. Civiliser : l'invention de l'indigène, partie II, « Fixation d'une appartenance », et Coloniser, éduquer, guider : un devoir républicain, partie III, « Apogée d'un dessein ».
75. Civiliser : l'invention de l'indigène, partie II, « Fixation d'une appartenance ».

tion et les craintes (islam) qu'il inspire dans un champ étroit du politique ; enfin celle de l'"Indochinois" (et même des populations chinoises "importées" pour les usines d'armement), perçu depuis la conquête comme un piètre combattant - un archétype qui ne s'évanouira qu'avec la guerre d'Indochine... - et comme tel restant cantonné au rôle de main-d'œuvre industrielle importée et supplétive, très peu utilisée au front. Dans cette trilogie coloniale "utilitaire", dans cette segmentation du "type", on remarque une catégorisation très nette : au premier le champ du ludique et du corporel, au deuxième l'univers du politique et du revendicatif, au dernier l'espace économique et l'invisibilité. Autant de règles qui vont fonctionner tout au long de la colonisation et même après les indépendances, jusqu'à aujourd'hui[76]. »

Le processus a commencé dès la fin du XIXe siècle avec les conquêtes coloniales et le phénomène des zoos humains[77]. Dès lors le classement, la hiérarchisation, la catégorisation vont s'affirmer. Se superposent alors la légitimation de l'acte colonial, la volonté de différenciation biologique et une sorte d'organisation du monde qui constituent le cœur de la culture coloniale. À partir de ce moment, toute l'iconographie officielle cherche à prouver qu'une « politique d'assimilation ne transformerait pas, avant des siècles, les colonisés en "petits Français". On insiste sur le fossé séparant les Français des "indigènes", même si l'on accepte l'idée que ces terres colonisées soient de plus en plus assimilées à l'État unitaire. En clair, l'assimilation est valable pour les terres, pas pour les hommes, excepté bien sûr une élite dite "évoluée" qui peut, à l'image de Blaise Diagne et plus tard d'Houphouët-Boigny, occuper de hautes fonctions en métropole. La promotion de cette élite devient la preuve tangible de la validité du système, capable d'assimiler les indigènes les plus brillants[78]. » Le monde de la culture et des arts relaie cette vision, dans une mise en scène du monde colonial à travers des « spectacles présentant ainsi les colonisés comme de pauvres primitifs

---

76. Civiliser : l'invention de l'indigène, partie II, « Fixation d'une appartenance ».

77. Ces exhibitions ethnographiques, précise Gilles Boëtsch, « allaient fournir aux savants - surtout aux anthropologues - l'occasion de contempler de chez eux, à proximité de leurs laboratoires, des échantillons de peuples exotiques, originaires pour bon nombre d'entre eux des contrées colonisées par les puissances européennes. C'est donc une véritable aubaine pour le monde savant lorsque Geoffroy Saint-Hilaire exhibe en 1877 quatorze Nubiens au jardin zoologique d'Acclimatation et invite les anthropologues à venir les étudier », in Sciences, savants et colonies, partie I, « Imprégnation d'une culture ».

78. Civiliser : l'invention de l'indigène, partie II, « Fixation d'une appartenance ».

ahuris, tributaires des vicissitudes de la nature, des "indigènes" qui attendent que les colons les sauvent[79] ».

1931 ou l'acmé de la culture coloniale

Au bout de ce processus, l'année 1931 constitue une date butoir. Plus qu'une simple apothéose de l'idée coloniale en France, elle marque aussi un changement réel dans l'évolution de la culture coloniale dans le pays. Celle-ci est maintenant établie, omniprésente, diffuse, et a sans aucun doute trouvé son rythme de croisière au moment même où l'empire semble basculer vers un autre destin. Le point d'orgue de cet apogée est sans conteste l'Exposition de Vincennes, qui a vu les Français s'extasier devant les splendeurs de l'empire[80]. Au-delà de la gloriole coloniale, c'est aussi - et sans doute plus justement - la plus grande exposition républicaine du siècle. On peut alors suivre à tous les niveaux de la société française les traces d'une certaine « éducation » au colonial « à la française ». L'école en premier lieu, qui à travers les manuels scolaires ou l'omniprésence de la Ligue maritime et coloniale, des micro-expositions aux programmes enseignés..., a préparé les Français à cette apologie coloniale. En effet, de la communale aux études supérieures, l'histoire enseignée propose une vision idéalisée du « devoir » de la France à coloniser. Ce mélange de pédagogie, de patriotisme et de nationalisme constitue le ciment de l'acceptation du colonialisme comme étant consubstantiel à la République. Être « pour » l'épopée coloniale c'est alors être un « bon Français », être pour la « mission civilisatrice »[81] c'est soutenir la « grandeur de la France », être pour l'empire c'est contribuer au sentiment collectif d'appartenir à la nation, être colonial c'est être français ! Ces croyances deviennent des dogmes quand elles sont professées par l'instituteur et deviennent réalité dans les allées de Vincennes.

La *croisade coloniale* devient, avec l'exposition, comme Jeanne d'Arc, Napoléon, Clovis et la Révolution française, une brique supplémentaire dans

---

79. Spectacles, théâtre et colonies, partie I, « Imprégnation d'une culture ».
80. La France impériale exposée en 1931 : une apothéose, partie III, « Apogée d'un dessein ». Voir aussi Sandrine Lemaire, Nicolas Bancel et Pascal Blanchard, « 1931, tous à l'expo ! », in *Manière de voir*, été 2001, et Herman Lebovics, *True France*, Cornell University Press, 1992. Et aussi Patricia Morton, *Hybrid Modernities. Architecture and Representation at the 1931 Colonial Exposition, Paris*, MIT Press, 2000.
81. A. Conklin, *A Mission to Civilize. The Republican Idea of Empire in France and West Africa, 1895-1930, op. cit.*

l'édifice national. Sauf que celle-ci se construit en même temps qu'elle s'énonce. Et, à ce niveau, l'exposition de Vincennes a joué un rôle essentiel : celui de prouver, de manière quasi immédiate, les bienfaits de la métropole. L'histoire se jouait sous nos yeux, et nous, enfants de la République, nous y contribuions en apportant notre soutien à ses fiers coloniaux par-delà les mers. Au-delà de l'enseignement, de la littérature, du cinéma, des semaines coloniales annuelles, des centaines de foires et d'expositions locales, de l'activité incessante et efficace de l'Agence économique des colonies..., ce moment est celui du triomphe de la France coloniale[82]. L'exposition est d'une certaine manière la transposition métaphorique de la culture coloniale telle que l'imaginent les principaux promoteurs coloniaux français, en premier lieu le maréchal Lyautey. Mais, pour le public[83], cette culture a pris d'autres chemins que ceux souhaités par le lobby colonial. Elle évolue vers un destin exclusivement métropolitain en fusionnant avec l'idéal républicain et l'identité nationale[84].

On voit pourtant qu'avec l'Exposition de 1931 le projet colonial et l'idéologie qui l'accompagne sont indissociables de la culture coloniale qui s'élabore dans ce pays. Bien loin d'être en contradiction avec les valeurs essentielles portées par les républicains, l'idéologie coloniale s'enchâsse au contraire parfaitement dans un projet politique articulé sur l'universalisme des Lumières, un patriotisme intransigeant et la croyance aux progrès de l'égalité. Très certainement, cette obsession de l'union nationale promue par la République trouve dans cette exposition et dans l'œuvre coloniale un aboutissement *réel*. L'empire, qui est de moins en moins contesté, va faire consensus... y compris sous Vichy. La France semble s'être imprégnée alors en profondeur de l'idée coloniale et de cette puissance retrouvée grâce à l'empire.

---

82. L'union nationale : la « rencontre » des droites et des gauches à travers la presse et l'exposition de Vincennes, partie III « Apogée d'un dessein ».

83. Mais aussi pour la presse, comme le montre cet extrait de *Vu* : « Il faudrait être bien dénué d'imagination et de souvenirs pour ne voir dans l'Exposition coloniale qu'un magnifique ensemble de palais et de colonnes, d'architectures blanches, rouges ou de couleur ocre, autour desquelles passent, dansent, chantent des Africains, des Asiatiques et des représentants des îles du Pacifique. Si belle et attrayante qu'elle soit, et si variées que nous apparaissent ces richesses, elle a une signification qui dépasse encore ce qu'elle est réellement. Elle a une valeur de symbole. Elle matérialise pour nos esprits un immense et heureux effort français qui se poursuit avec persévérance depuis un demi-siècle », G. Lecomte, « L'esprit colonial de la France » (3 juin 1931).

84. La France impériale exposée en 1931 : une apothéose, partie III, « Apogée d'un dessein ». Steve Ungar conclut que si l'Exposition coloniale internationale de 1931 « est aujourd'hui absente dans la mémoire collective des Français, il faut voir dans cet oubli les effets d'un refoulement plus large de l'histoire coloniale qu'il reste à confronter et à régler ».

Vu, « Colonisation », photomontage, 3 mars 1934, dessin d'Alexandre.

La formation de cette culture coloniale « à la française » va déboucher sur une conséquence que les républicains opportunistes n'avaient certainement pas prévue soixante ans plus tôt : la pérennisation d'un double discours colonial. Il existe, en effet, une différence de « nature » entre la métropole et les colonies. Dans le premier cas, les réformes républicaines, même si elles ne débouchent pas sur une modification radicale des structures (ce n'est d'ailleurs par leur but), permettent une certaine mobilité sociale et, au prix de la destruction des langues et des cultures régionales, la formation d'un État-nation dans lequel les Français vont se reconnaître (y compris les femmes de l'après-guerre). Par contre, dans les colonies, il en va évidemment autrement. La permanence de la domination directe de la métropole exige des moyens coercitifs importants et le maintien d'une inégalité de fait entre colons et colonisés. De manière irréductible, le discours républicain qui a porté la conquête coloniale et légitimé la formation de l'empire est confronté à la réalité des rapports inégalitaires nécessaires à la perpétuation de l'hégémonie métropolitaine. Cette réalité, la culture coloniale ne veut ni la voir ni l'intégrer. Pour les Français, la colonisation est devenue un motif de légitime fierté dans l'entre-deux-guerres. Fierté cocardière certes, mais fierté humaniste et républicaine aussi. Il n'y a alors guère de doute possible : la France accomplit le bien aux colonies. La colonisation devient une référence pour démontrer les avancées concrètes de l'idéologie républicaine-coloniale. La propagande coloniale ne cesse ainsi de vanter les progrès économiques et techniques - infrastructures, modernisation de l'agriculture, industries, etc. -, à tel point que l'empire a pu apparaître à beaucoup comme un véritable eldorado social - scolarisation en constante hausse, hygiène et santé publique, protection sociale - et un aboutissement institutionnel, matérialisant la réalisation progressive de l'égalité.

Le consensus colonial, qui légitime la culture coloniale et le système de domination institutionnelle aux colonies, a ainsi opéré une déréalisation presque complète de l'acte de colonisation. Dans ce contexte, cette culture a fonctionné comme un miroir sur la situation que la métropole désirait pour elle-même. Ainsi, les colonies sont posées en exemple pour la métropole. C'est une sorte de schéma inversé qui prend forme au début des années 1930. Le discours républicain-colonial trahit le désir de voir se réaliser en métropole cette *pax colonica*, cette harmonie coloniale où les conflits sociaux et politiques n'existent plus, où chacun est à sa place et participe à la construction de la société républicaine en marche. Les colonies deviennent durant l'entre-deux-guerres une métaphore de la République en voie d'accomplissement, ce qu'intègre parfaitement la culture coloniale et que met en scène avec féerie l'Exposition de 1931. En un peu plus d'un demi-siècle, la France a changé sa relation au monde. Loin d'être des « aventures lointaines », les conquêtes coloniales sont un des ciments de la société française en ce sens qu'elles renforcent, légitiment et alimentent le régime dans sa dynamique interne. Pour autant, la culture coloniale ainsi constituée n'a pas encore structuré les rapports sociaux, économiques ou politiques dans le pays. Cette influence commence tout juste au début des années 1930. Elle prendra des formes étonnantes, mutantes et diverses, dont nous ne voyons pas toujours l'origine coloniale, et elle marquera en profondeur la société française pour les trois décennies suivantes jusqu'à la fin de la guerre d'Algérie[85].

85. La période de l'Exposition coloniale de 1931 à la fin de la guerre d'Algérie en 1962 fera l'objet du deuxième volume de *Culture coloniale*.

L'Assiette au beurre, « Deux d'un coup !...
C'est superbe ! Tu auras la croix !... », dessin de Jossot, janvier 1904.

Partie I
IMPRÉGNATION D'UNE CULTURE (1871-1914)

« Jardin zoologique d'Acclimatation, Somalis », affiche d'Émile Lévy, 1890.

EXHIBITIONS, EXPOSITIONS, MÉDIATISATION ET COLONIES

Par Sandrine LEMAIRE et Pascal BLANCHARD

« Un des quartiers les plus visités de l'exposition est cette dépendance de l'histoire de l'habitation où les gens de couleur sont campés sous la toile, sous le roseau, dans la paille et la bouse de vache. Petits et grands veulent aller voir les sauvages[1]. » Ce bilan lié aux fréquentations de l'Exposition universelle de 1889 à Paris répond ainsi en partie à l'une des grandes interrogations des milieux coloniaux de la fin du XIXe siècle en France : comment sensibiliser davantage une opinion publique plus ou moins indifférente aux questions coloniales et comment éveiller les consciences sur les nécessités et la légitimité de la geste coloniale et du maintien de l'empire ? Les pouvoirs publics vont encourager et contrôler ces manifestations et les envisager comme un des médias favorisant la diffusion d'une culture impériale spécifique auprès du public.

Informer, illustrer, convaincre

Le contexte politique des années 1870-1880 amena les Français à suivre de plus près l'actualité coloniale. En effet, les grands journaux participaient à cet intérêt en se faisant l'écho des conquêtes et des nombreuses victoires outre-mer qui devaient compenser la perte de l'Alsace et de la Lorraine. La

1. *L'Exposition de Paris (1889)*, édition enrichie de vues, de scènes, de reproductions d'objets d'art, de machines, de dessins et gravures par les meilleurs artistes, Paris, Librairie illustrée, 1889, t. I.

conjoncture politique française plaça effectivement les partisans de l'expansion coloniale au pouvoir durant les dix années qui s'écoulèrent entre l'Exposition universelle de 1889 et celle de 1900. Par ailleurs, comme la politique coloniale faisait de plus en plus partie intégrante des enjeux à l'échelle européenne, les radicaux, comme la droite, se rallièrent progressivement à sa cause afin de donner à la France une place digne de son prestige à l'échelle mondiale. La majorité des irréductibles se trouvaient chez les socialistes - sans que pour autant ces derniers puissent finalement empêcher l'affirmation d'un consensus de la classe politique, aussitôt relayé auprès de l'opinion publique, sur les bienfaits de la colonisation - et dans la frange la plus nationaliste (et royaliste) de la droite. Les divers promoteurs de l'idée coloniale influencèrent alors les mises en scène des exhibitions et des expositions coloniales, tout en tentant de maîtriser au mieux la médiatisation de l'empire. Exposer, promouvoir, vulgariser devinrent les maîtres mots qui guidaient leurs actions.

Aussi, durant la seconde partie du XIXe siècle, l'importance des colonies dans les expositions universelles parisiennes[2] ne cessa de croître, et leurs modes de représentation de s'enrichir et de se diversifier au gré des conquêtes et des techniques d'exhibition. Envisagées comme de véritables machines à informer, elles contribuèrent à la production de métaphores, de figures rhétoriques et de stéréotypes. Chaque visiteur était convié à un voyage dans un monde exceptionnel, et le décorum des exhibitions s'évaluait à l'aune du dépaysement, du rêve et de la vivacité du souvenir qu'il en retirait. À ce niveau, la presse populaire constituait un relais d'opinion de toute première importance. Dès l'Exposition de 1878, les Français pouvaient parcourir la « rue des Nations », puis en 1889 observer le « village nègre » en plus de l'attraction majeure qu'était la fameuse « rue du Caire », sorte de bazar oriental qui rassemblait 400 figurants « indigènes », conçu pour les immerger dans une ambiance « exotique ». Cette étroite rue arabe fut d'ailleurs reproduite à Chicago, San Francisco[3], Berlin et Milan, présentant chaque fois ses maisons adossées les unes aux autres, ses minarets, ses boutiques, et peuplée de centaines d'« indigènes arabes » en costume de

2. Voir Paul Greenhalgh, *Ephemeral Vistas. The* Expositions universelles, *Great Exhibitions and World's Fairs, 1851-1939*, Manchester, Manchester University Press, 1998.

3. Voir Robert Rydell, *All the World's a Fair : Visions of Empire at American International Expositions, 1876-1916*, Chicago, University of Chicago, 1984, et le travail de la maîtrise non publiée de Raphaëlle Ernst sur la présence des espaces et des populations coloniales dans les expositions universelles parisiennes au XIXe siècle : *Les Mondes coloniaux dans les expositions universelles à Paris (1855-1900)*, Paris, 1998.

fakirs, de jongleurs, de marchands et d'artisans, de femmes voilées, mais aussi de singes et de chameaux, le tout constituant un parfait exemple de l'interprétation superficielle que ces exhibitions donnaient en général des cultures extra-européennes. Le modèle était ainsi facilement interchangeable pour la présentation d'autres civilisations provenant essentiellement de l'empire, et nombreux furent les villages du Dahomey, du Soudan ou d'Indochine... à présenter des caractéristiques scéniques semblables. Enfin, l'Exposition de 1900, avec ses 50 millions de visiteurs, proposait un diorama « vivant » sur Madagascar, et cette tendance fut poursuivie lors des expositions proprement coloniales, à Marseille en 1906 et 1922, ou encore à Strasbourg en 1924 et à Paris en 1907 et 1931.

Entre rêve et réel, les promoteurs offraient au public un monde féerique, soignant à la fois la minutie du décor et l'« authenticité » de la mise en scène. En effet, le visiteur friand de pittoresque s'immergeait dans la visite et observait les « indigènes » au travail, s'émerveillait devant les spectacles et divertissements, participait aux activités « exotiques » mises à sa disposition en utilisant les embarcations africaines, en mangeant au restaurant annamite ou, plus extraordinaire encore, en chevauchant des chameaux, montures étranges pour l'époque. Aussi, peu à peu - entre la découverte de mets aux saveurs si différentes et le dépaysement procuré par la visite en pousse-pousse annamite, l'achat de souvenirs qui rappelaient le discours volubile et le charme de l'accent du marchand, tout en attestant auprès des autres de la visite de l'exposition -, une certaine image des colonies s'est-elle insinuée dans les esprits du plus grand nombre. Reflet du bazar oriental présenté à la fin du XIXe siècle, l'image de l'empire est alors composée de toutes les représentations factices, reproductions supposées de la vie quotidienne de l'Autre ayant toutes pour objet la légitimation de la conquête coloniale en présentant le colonisé comme absolument Autre et inférieur sur l'échelle de la civilisation et du progrès. Ancrée dans les esprits, cette assurance de la supériorité de la civilisation européenne en général, et française en particulier, devient de plus en plus visible.

Le temps des grandes expositions

Les expositions universelles avaient ainsi une fonction éducatrice générale. Effectivement, au cours de la seconde moitié du XIXe siècle, elles étaient les seuls événements capables d'amener un aussi large panel de personnes dans un lieu unique, à des fins d'édification et de distraction, mais aussi d'endoctrinement et d'unification de la population. À ce titre, les expositions jouèrent un rôle primordial, car elles devaient simultanément glorifier et domestiquer l'empire. Elles devenaient un réel terrain de propagande servant à la justification de l'acte impérial et tentant d'impliquer davantage le public autour des notions de fierté et de grandeur nationales. Lors de son parcours à l'Exposition de 1889, le visiteur découvrait ainsi une série de pavillons et de palais parfaitement alignés avant de se plonger dans un ensemble de villages « indigènes » sénégalais, loangos, pahouins, kanaks ou tonkinois, agrémentés tout autour par des cafés, restaurants et autres lieux de divertissement. Ces « reconstitutions » devaient à la fois éduquer en présentant un intérêt ethnologique et divertir grâce au ressort de la curiosité et aux attraits de l'exotisme[4]. Les concepteurs de l'exposition avaient parfaitement compris l'intérêt du discours simplifié et utilisaient, sans souci de mesure, les représentations dichotomiques, comme en témoignait déjà l'anthropologue Paul Broca lors de la précédente exposition : « Les deux hommes que le gouvernement de la République a placés à la tête de l'Exposition [...] ont compris l'utilité de ce contraste entre la lumière et les ombres, entre la civilisation développée et les civilisations rudimentaires ou en voie d'évolution, entre l'humanité à l'état d'enfance - ignorante, incertaine, oublieuse, dominée par la nature, opprimée par elle-même, n'avançant aujourd'hui que pour reculer demain - et l'humanité adulte, grandie par la science, fécondée par la liberté, sanctifiée par le travail et marchant d'un pas sûr dans la voie illimitée du progrès[5]. »

L'Exposition universelle de 1889 jouait sur ce manichéisme porteur en présentant un « village noir », symbole de l'archaïsme dans ses mœurs et coutumes, au pied de l'allégorie par excellence de la technicité et du progrès : la tour Eiffel. Elle introduisait en outre un nouveau concept basé sur l'attrait et le divertissement pédagogique. Réunissant une section coloniale d'une étendue sans précédent, il s'agissait de séduire le public métropolitain en le familiarisant avec « ses » possessions lointaines. L'exposition marquait ainsi une nouvelle étape dans la volonté d'accéder à un public de masse. Les 32 millions d'entrées témoignent du succès de la vulgarisation souhaitée, affectant de plus en plus la classe moyenne mais aussi désormais les classes

---

4. Nous renvoyons à ce sujet à deux articles intéressants de Sylviane Leprun, « Paysages de la France extérieure : la mise en scène des colonies à l'Exposition du centenaire », in *Le Mouvement social*, octobre-décembre 1989, p. 99-129, et « Exotisme et couleur », in *Ethnologie française*, 1990, p. 419-427.

5. Discours d'ouverture du Congrès des sciences anthropologiques par Broca lors de la tenue de l'Exposition universelle de 1878, *Congrès international des sciences anthropologiques*, Paris, 1880.

populaires. L'adaptation aux nouvelles exigences générées par cette ouverture se manifestait par la mise en scène de l'exotique et du pittoresque. Ainsi c'est par l'exhibition de « curiosités » que l'on tentait d'attirer la foule des visiteurs pour les conduire à la découverte et à la connaissance des colonies. L'ensemble de ces représentations « vivantes » a contribué à nourrir l'imaginaire métropolitain sur les colonies et les colonisés. Il fallait séduire en même temps qu'informer et éviter l'austérité du didactisme scolaire. Le rôle politique de ces « théâtres coloniaux » était l'éducation des métropolitains, un véritable travail sur l'opinion. Les propagandistes coloniaux cherchaient en effet à établir un consensus sur l'empire, à développer une meilleure compréhension et par là même une meilleure information pour imposer leur perception des relations impériales.

Les décors n'étaient pas les seuls pourvoyeurs de dépaysement ; ce qui attirait avant tout était bien le caractère de musées « vivants » où évoluaient des « indigènes » représentant soit un statut, tel le griot ou le chef, soit une profession, tels les artisans, commerçants, musiciens ou danseurs. Le visiteur était alors amené à découvrir ces mondes divers par leurs parfums, les bruits, les ambiances ou simplement les modes de vie imaginés et les spectacles présentés comme étant des « rituels traditionnels ». L'imagination était mise en éveil, et l'image des colonies s'enrichissait des représentations véhiculées lors des expositions. C'était tout le monde jusqu'alors immobile des représentations iconographiques des journaux qui se mettait en mouvement pour mieux imprégner les esprits et s'ancrer dans la culture.

De l'exposition à l'exhibition

Parallèlement aux grandes manifestations d'ampleur internationale, des événements à échelle nationale, régionale ou locale participaient à l'édification coloniale de l'ensemble des Français. En effet, les nombreuses exhibitions ethnologiques offrirent elles aussi un discours racial sur la prétendue supériorité européenne à des millions de visiteurs hypnotisés par la différence présentée alors entre la civilisation et la sauvagerie.

L'apparition, puis l'essor, de cette mode consistant en l'exhibition d'êtres humains ressortait à l'articulation entre trois processus concomitants : d'une part la construction d'un imaginaire social de l'Autre, d'autre part la théorisation scientifique de la « hiérarchie des races » dans le sillage des avancées de l'anthropologie physique - comme le souligne Gilles Boëtsch dans le présent ouvrage -, et enfin l'édification d'un empire colonial alors en pleine expansion. Ainsi, de 1877 à 1931, plus de 40 exhibitions ethnologiques[6] furent produites au jardin zoologique d'Acclimatation avec un constant succès. Esquimaux, Lapons, gauchos argentins, Nubiens, Ashantis, Indiens galibis, Cosaques, etc. s'y succédèrent, servant à la fois de spécimens pour les études anthropologiques et d'attractions pour le grand public. Le genre s'est épanoui au XIXe siècle, répondant à l'intérêt que le public portait aux « races » les plus curieuses, les plus « féroces ». Appréhendées par le prisme de l'exhibition, ces « curiosités », voire ces « monstres », étaient destinées à renforcer la distance non civilisé/civilisé et témoignaient de la fascination pour le « sauvage » savamment entretenue par ses promoteurs. Ce double phénomène d'attraction mais aussi de répulsion était déjà le moteur de la montre du « hors norme », de la définition de soi par rapport à l'Autre, découvert dans le succès rencontré par les exhibitions d'hommes atypiques comme les nains, les géants, les enfants couverts de poils, les siamois, ou - plus morbide encore - lors des nombreuses visites à la morgue, autre grand lieu d'attraction[7] pour le tout-Paris à la fin du siècle. Ces exhibitions, alors les marqueurs d'une époque, se comptèrent par centaines entre 1871 et 1931.

Or, dans le processus complexe du regard sur l'Autre et de l'imaginaire racialisant, elles représentaient le premier « contact » réel entre l'Autre exotique et l'Occident, le « nous civilisés ». Elles sont donc au cœur des mécanismes qui ont engendré notamment le stéréotype du « sauvage », car ce fut par millions que les Français, de 1877 au début des années 1930, sont allés ainsi à la rencontre de l'Autre. Un Autre mis en scène et en cage (de façon symbolique ou réelle), qu'il soit peuple « étrange » venu des quatre coins du monde ou indigène de l'empire, constituait pour la grande majorité des métropolitains le premier contact avec d'autres cultures. Or le rapport de distanciation mis en scène par ces expositions et renforcé par des barrières physiques - grillages, palissades, barrières de bois -, vestimentaires ou morales ancrait et popularisait dans les esprits de tous le concept scientifique de « race » établi par les « savants ». On consacrait ainsi l'idée de hiérarchie des peuples en rapport avec leur avance technologique et leurs caractéristiques physiques. Ces exhibitions ethnologiques vulgarisaient donc l'axiome de

6. Voir l'ouvrage de synthèse sur les exhibitions ethnologiques à l'échelle internationale de Nicolas Bancel, Pascal Blanchard, Gilles Boëtsch, Éric Deroo et Sandrine Lemaire, *Zoos humains. De la Vénus hottentote aux* reality shows, Paris, La Découverte, 2002.

7. Voir à ce sujet l'excellent ouvrage de Vanessa R. Schwartz, *Spectacular Realities. Early Mass Culture in Fin-de-Siècle, Paris*, Berkeley, University of California Press, 1998.

l'inégalité des « races » humaines et justifiaient en partie la domination associée à la colonisation[8]. En effet, dès ce moment, la mécanique coloniale d'infériorisation de l'indigène par l'image s'est mise en marche, et ces exhibitions fournissaient une explication, partielle mais cependant cruciale car exclusive à l'époque de la rencontre à l'Autre, par l'interpénétration et la popularisation des idées évolutionnistes sur la « race » et le progrès[9]. L'impact social de ces spectacles dans la construction de l'image de l'Autre fut dès lors immense, d'autant qu'ils se combinaient avec une médiatisation omniprésente qui imprégnait profondément l'imaginaire des Français.

Images et messages

Le souci manifeste de vulgarisation dans les expositions et exhibitions était relayé par un ensemble de supports médiatiques dont le rôle fut essentiel. En effet, la littérature d'accompagnement de ces expositions, mais aussi la presse, les cartes postales et autres images d'Épinal et vignettes publicitaires, ont participé à la diffusion et à la construction de ces images de l'Autre. La grande presse - *Le Petit Journal* ou *Le Petit Parisien* - multipliait les sujets ayant trait aux expéditions coloniales ; d'autres journaux furent créés autour de ces thèmes porteurs, comme *Le Journal des voyages* en 1877. L'empire prenait une place de plus en plus importante dans la littérature de l'entre-deux-guerres, et les romans mettant en scène des sujets coloniaux remportaient un franc succès auprès d'un public varié. Ainsi, des romanciers ont bâti leur célébrité sur ces thèmes, tels Pierre Loti, René Maran ou les frères Jean et Jérôme Tharaud, dont les ouvrages furent vendus à des millions d'exemplaires. Par ailleurs, les romans d'aventure, mais aussi le cinéma, passionnaient la jeunesse car ils constituaient une source d'évasion en suivant les traces des bâtisseurs d'empire, véritables héros nationaux.

Les images véhiculées par ces médias de masse étaient simplifiées afin

8. Voir les ouvrages de William Schneider, *An Empire for the Masses. The French Popular Image of Africa, 1870-1900*, Londres, Greenwood Press, 1982, et d'Anne Maxwell, *Colonial Photography and Exhibitions. Representations of the « Native » People and the Making of European Identities*, Londres, Leicester University Press, 1999.

9. Voir Pascal Blanchard, Nicolas Bancel et Sandrine Lemaire, « Les zoos humains : le passage d'un "racisme scientifique" vers un "racisme populaire et colonial" en Occident », in *Zoos humains...*, *op. cit.*, p. 63-71.

d'être mieux comprises, perçues et retenues par le plus grand nombre. Elles ne laissaient donc que fort peu de place à la nuance et servaient de supports de propagande au discours officiel. Ces représentations - même sommaires - étaient pourtant efficaces dans le sens où elles favorisaient l'imprégnation dans les consciences d'une synthèse des messages à transmettre et à assimiler. Des images stéréotypées portant sur l'ensemble de l'empire colonial français se dégageaient de ces médias, constituant à n'en pas douter le terreau de la conscience coloniale qui s'imposa réellement au cours de l'entre-deux-guerres lors de l'apogée colonial.

En effet, les représentations au temps des conquêtes convergeaient toutes vers une mise en scène d'un monde édulcoré, où les tensions à l'intérieur de l'empire étaient totalement annihilées pour présenter un univers pacifié et calme, des « indigènes » soumis car ayant compris le sens de la colonisation française et les bienfaits de sa « mission civilisatrice ». Au-delà de l'exotisme, c'est bien l'idéologie de la mission civilisatrice qui s'est lentement installée dans le patrimoine culturel français par le biais de l'image d'une colonisation parfaitement pacifique et comprise de la plupart des colonisés. Seuls les moins éclairés d'entre eux, les plus barbares et « sauvages », ainsi que les Français n'ayant pas compris, voire ne participant pas à l'intérêt national, pouvaient s'opposer à cette entreprise bienfaitrice pour la métropole et les colonies.

Par ailleurs, le message valorisait la colonisation parce qu'elle donnait naissance à « une plus grande France », « une France où le soleil ne se couchait jamais » et aux « cent millions d'habitants », les colonies étant des prolongements de la métropole. Les thèmes des différents appels à l'expansion coloniale étaient donc communs ; seul l'argumentaire variait. Si les nombreux groupes de pression ou particuliers moins organisés avaient déjà contribué à la familiarisation de certaines représentations coloniales, ce sont bien les grandes expositions universelles de la fin du XIXe siècle, jusqu'à celle de 1900, puis spécifiquement coloniales (Marseille en 1906 et 1922, Paris en 1906 et 1907, Strasbourg en 1924), et la grande Exposition coloniale internationale de Paris en 1931 qui ont contribué à la diffusion populaire de la relation coloniale. Tout un imaginaire né de lectures, marqué par une imagerie exotique et coloniale dispersée et en pleine éclosion, s'est cristallisé autour des reconstitutions des différentes exhibitions et expositions. Toutes les constructions imaginaires individuelles prenaient en effet vie, et les Français pouvaient ainsi « apprivoiser » leur empire en intégrant chacune de ses parties au paysage national par le biais des reconstitutions qui leur étaient proposées.

« Exposition coloniale, Grand Palais
des Champs-Élysées », anonyme, 1906.

Représentations mentales et culture de masse

La tendance distrayante de l'Exposition de 1889 se confirma lors de celle de 1900, qui attira un public de 50 millions de visiteurs par une série de divertissements, savant mélange des aspects ludiques et pédagogiques qui brassait de l'étrange, du jamais-vu, de l'Ailleurs et de l'Autre. La présentation sous forme de pavillons choisie pour ces expositions, avec de véritables « villages indigènes » mettant en scène la vie quotidienne des colonisés, vie recréée par et pour la métropole, constituait, ajoutée aux restaurants, échoppes et spectacles de toutes sortes, de véritables lieux de divertissement attirant tout spécialement l'attention des visiteurs. Ces derniers étaient conviés à un véritable voyage dans leurs colonies ainsi « transplantées » et reconstituées : « Les colonies sont venues visiter la métropole. On peut avoir l'illusion de se trouver dans les pays d'outre-mer en parcourant l'esplanade des Invalides[10]. »

Ces exhibitions, expositions, images véhiculées par la presse ou autres supports populaires avaient pour vocation essentielle de montrer le rare, le curieux, l'étrange, toutes expressions du non-habituel et du différent par opposition à une construction rationnelle du monde élaborée selon des standards européens. Ces médias visuels médiatisèrent ainsi l'altérité en familiarisant peu à peu les Français à l'étrange tout en cantonnant toujours l'Autre dans la négation de la normalité européenne.

La Grande Guerre constitua cependant une rupture dans la découverte de l'altérité et dans la mise en scène des populations colonisées, puisqu'elle fut marquée par l'arrivée massive de contingents de tirailleurs et de travailleurs maghrébins, indochinois ou africains. L'imagerie mit alors en scène un nouveau personnage, susceptible d'intégrer cette nouveauté. Le « sauvage » devint ainsi l'*enfant adoptif* de la Plus Grande France, modifiant en profondeur l'un des aspects les plus prégnants de la culture coloniale. Les expositions de l'entre-deux-guerres consacrèrent dès lors cette mise en scène manifestant la volonté contradictoire de présenter l'Autre colonisé comme un futur citoyen (adopté) de la Plus Grande France tout en reconnaissant et en perpétuant la différence raciale, infériorisé qu'il était par des caractéristiques physiques et culturelles le situant au stade de l'enfance du déve-

10. *Revue illustrée de l'Exposition coloniale*, Paris, 1889.

loppement[11]. Les barrières physiques disparurent alors, mais, dans l'esprit de tous, la distanciation culturelle n'en était pas moins réelle. La suprématie occidentale s'affirmait aux yeux des métropolitains, d'autant qu'elle était relayée par de multiples médias qui facilitaient l'imprégnation culturelle de cette idéologie de la domination[12].

11. Voir Sandrine Lemaire, « Le "sauvage" domestiqué par la propagande coloniale », in *Zoos humains..., op. cit.*, p. 275-288.

12. Voir l'ouvrage de Sophie Bessis, *L'Occident et les Autres. Histoire d'une suprématie*, Paris, La Découverte, 2001.

« Types algériens », cartes postales d'Assus, 1905.

SCIENCES, SAVANTS ET COLONIES

Par Gilles BOËTSCH

La volonté d'inventorier ce que la nature met à la disposition de l'homme se traduit, tout au long du XIXe siècle, par la transformation des « cabinets de curiosités » en collections se voulant plus exhaustives que spectaculaires : ces inventaires sont indispensables pour décrire, comparer, hiérarchiser les éléments de la nature... et bientôt coloniser cette même nature, ces pays et leurs populations. De fait, le début des conquêtes coloniales (Égypte, Algérie, Inde, Australie...) va fournir de nouveaux matériaux d'étude et renforcer ce besoin d'inventaire. Mais rapidement la « science » coloniale est obligée de gérer deux aspects de nature différente : tirer profit des ressources du pays pour développer l'économie des métropoles et peupler les terres colonisées (avec le problème que posera rapidement aux savants l'adaptation des populations européennes aux nouveaux territoires souvent hostiles à la santé de l'homme européen). Par la suite, les enjeux scientifiques se tourneront davantage vers les aspects de développement économique, d'éducation des populations indigènes (religion, éducation, médecine, armée...) et vers le développement des infrastructures coloniales, et deviennent des enjeux de politique coloniale et non plus de recherche fondamentale.

La colonisation comme processus naturel

La colonisation s'entend alors comme un processus naturel et historique, voire un droit ou un devoir. Elle existe au sein de l'Europe pour des raisons de densité de population ; elle a marqué profondément la mémoire européenne qui faisait de la découverte de terres nouvelles une conjugaison entre le savoir, l'aventure et le profit (les conquistadores). Cela a rapidement réduit l'opposition initiale entre conquête et colonisation.

Si, dans l'imaginaire occidental, les conquérants sont animés à la fois par de « nobles » sentiments (de découverte, d'exploration, de conquête) et par la recherche frénétique du profit, le processus de colonisation doit au contraire servir, dans un premier temps, à rejeter les éléments indésirables ou incontrôlables des métropoles. Puis la colonisation devient plus complexe puisqu'elle peut s'inscrire soit dans une volonté politique d'instaurer une dynamique de peuplement, soit dans une mise en valeur des ressources visant à créer des richesses à l'usage exclusif de la métropole. Les matières premières sont produites ou recueillies dans les régions coloniales, transformées en métropole, puis, comme produits manufacturés ou conditionnés, revendues partout, y compris dans les colonies. La connaissance des pays donne lieu, de manière récurrente, à des récits d'explorations et de voyages puis à de nombreuses monographies régionales décrivant les ressources minières, hydrauliques, botaniques, zoologiques et humaines.

Mais la science a aussi des fonctions de légitimation, comme on peut le voir avec le formidable développement de l'archéologie classique dans le nord de l'Afrique, qui permet de reprendre les périmètres de l'Empire romain. En effet, dans le cas de l'Algérie, la romanité est une grille de lecture qui permet de parler à la fois de la colonisation et du colonisé. Les Français sont implicitement comparés aux Romains et les Kabyles aux Grecs (archaïques). L'Afrique du Nord est considérée comme un « passé continué », ce qui la place dans l'altérité mais aussi dans la proximité, d'où le caractère topique de la comparaison avec l'Antiquité classique, qui nous est à la fois proche (nous en venons) et lointaine (nous sommes modernes). Il y a au fond ici deux modes d'utilisation du modèle antique : de rapprochement et de dissociation. C'est une différence notable avec le discours sur les populations d'Afrique subsaharienne, qui sont décrites dans une altérité beaucoup plus radicale.

Les cadres du développement de la science anthropologique sont posés puisque la connaissance des populations des mondes coloniaux nécessite la présence de l'anthropologue, au même titre que celle du botaniste, du géologue ou du zoologiste. Tous doivent faire des inventaires, récolter des échantillons qui doivent rejoindre les muséums nationaux. Mais, pour l'anthropologue - dont le travail est articulé entre la vision classificatrice linnéenne qui fait de l'homme une catégorie zoologique et la vision de

Buffon qui intègre les us et coutumes dans les caractères anthropologiques à côté de l'apparence morphologique -, la tâche est peu aisée. On doit se rendre sur le terrain pour étudier les échantillons ou se contenter d'ossements (en général des crânes) ou d'objets ethnographiques rapportés de manière aléatoire par les voyageurs. Les journaux de voyages demeurent bien souvent la seule source anthropologique pour nombre de populations. Le savant est encore « à part » dans cette société en expansion...

Le monde savant à la recherche d'une légitimation

À la fin du XVIIIe siècle, les besoins en matière de connaissance changent alors que s'affirment les volontés d'expansion des États européens modernes. Pour « comprendre » le pays à conquérir, pour se doter d'informations efficaces, le militaire et le politique ont besoin du scientifique. Bonaparte emmène des savants à la conquête de l'Égypte : ceux-ci s'intéressent aux ressources du pays, aux mœurs et à l'histoire des habitants. C'est la collusion du savoir et du pouvoir. Peu de temps après, Joseph-Marie de Gérando propose à la Société des observateurs de l'homme, fondée en 1799, des *Considérations à suivre dans l'observation des peuples sauvages* (1800) afin de comprendre le développement physique et moral des autres peuples, texte dans lequel il traite des caractères autant individuels que collectifs.

Les bases des enquêtes sur le terrain et du concept de muséum pour conserver les échantillons sont alors mises en place. Elles deviennent très vite des outils indispensables au développement de la connaissance scientifique du milieu naturel et au pragmatisme de terrain. Les voyages prennent de l'ampleur, les explorations scientifiques deviennent une forme fréquente d'organisation de la science dès le milieu du XIXe siècle. Mais les travaux scientifiques traitant de la connaissance du physique et du moral des peuples tardent à connaître l'essor des sciences naturelles consacrées à l'inventaire des richesses disponibles. Si chaque expédition, dans ses projets initiaux, prend en considération les dimensions anthropologique et ethnographique, les travaux publiés sont plutôt rares sur l'anthropologie jusqu'au dernier quart du XIXe siècle. Quelques exceptions sont notables, comme Dumoûtier qui part avec Dumont d'Urville dans les mers du Sud entre 1837 et 1840 pour constituer une collection de moulages phrénologiques comprenant en particulier 144 crânes et 42 moulages de bustes ethniques. Le problème qui se pose à l'anthropologie durant la seconde moitié du XIXe siècle est l'accès à des sujets vivants visibles et palpables, et pas seulement à des récits de voyageurs, à des objets ethnographiques, voire à des pièces ostéologiques. Les problèmes de l'anthropologie rejoignent les problèmes du pays qui a besoin de légitimation pour ses conquêtes et ceux du public dans son désir de distraction.

Les exhibitions ethnographiques vont fournir aux savants - surtout aux anthropologues - l'occasion de contempler de chez eux, à proximité de leurs laboratoires, des échantillons de peuples exotiques, originaires pour bon nombre d'entre eux des contrées colonisées par les puissances européennes. C'est donc une véritable aubaine pour le monde savant lorsque Geoffroy Saint-Hilaire exhibe, en 1877, quatorze Nubiens au jardin zoologique d'Acclimatation et invite les anthropologues à venir les étudier. La science anthropologique est encore naissante : elle n'existe institutionnellement que depuis 1859, date à laquelle Broca fonde la Société d'anthropologie de Paris. Dans le volume XIII du *Grand Larousse* datant de 1875, on peut lire au mot *race* : « L'anthropologie est une science toute récente ; cependant les progrès qu'elle a déjà accomplis sont prodigieux [...] l'anthropologie française, nous pouvons le dire avec orgueil, tient le premier rang, et les autres nations n'ont pas, croyons-nous, de noms à opposer à ceux de Lartet, de Broca... » L'anthropologie s'affirme donc comme une science en émergence toute dévouée à la connaissance du monde qui nous entoure, en particulier de l'homme dans sa dimension naturelle. La France en tient même le flambeau éclairé. Les termes de « raciologie » ou de « racisme » n'ont pas encore droit de cité dans l'encyclopédie à l'époque. Mais déjà les mondes coloniaux en construction, *via* les conquêtes, s'inscrivent de plus en plus au cœur des préoccupations savantes, et les ouvrages de diffusion du savoir ou encyclopédiques deviennent des réalités de plus en plus quotidiennes pour les Français.

Qu'est-ce qu'une science coloniale ?

Le problème posé au travers de ces exhibitions ethnographiques, de ces « zoos humains[1] », c'est le principe même de donner à voir des êtres humains dans un endroit destiné à accueillir des animaux et des plantes. Elles portent en elles le rapport de domination coloniale, même si celui-ci s'applique également, toujours au travers des exhibitions humaines, aux

1. Voir l'ouvrage collectif de Nicolas Bancel, Pascal Blanchard, Gilles Boëtsch, Éric Deroo et Sandrine Lemaire, *Zoos humains. De la Vénus hottentote aux* reality shows, Paris, La Découverte, 2002.

Bretons ou aux Auvergnats, populations longtemps considérées par la France centralisée comme des populations « ethniques » encore à civiliser[2]. Cette double démarche d'enfermement et d'exhibition va satisfaire le désir du public consistant à s'éduquer tout en se distrayant. C'est aussi rendre proche le lointain. C'est enfin rassembler, en une démarche unique, intérêt de la science, spécimens vivants, actualités coloniales et légitimation de l'entreprise outre-mer. En un mot, atteindre deux objectifs en un, chaque objectif légitimant de fait l'autre. Mais il est certain que cette construction et ce rapprochement portent en eux les ferments d'un racisme populaire dont les anthropologues sont alors la caution scientifique. Ils confirment, au minimum, la légitimité de l'acte colonial et, dans beaucoup de cas, apportent les preuves de l'infériorité de ces « races attardées » auprès du plus grand nombre en France. Aller voir l'Autre au zoo, c'est le sortir d'une abstraction pour le rendre visible, palpable. C'est surtout le mettre dans un contexte précis qui aura rapidement des retombées pragmatiques.

En effet, cette exhibition justifiera la mise à distance irréductible de l'Autre par sa simple vision : les « sauvages » existent, je les ai vus au zoo. Ils sont dans un endroit qui est la preuve à la fois de leur différence, puisqu'on les exhibe, et de leur infériorité, puisqu'ils sont dans des jardins d'acclimatation, derrière des barreaux, des grillages ou des barrières. En quelque sorte, ces barrières justifient le pouvoir de l'homme occidental et montrent les limites mêmes du modèle de toute civilisation différant de celui produit par la société occidentale[3].

La construction de l'altérité ne repose alors pas sur une différence d'ordre culturel. L'observation anatomique sert de manière réductrice de base scientifique à l'altérité. Jugée à l'époque comme objective, l'analyse morphométrique devient la preuve rationnelle de la différence. Elle rend donc normal l'acte de colonisation, puisqu'il se présente comme un acte de civilisation. Ainsi, la communication à la Société d'anthropologie de Paris proposée par Broca en 1861, concernant les poids des cerveaux des « Blancs » et des « Noirs » et qui indique un écart de poids, lui permet de justifier une hiérarchie raciale s'appuyant sur des poids et des volumes de cerveaux d'Européens, d'Africains et d'Australiens qui ne fait que « prouver » la mise en place de la tutelle coloniale. Il conclut, de manière péremptoire d'ailleurs, que les crânes de ces derniers sont deux fois plus éloignés des premiers que

2. Eugen Weber, *La Fin des terroirs*, Paris, Fayard, 1983.

3. Alain Ruscio, *Le Credo de l'homme blanc. Regards coloniaux français, XIXe-XXe siècles*, Bruxelles, Complexe, 1995.

les deuxièmes[4]. À cet instant-là, sans même être explicite, l'anthropologie devient une science coloniale au sens politique du terme. Car elle légitime, par l'étude, l'acte de domination.

Les anthropologues au zoo

En 1877, Mazard signale la présence au jardin zoologique d'Acclimatation d'« un groupe de Nubiens venus en accompagnement d'un groupe d'animaux. Une commission d'anthropologues est désignée pour étudier ces individus ; elle se compose de Bordier, Dally, Girard de Rialle et Mazard. » Elle débute ses travaux à la mi-juillet et les termine à la mi-octobre de la même année. En 1878, une commission réunissant Bordier, Broca, Dally, Girard de Rialle, Mazard et Topinard s'intéressera aux six Esquimaux du jardin zoologique d'Acclimatation. Outre une description anthropométrique des sujets et des considérations générales sur leur alimentation, une étude complémentaire sur le lait maternel sera effectuée, ainsi qu'une étude d'anatomie cérébrale à partir des corps de trois Esquimaux morts à Paris en 1881. En 1883, Ernest Chantre profite de la venue à Lyon de cinq Zoulous pour faire des mesures anthropométriques et leur acheter des armes et des ustensiles qu'il comparera avec des objets semblables venant du Zambèze. En 1895, lors de l'Exposition soudanaise du Champ-de-Mars, Barbier, directeur de l'exposition, invite les membres de la Société d'anthropologie de Paris à venir voir les 350 « nègres » qui sont exhibés ; il offre même trois cartes d'entrée permanente pour les membres de la société voulant poursuivre des recherches. Ces observations anthropologiques et ethnographiques seront régulièrement publiées dans les revues scientifiques de l'époque. Au total, plus de 80 articles seront proposés à partir d'observations faites en France durant des exhibitions ethnographiques entre 1873 et 1909 (presque exclusivement à Paris). Paradoxalement, les « races » présentées (et étudiées) au jardin zoologique d'Acclimatation ne seront pas en majorité celles de l'empire colonial français. Parmi ces dernières, on remarque les

---

4. Voir l'article de Broca, « Volume et forme du cerveau suivant les individus et les races », in *Bulletins de la Société d'anthropologie de Paris*, 1861. Dans le même article, Broca explique que le plus petit volume du cerveau des femmes par rapport à celui des hommes leur donne une moindre intelligence. Ce travail de Broca a été souvent critiqué, mais la critique la plus percutante des travaux crâniométriques de Broca est celle de S.-J. Gould dans *La Mal-Mesure de l'homme*, Paris, Ramsay, 1983.

Galibis, les Kanaks, les Somalis, les Dahoméens, les Sénégalais, les Malgaches et enfin les Touaregs.

Au-delà du spectacle que ces exhibitions proposent au public, les anthropologues eurent le souci, tout du moins au début, d'en faire à la fois des éléments d'analyse de l'univers des « races » - une construction des races exotiques -, mais aussi un outil pédagogique en direction des personnes intéressées par l'anthropologie. Topinard, secrétaire général de la Société d'anthropologie de Paris, dans un article consacré aux « races humaines » et publié dans *La Nature* en 1888, constate que, depuis « une quinzaine d'années, le grand public prend goût aux exhibitions de races sauvages », surtout à celles des « derniers témoins d'un âge en voie de disparition et qu'il ne sera plus donné à nos petits-fils de [...] contempler ». Topinard parle des Aborigènes d'Australie que le directeur du jardin zoologique d'Acclimatation, Geoffroy Saint-Hilaire, a fait venir à la suite de groupes de Lapons, Fuégiens, Nubiens et autres populations exotiques. Topinard, en voyant dans ces démonstrations non seulement une possibilité d'étude de spécimens, mais surtout une facilité pour pouvoir récolter de précieuses données sur les « races » encore sauvages mais vouées à une extinction rapide, se plaçait dans une perspective zoologique. Il avait déjà formulé le même type de remarque au sujet des Hottentots[5] en expliquant que ceux-ci relevaient d'une autre humanité que la nôtre dans la mesure où ils n'étaient pas capables de s'adapter aux « conditions nouvelles que leur impose notre civilisation[6] ». Topinard voit, au-delà d'un fait de compétition entre types de sociétés (archaïques et civilisées), non pas une possibilité de transformation des formes culturelles des peuples les moins développés, mais une disparition radicale des « races » déclarées inaptes au changement.

Nadaillac forcera le trait en intégrant les concepts de supériorité et d'infériorité : « La disparition des races inférieures devant les races supérieures est un fait que l'histoire enregistre », écrira-t-il au sujet des « Peaux-Rouges[7] ». Pour preuve, les anthropologues (en particulier le Dr Hamy) ont fait reconstituer des scènes préhistoriques à l'Exposition universelle de 1889 pour montrer la distance entre l'aube de l'humanité et aujourd'hui suivant un modèle de développement linéaire. Les peuples exotiques d'aujourd'hui seraient finalement de la même humanité que nos ancêtres européens :

5. P. Topinard, « Les Hottentots au jardin d'Acclimatation », in *La Nature*, 1888.
6. Broca avait déjà remarqué dans son article de 1861 que les circonvolutions cérébrales étaient beaucoup moins développées chez la Vénus hottentote que dans les « races » européennes.
7. « Les Peaux-Rouges », in *La Nature*, 1891.

« Tout dans l'apparence de ces hommes indique une race encore sauvage et barbare[8]. » La description des Ashantis par Fulbert-Dumonteil est à ce titre édifiante : bien qu'« intelligents et industrieux », ils sont « abrutis par le fétichisme et dégradés par la cruauté[9] ».

Ainsi, pendant dix ans (jusqu'en 1889), les anthropologues croiront dans l'intérêt scientifique des échantillons de « races » qui leur seront proposés comme lecture des mondes exotiques et coloniaux. Ils pourront y pratiquer l'ethnographie et l'anatomie comparée, ce qui permettra aux uns et aux autres d'affirmer ou d'infirmer leur propre théorie raciologique. Ils demeureront enthousiastes, publieront dans des revues scientifiques comme les *Bulletins de la Société d'anthropologie de Paris* ou *L'Anthropologie*, puis dans des revues de vulgarisation pour le public éclairé comme *La Nature*. Leurs pratiques et leurs discours seront enfin relayés dans la grande presse, comme *L'Illustration* ou *Le Petit Journal*, durant de nombreuses années au travers de ces journaux populaires à fort tirage.

Les anthropologues, en tant qu'experts sur les problèmes de races, seront sollicités, encouragés, récompensés. Leur apport sera jugé déterminant pour rendre compte, dans un premier temps, de la diversité des peuples faisant partie des empires coloniaux formés ou en devenir, puis, dans un second temps, de l'aptitude de ceux-ci à intégrer le modèle de civilisation imposé par l'Europe. Ils auront des stands dans les expositions coloniales, en particulier à l'Exposition de 1889 où un espace très important leur est accordé. À partir de 1890, les anthropologues deviendront très méfiants sur la qualité des « échantillons » proposés, sur le faible nombre d'individus, sur leurs origines géographique et ethnique incertaines et leur métissage potentiel. Mais ces commentaires critiques de spécialistes n'intéressent pas l'opinion publique, qui s'est forgé un jugement radical sur la réalité objective des races.

Le savant sur le terrain

Si les débats scientifiques attirent peu le grand public, les hommes politiques y voient un grand intérêt pour justifier leur pratique d'expansionnisme colonial. En effet, la structuration de la géographie dès 1821[10] a

8. « Les sciences anthropologiques à l'Exposition universelle de 1889 », in *La Nature*, 1889.
9. J.-C. Fulbert-Dumonteil, « Les Ashantis de l'Afrique équatoriale », Paris, jardin zoologique d'Acclimatation, 1887.
10. D. Lejeune, *Les Sociétés de géographie en France et l'Expansion coloniale au* XIX*e siècle*, Paris, Albin Michel, 1993.

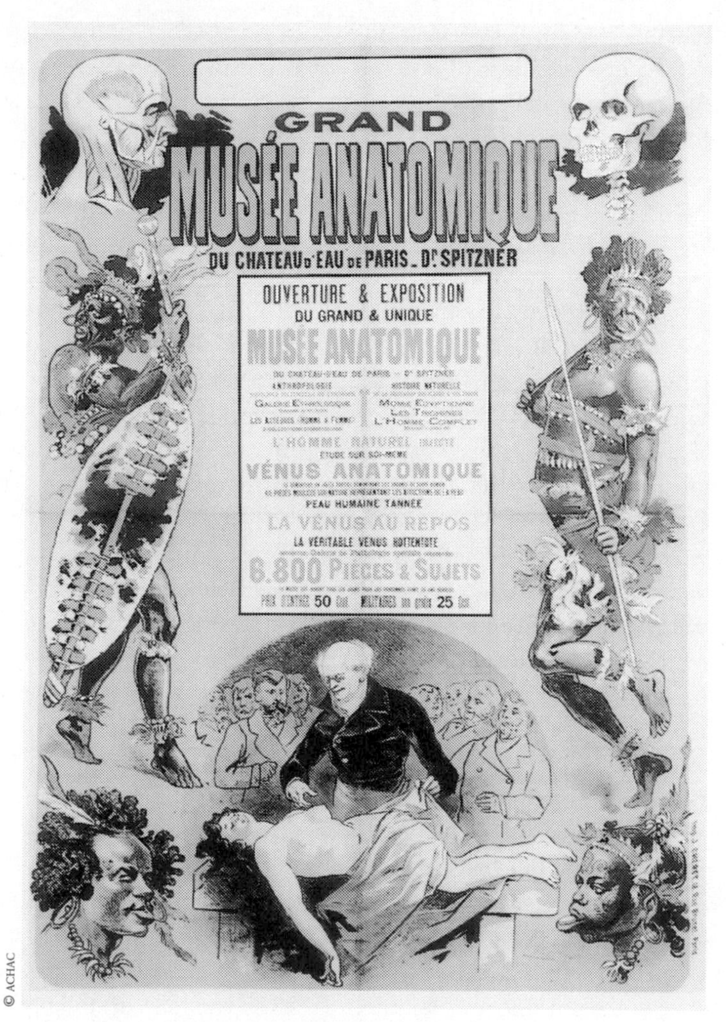

« Grand Musée anatomique », affiche de Jules Chéret, 1893.

pour objectif d'organiser la découverte de la Terre, d'élaborer une géographie physique et humaine qui poserait les jalons des sciences de la nature. Il s'agit non seulement de dresser un inventaire des ressources, mais aussi de répondre aux questions précises que se pose l'administration coloniale. C'est pourquoi, dès 1880, un anthropologue, le Dr Bordier, propose de mettre en place dans les colonies une politique scientifique consistant à utiliser la connaissance qu'apporte la science pour optimiser la pratique coloniale. C'est ainsi qu'il préconise d'étudier non seulement les ressources naturelles du pays, mais aussi « les races qui l'habitent, les aptitudes spéciales de chacune d'elles, les services qu'on est en droit d'en attendre[11] ». Cette science doit étudier les conditions d'acclimatation des colons en vue des perspectives d'implantation dans les colonies de peuplement (en particulier l'Algérie, l'Indochine, puis Madagascar), mais aussi les possibilités d'adaptation des « indigènes » à la « civilisation nouvelle qu'on apporte ».

Les anthropologues fixeront rapidement leur dévolu sur l'Algérie, qui leur semble un champ d'expérimentation adéquat pour mettre au point des différences morphométriques entre Arabes et Berbères afin d'utiliser celles-ci pour rationaliser la politique coloniale. Mais la réalité de la variabilité morphologique les a laissés impuissants à utiliser les données de l'anthropologie physique pour proposer une politique coloniale reposant sur des attributs physiques[12].

Si la production scientifique prend des formes de diffusion variées (ouvrages, articles dans des revues scientifiques et de vulgarisation, photographies, plus tard films), les expositions universelles et coloniales sont le lieu d'incarnation de l'« objectivité scientifique ». Ainsi, lors de l'Exposition universelle de 1889, L. Henrique, commissaire de l'exposition et éditeur des notices illustrées en cinq volumes concernant les colonies françaises, écrit : « Ce n'est ni une description fidèle de notre domaine extérieur, ni un recueil de chiffres, encore moins un plaidoyer en faveur de telle ou telle politique coloniale [...] c'est la description fidèle des pays lointains [...] c'est la peinture exacte des habitants qui peuplent ces petites Frances [...] c'est pour le

---

11. Bordier, *La Colonisation scientifique et les Colonies françaises*, Paris, Reinwald, 1884.

12. Sur ce sujet, voir Gilles Boëtsch et Jean-Noël Ferrié, « Le paradigme berbère : approche de la logique classificatoire des anthropologues français du XIXe siècle », in *Bulletins de mémoires de la Société d'anthropologie*, Paris, 1989, série I (3-4), p. 257-276 ; « L'impossible objet de la raciologie. Prologue à une anthropologie physique du nord de l'Afrique », in *Cahiers d'études africaines*, 1993, n° 129, p. 5-18. Voir aussi Gilles Boëtsch, « Anthropologues et indigènes : mesurer l'altérité, montrer la diversité », in *L'Autre et nous. Scènes et Types* (sous la direction de Pascal Blanchard, Nicolas Bancel, Stéphane Blanchoin, Gilles Boëtsch, Hubert Gerbaud), Paris, ACHAC/Syros, 1995, p. 55-60.

colon, le commerçant, le voyageur une source de documents précieux sur le climat, le prix des denrée [13] [...] » La finalité de la connaissance scientifique se plaçait résolument dans un principe d'édification d'un ordre colonial qui faisait du savoir sur autrui (ses mœurs, ses coutumes, son environnement) un élément essentiel de la construction de cet ordre. Par l'omniprésence de ce discours, par la proximité, voire son interaction, avec le système colonial en formation, par la légitimation progressive de cet ordre colonial *via* la hiérarchisation de l'humanité, les savants contribuèrent progressivement à créer une culture de la différence - culture qui devint très rapidement indispensable à ce même ordre colonial. En quelque sorte, en à peine une vingtaine d'années (de 1880 à 1900), les anthropologues édifièrent un regard sur le monde et une façon de penser les hommes qui se trouvaient au cœur des mécanismes principaux de ce qui fonda la culture coloniale.

13. L. Henrique (dir.), *Exposition coloniale de 1889. Les Colonies françaises,* 5 vol., Paris, Quantin, 1889.

« La guerre à Madagascar », ouvrage de Galli, anonyme, 1897.

LITTÉRATURE, CHANSONS ET COLONIES

Par Alain RUSCIO

Les écrits coloniaux auraient pu, auraient dû, être les grands ancêtres de la vogue, si forte aujourd'hui, pour les romans des « étonnants voyageurs ». Or il n'en est rien. La littérature coloniale est aujourd'hui bien oubliée, et lorsqu'elle est encore parfois évoquée c'est pour conforter sa mauvaise réputation. En tant que littérature, elle a rarement produit de textes suffisamment riches pour marquer durablement les lettres françaises. Encore moins un - ou des - chefs-d'œuvre. Il n'y eut pas de *Kipling français* - selon une litanie présente dans toutes les recherches à ce sujet.

En tant que description d'un fait, la colonisation a été trop souvent une littérature à but didactique et lourdement idéologique. Son étude, pourtant, ne manque pas d'intérêt, ne serait-ce que par la masse de la production révélatrice de son succès. Car, si la qualité d'un style peut être objet de discussions à l'infini, la quantité, elle, écrase le lecteur potentiel. Aucun recensement à prétention exhaustive, à notre connaissance, n'a jamais été tenté, mais le corpus porte sur plusieurs centaines d'ouvrages[1], mêlant le bon, à défaut du meilleur, et le pire. Même le spécialiste, bien informé, découvre encore aujourd'hui des titres qui lui étaient inconnus.

Du début du XIXe siècle jusqu'à 1931, une grande quantité d'écrivains renommés ont ainsi écrit sur les colonies : Victor Hugo, Alphonse Daudet,

1. Voir les anthologies présentées par Alain Ruscio, *Le Credo de l'homme blanc. Regards coloniaux français, XIXe-XXe siècles*, Bruxelles, Complexe, 1996, rééd. 2002, et *Amours coloniales. Aventures et fantasmes exotiques de Claire de Duras à Georges Simenon*, Bruxelles, Complexe, 1996.

Pierre Loti, Charles Baudelaire, Arthur Rimbaud, Jules Verne, Guy de Maupassant, Guillaume Apollinaire, Blaise Cendrars, André Gide, Henry de Montherlant, Louis-Ferdinand Céline... Mais aussi d'autres, moins connus aujourd'hui, qui eurent cependant leur heure de gloire : Claude Farrère, les frères Jérôme et Jean Tharaud, les frères Paul et Victor Margueritte, Marius-Ary Leblond, Georges Groslier, Isabelle Eberhardt, Louis-Charles Royer, Myriam Harry, Pierre Mac Orlan, Louis Boussenard, Louis Noir, Jules Boissière, Robert Randau, Louis Bertrand, Jean d'Esme, Pierre Mille... D'ailleurs, le prix Goncourt, créé en 1903, couronne dans ses premières années plusieurs romans de ce genre[2]. Enfin, une pléiade de petits auteurs, aujourd'hui totalement oubliés, utilisèrent le cadre colonial comme lieu de rencontres, d'affrontements, de rapprochements de leurs héros... S'il y eut tant d'auteurs et de lecteurs durant un siècle au moins, la signification dépasse alors largement l'étude de la littérature. Ce qui importe à l'historien des mentalités coloniales, c'est d'abord l'impact sociologique du phénomène. Pour deux ou trois générations de Français, le roman colonial a été, avec le cinéma - documentaire ou de fiction -, le moyen privilégié pour beaucoup d'approcher, de « connaître » même, la réalité de l'implantation française outre-mer. En un mot, un vecteur essentiel de l'édification d'une certaine culture coloniale en France.

Les littératures coloniales...

La définition de la littérature coloniale n'est pas aisée. Elle ne fut pas, ou en tout cas ne peut se réduire à la littérature exotique. Celle-ci, qu'elle soit exaltation du divers (Segalen) ou fariboles, dépasse de loin, dans le temps et l'espace, le cadre strictement colonial. De même, elle ne fut pas une littérature uniquement colonialiste, car la tendance critique du système s'est toujours exprimée, même de façon minoritaire, au fil des décennies. On proposera alors comme définition de la littérature coloniale l'idée qu'elle englobe tous les écrits de fiction[3] qui se donnent comme ambition de décrire la vie des colonisés et/ou des colonisateurs, dont l'intrigue se déroule

2. *Les Civilisés* de Claude Farrère (1905), *Dingley, l'illustre Africain* des frères Jérôme et Jean Tharaud (1906), *En France* de Marius-Ary Leblond (1910) et *Batouala, véritable roman nègre* de René Maran (1921).

3. Nous n'évoquerons ici que la littérature *stricto sensu*. Une plus vaste étude, tout aussi intéressante, pourrait englober, par exemple, les récits de voyage. Mais nous sortirions alors des récits de pure fiction.

outre-mer ou en métropole, et cela quel que soit l'*a priori* favorable ou défavorable au système impérial.

Dans cette production, on peut distinguer, de façon classique, trois grandes catégories d'auteurs qui ont rendu le cadre colonial familier pour nombre de métropolitains : les « autochtones », les « voyageurs » et les « exotiques ». La première catégorie désigne les écrivains nés à la colonie ou, à défaut, qui s'en sont longuement et profondément imprégnés. On imagine difficilement, aujourd'hui, le nombre de colons ou d'administrateurs désœuvrés qui se découvrirent sous les tropiques des dons d'écrivain, publiant çà et là de petits ouvrages. La deuxième catégorie, les « voyageurs », est constituée d'écrivains qui, à un ou plusieurs moments de leur travail d'écriture, sont allés chercher dans l'outre-mer français une source d'inspiration... C'est ce genre que Pierre Mille, non sans quelque mépris, qualifiait de « tourisme colonial ». Les véritables coloniaux étaient parfois quelque peu irrités par ces métropolitains aux idées toutes faites, qui passaient quelques jours, semaines ou mois aux colonies, puis revenaient en métropole pour y signer des livres à succès. Ce fut ainsi le cas de l'un des plus célèbres, Alphonse Daudet, qui ne passa que trois mois en Algérie (décembre 1861-février 1862) avant de publier, dix ans plus tard, son *Tartarin*. Vient ensuite toute une série d'écrivains, les « exotiques », qui ont brodé sur le thème, soit dans la veine du roman d'aventures[4], soit dans celle de la littérature amoureuse et grivoise, sans forcément avoir quitté l'Hexagone. Littérature souvent à cent sous, là aussi, mais fort bien représentée.

Pour les puristes, ces deux dernières catégories étaient *a priori* tenues en suspicion. Seuls les véritables coloniaux - entendez, les Français vivant outre-mer - pouvaient écrire avec quelque véracité sur la réalité de ces régions. Raillant l'exotisme de pacotille, Robert Randau écrivait alors : « Coiffez d'un turban le héros, drapez-le dans un burnous, plantez ici un palmier, là un minaret, plus loin un mirage ; saupoudrez de sable le coucher du soleil ; tenez des propos consternants sur l'ogive arabe et le palais mauresque ; mettez à rissoler des tirades amoureuses, un harem, des eunuques, un chibouk et des mouquères ; croquez un croissant d'un sou, et vous servirez la plus délicieuse des terrines orientales [...]. Remplacez le palmier par un manguier, le minaret par un bungalow, le mirage par un récif de corail, la dune par la savane, le djebel par le morne, l'eunuque par le créole, le

4. La bibliographie exotico-coloniale de Jules Verne est étoffée, sans compter celles de Louis Noir ou de Louis Boussenard.

chibouk par une canne à sucre, la mouquère par une quarteronne ; ne changez pas au reste le fond de l'histoire[5]. »

Cependant, de la conquête et des combats de pacification jusqu'à l'apogée de l'empire colonial, il y eut des variations. Ainsi, avant 1900, les grands et âpres débats sur le bien-fondé de l'expansion sont encore frais dans les esprits. La majorité du monde politique, intellectuel, et de l'opinion a toutefois déjà basculé dans le camp des « pour ». Malgré cela, le travail de conviction du parti colonial n'a pas encore atteint le tréfonds de la conscience de chacun. Les écrivains, sédentaires ou voyageurs, qui prennent pour thème l'empire colonial n'appartiennent pas à de véritables courants littéraires. L'écriture romanesque n'est alors, le plus souvent, que le fruit d'initiatives individuelles. La production de cette première période n'est pas unanime. L'enthousiasme littéraire n'accompagne pas toujours les succès de l'implantation française outre-mer. N'est-il pas symptomatique d'ailleurs que deux romanciers contemporains célèbres, Alphonse Daudet - *Tartarin de Tarascon*, 1872 - et Guy de Maupassant - *Bel-Ami*, 1885 -, aient traité des colonies, certes sur des tons différents, comme de lieux malsains et amoraux ? Pour qui lit en effet *Tartarin* comme un roman colonial et non comme une galéjade provençale, la dénonciation est féroce : critique du régime militaire (« les parfums d'Orient se compliquent d'une forte odeur d'absinthe et de caserne »), du comportement des colons, des mythes créés par la propagande coloniale. Quant à Maupassant, même si le cœur de l'intrigue de *Bel-Ami* se déroule en métropole, le personnage principal, à la moralité douteuse, est bien un ancien d'Afrique. On se souvient par ailleurs de la description minutieuse des enrichissements soudains et démesurés liés aux conquêtes.

Autosatisfaction de l'écriture coloniale

À partir du début du siècle, et plus encore au lendemain de la Première Guerre mondiale, on peut considérer que le parti colonial, au demeurant informel mais bien actif, s'est durablement structuré et qu'il a conquis l'opinion. La littérature devient alors un des moyens d'expression de ce parti. Non qu'il se soit agi toujours d'ouvrages de commande, mais le roman colonial répondait alors à l'air du temps, correspondait à un large consensus autour des valeurs de l'empire. En outre, dans le domaine des arts et des

5. Cité par Roland Lebel, *Histoire de la littérature coloniale en France*, Paris, Larose, 1931.

lettres, la littérature coloniale gagne ses lettres de noblesse, et les années 1920 voient la naissance successive du Grand Prix de littérature coloniale, du prix littéraire de l'Algérie, du prix littéraire de l'Indochine...

Le premier caractère de cette production littéraire est d'avoir été écrit par des Blancs, à l'intention des Blancs. Il n'y a pas, à quelques exceptions près[6], de littérature « indigène » à destination des lecteurs français avant l'ère de la décolonisation. À y réfléchir, il ne pouvait guère en être autrement. Comment les colonisés, ces « êtres imparfaits », auraient-ils pu créer des œuvres susceptibles d'émouvoir la « race conquérante » ? Ni culturellement ni matériellement, les colonisés ne pouvaient avoir accès au monde de l'édition. L'auraient-ils pu que leurs écrits n'auraient probablement intéressé, en métropole, qu'une infime minorité d'originaux. On y retrouve donc, logiquement, divers traits confortant la France coloniale dans ses convictions.

Ainsi, le dénigrement systématique de nos « protégés » est rémanent. Les plus grands noms tombent dans le piège du racisme tour à tour agressif ou paternaliste, voire l'alimentent. Dans les romans de Jules Verne ayant pour cadre l'Afrique, les mots à connotation négative sur les « nègres » sont systématiques : « moricauds », « sauvages », « barbares », « brutes », voire « singes » ou « fauves à face humaine ». Les conquérants n'ont pas affaire à des entités politiques, mais à des « tribus », des « peuplades féroces ». Des hommes imparfaits, des demi-animaux, dont le cannibalisme « généralisé » semble être une preuve inattaquable. *Cinq semaines en ballon*, édité en 1863, met ses héros en présence d'une tribu appelée spirituellement « Nyam-Nyam[7] ». Georges Fourest dépeint quant à lui le bon roi Makoko en ces termes : « Avec conviction ce potentat savoure/Un bras de son grand-père et le juge trop cuit » (1909). D'autres insistent sur les tares morales, tel Maupassant évoquant les Arabes : « C'est là un des signes les plus surprenants et les plus incompréhensibles du caractère indigène : le mensonge. Ces hommes [...] sont menteurs dans les moelles au point que jamais on ne peut se fier à leurs dires. Est-ce à leur religion qu'ils doivent cela ? Je l'ignore. Il faut avoir vécu parmi eux pour savoir combien le mensonge fait partie de leur être, de leur cœur, de leur âme, est devenu chez eux une seconde nature,

6. La plus célèbre de ces exceptions étant le *Batouala* de René Maran - encore s'agissait-il d'un Guyanais, par ailleurs administrateur colonial, décrivant l'Afrique noire.

7. « Ce nom n'est autre chose qu'une onomatopée ; il reproduit le bruit de la mastication. - Parfait, dit Joe : Nyam ! Nyam ! - Mon brave Joe, si tu étais la cause immédiate de cette onomatopée, tu ne trouverais pas cela parfait. - Que voulez-vous dire ? - Que ces peuplades sont considérées comme anthropophages. »

une nécessité de la vie[8]. » Dans la même veine, Victor Hugo écrit en 1852 un poème particulièrement dégradant sur Abd el-Kader « émir pensif, féroce et doux [...], sombre et fatal personnage [...], bondissant, ivre de carnage [...], rêveur mystérieux, assis sur des têtes coupées » *(Orientales)*. Tous ces ouvrages véhiculent alors un ensemble de stéréotypes qui se sont ancrés durablement dans l'imaginaire métropolitain.

Si ces « indigènes » sont chargés de toutes les tares, c'est pour mieux valoriser l'œuvre civilisatrice de l'Occident, de la chrétienté, des Lumières et de la France, dépositaire de ces trois héritages. En Afrique du Nord, Louis Bertrand se fait le chantre de l'époque romaine, seul moment de prospérité avant l'arrivée des Français : « L'Afrique du Nord, pays sans unité ethnique, pays de passage et de migrations perpétuelles, est destinée par sa position géographique à subir l'influence ou l'autorité de l'Occident latin[9]. » Dans ces conditions, la conquête coloniale ne répond pas à l'antique loi du plus fort, elle est l'affirmation d'une justice supérieure, un retour bénéfique aux sources : « Cette terre d'Afrique est à moi et je la donne à mes enfants. Elle n'est pas à ces pauvres gens, à ces bergers, à ces gardeurs de chameaux. Elle est à moi, elle n'est pas à ces esclaves, elle est à mes fils... » dit un personnage d'Ernest Psichari[10], et « l'Arabe ne lui apporta que la misère, l'anarchie et la barbarie », conclut Louis Bertrand[11]. En Indochine, où ce langage peut plus difficilement être tenu, la littérature reconnaît la magnificence des civilisations autochtones, mais pour aussitôt souligner leur fragilité présente, due à leur ancienneté.

Heureusement que la France, protectrice et non dominatrice, est présente car des forces hostiles s'opposent sourdement à cette présence. La France a beau faire œuvre humaine, protéger les populations, assurer la paix et la prospérité, elle a toujours des ennemis, misant sur le réveil des instincts bestiaux, ataviques, de nos « protégés ». La description d'insurrections « indigènes », toutes plus sanglantes les unes que les autres, est une constante de la production romanesque. La littérature coloniale est une littérature de forteresse assiégée. Aussi les Blancs doivent-ils rester en permanence sur le qui-vive et être solidaires face à ces dangers pressentis.

---

8. *Allouma*, 1889.
9. *La Cina*, 1901.
10. *Le Voyage du centurion*, 1916.
11. *Le Sang des races*, 1920.

L'omniprésence de l'homme blanc, la gloire du colon

A contrario, le portrait du colon est souvent plein d'admiration. Joue ici à plein le mythe du peuple neuf, différent de celui de la métropole, plus dynamique, moins embourgeoisé. En Algérie, les colons s'appellent eux-mêmes « Algériens », par opposition aux Arabes mais également aux Européens. « Race brutale, avide, pratique, franche, ayant naturellement en horreur les sentimentalités européennes et l'idéal classique qui anémient la France », comme l'écrit Robert Randau [12]. Ces hommes-là sont d'une trempe exceptionnelle : simples, peu bavards, bourrus parfois jusqu'à en être impénétrables, ils cachent pourtant des âmes sensibles. Ils se savent investis d'une mission. L'homme blanc est celui qui mate la nature, comme le héros du *Kilomètre 83* d'Henry Daguerches (1913), histoire d'un officier administrateur au Cambodge qui poursuivra jusqu'à la limite de ses forces une tâche pourtant infime dans le grand tableau de la mise en valeur. L'homme blanc est celui qui montre l'exemple aux « indigènes » car il est conscient de représenter auprès d'eux une race supérieure. Lorsqu'il n'est pas bâtisseur, il est aventurier. Les héros de *La Voie royale* de Malraux (1930) sont des êtres hors du commun. Louis Bertrand, dans son ouvrage *Les Villes d'or* (1921), exalte ces vertus. Sous les tropiques, l'homme blanc est toujours exceptionnel. Le parallèle a souvent été fait avec le thème nietzschéen du surhomme, et l'on pourrait ajouter, sans polémique aucune, avec l'idéologie fasciste.

Cependant, si par malheur cet homme blanc abdique sa situation de maître, s'il accepte, voire demande, un rapprochement trop intime avec les « indigènes », il se détruit, il devient une épave. Dans quelles circonstances ? Cherchez la femme... Le vocabulaire s'enrichit à cette occasion de néologismes ravissants : le Français qui vit avec une femme « indigène » est, selon les régions, « encongaillé », « bougnoulisé », « canaquisé »... Charles Renel écrit en 1923 un roman au titre évocateur, *Le Décivilisé*, dont l'action se situe à Madagascar. Mais le « décivilisé » ne fait pas que se détruire personnellement ; il transgresse également, et même surtout, la règle élémentaire du pouvoir blanc, le règne de la « race ».

Il existe cependant une littérature critique, et l'on est même surpris de constater combien, en ces temps de quasi-unanimité autour des valeurs de l'empire, la littérature a produit d'ouvrages de dénonciation - sur la forme plus que sur le fond, il est vrai. Nombre d'auteurs brossent ainsi des communautés françaises présentes sous les tropiques des tableaux très éloignés

12. *Les Colons*, 1907.

de l'exaltation de la littérature d'épopée. Même Loti, qui a tant fait pour fabriquer les mythes coloniaux, met souvent en situation des malchanceux, des pauvres bougres, voire des asociaux. Claude Farrère franchit un pas de plus. Dans un roman de 1905 qui provoqua un véritable scandale, *Les Civilisés* (au titre éminemment ironique), il va jusqu'à utiliser l'expression « fumier humain » pour désigner la colonie française de Saigon. Il commente : « Aux yeux unanimes de la nation française, les colonies ont la réputation d'être la dernière ressource et le suprême asile des déclassés de toutes les classes et des repris de toutes les justices. » Et la description qu'il fait de cette bonne société est assez effrayante : ce ne sont que mesquineries, calculs d'intérêts, âpreté au gain, coucheries, luttes de coteries. Dans les pages africaines du *Voyage* (1932), Louis-Ferdinand Céline fait une description d'une cruauté inouïe de ces « petits Blancs » hypocrites, corrompus, « paludéens, alcooliques, syphilitiques sans doute ». Ce qui est grave, c'est que ces Français d'outre-mer disposent de pouvoirs immenses sur les « indigènes » qu'ils sont censés guider sur la voie du progrès et de la civilisation. « Voilà bien, écrit Montherlant, le premier vice de la colonisation. Elle permet de commander en autocrate à des gens qui sont faits pour le subalterne et qui sentent derrière eux tout le pays - opinion, bureaux, police, tribunaux... - prêt à les soutenir systématiquement, quoi qu'ils fassent. » (1930).

D'autres prennent encore le contre-pied de la propagande dominante en utilisant le thème du « décivilisé », mais cette fois pour le louer. La marginalité tropicale peut permettre de retrouver les origines de l'histoire humaine, réputées idylliques. Pour Pierre Billotey, elle traduit l'aspiration à la même « existence sans ambition, sans tracas, sans travaux » que les « indigènes » du Laos (1930). Attribuer fictivement la parole aux colonisés constitue un autre procédé limitant l'apologie alors triomphante de la colonisation. Émile Nolly est l'un des rares à réussir dans ce genre particulier, avec *Hiên le Maboul* (1909) et *La Barque annamite* (1910). Mais, la plupart du temps, la critique concentre sa dénonciation sur les tares les plus détestables de la colonisation. Victor Hugo consacre ainsi à la misère des Algériens quelques vers peu connus[13]. Dans un ouvrage sensible, *La Fête arabe* (1912), les frères Tharaud dénoncent aussi les pratiques occidentales qui dénaturent la société arabe et en ruinent les aspects les plus nobles.

---

13. « L'Afrique agonisante expire sous nos serres / Là, tout un peuple râle et réclame à manger / Famine dans Oran, famine dans Alger / Voilà ce que nous fait cette France superbe ! / Disent-ils - Ni maïs, ni pain. Ils broutent l'herbe/ Et l'Arabe devient épouvantable et fou » (*Misère*, 1875).

Un anticolonialisme en sourdine

Ces ouvrages ne sont nullement anticolonialistes. Ils ont davantage l'ambition d'alerter l'opinion métropolitaine, endormie aux yeux de leurs auteurs dans un doux optimisme, d'attirer l'attention du pouvoir colonial sur les nécessités de procéder à des réformes. Il n'empêche que le constat final est pessimiste. Que faire contre la loi du plus fort ? La nature veut la mort ou, pour le moins, l'effacement des faibles. Les frères Tharaud concluent : les « pauvres Arabes généreux, imprévoyants, poétiques », seront « nécessairement sacrifiés ». Le colonialisme va dans le sens de l'Histoire. Il est le progrès, même si on peut parfois le regretter. Les Arabes devront céder la place, comme l'écrit Maupassant : « Il est indubitable que cette disparition sera fort utile à l'Algérie, mais il est révoltant qu'elle ait lieu dans les conditions où elle s'accomplit » (*Au soleil*, 1884). Limites d'un certain regard humaniste...

N'y eut-il donc jamais de protestation proprement politique ? Au début du siècle, Anatole France, dans *Sur la pierre blanche* (1905), essai historique de forme romanesque, prend nettement ses distances avec la colonisation. Non plus seulement avec les méthodes, mais avec le fondement même du système : « Les colonies sont le fléau des peuples [...]. La politique coloniale est la forme la plus récente de la barbarie ou, si vous aimez mieux, le terme de la civilisation. » Les diverses autojustifications du colonialisme sont disséquées : non, il n'y a pas de « races » inférieures, pas de civilisations inférieures ; la colonisation n'est pas seulement un acte violent, elle n'est d'aucun apport économique pour la métropole. Pis : elle risque de déchaîner une guerre des « races ». Pour Anatole France, la victoire du Japon sur la Russie (1905), alors de brûlante actualité, est le signe avant-coureur d'un réveil des Jaunes, certes, mais par-delà de tous les opprimés. Même les « deux cents millions de Noirs africains », alors tenus en piètre estime, régneront un jour « dans la richesse et la paix sur les lacs et les grands fleuves ».

Dans l'entre-deux-guerres, cette critique radicale, quoique toujours minoritaire, s'exprime avec plus de force. Le grand choc de la Première Guerre mondiale amène les Français à relativiser les affirmations péremptoires sur la supériorité de la « race blanche ». Les surréalistes décochent mille et une flèches à la suffisance bourgeoise. Les communistes, dans les premières années d'existence du PCF, font preuve d'un anticolonialisme radical. Louis Aragon, lors de l'Exposition internationale coloniale de Vincennes (1931), écrit des vers vengeurs : *Il pleut sur l'Exposition coloniale*, à

Partition musicale, *Sur un air de Shimmy*, d'après *JK*, illustration de R. Choppy, éditions Marcel Labbé, 1921.

l'image de ceux tirés de *Front rouge* saluant une insurrection nationaliste au Viêt-nam[14].

Au total, la littérature coloniale a accompagné le mouvement d'expansion française de par le monde, l'a expliqué, parfois justifié, parfois contesté. Le plus important à constater pour l'historien est que les Français contemporains des faits ont été informés de la grandeur, des limites, des tares du système, avec toutefois une disproportion : les partisans du colonialisme avaient mille lieux, mille occasions pour s'exprimer. Ses adversaires, ou ses critiques, étaient marginalisés, et les lecteurs se sont portés prioritairement vers les ouvrages qui venaient conforter leurs idées. Or, à cette époque, les Français étaient dans leur immense majorité attachés à l'empire, et la littérature du « pour » avait évidemment plus d'impact que la littérature du « contre ».

Quelques notes de musique...

De la même façon, la chanson a de tout temps accompagné les événements historiques, relayant auprès de la population les faits majeurs et reflétant par ailleurs un imaginaire en vogue[15]. Aussi, de la conquête de l'Algérie de 1830 à l'Exposition coloniale de 1931, des centaines de chansons ayant pour thème les colonies ont contribué à répandre et à ancrer une forme d'exotisme colonial dans la culture française. D'ailleurs, certains airs sont encore fort connus aujourd'hui : *Travadjar la Mouker, La Casquette du père Bugeaud, La Petite Tonkinoise, À la cabane Bambou, À la Martinique, La Fille du Bédouin*... Certes, ces chansons ont été des succès parce que les mélodies étaient faciles à retenir et agréables. Mais les paroles répondaient également à une certaine attente du grand public et sont donc tout à la fois une manifestation, une reproduction et un relais des idées reçues du temps, un concentré d'idéologie.

Là encore, trois grandes catégories peuvent être distinguées entre les

14. « Yen Bay / Quel est ce vocable qui rappelle qu'on ne bâillonne / pas un peuple qu'on ne le / mate pas avec le sabre courbe du bourreau / Yen Bay / À vous frères jaunes ce serment / Pour chaque goutte de votre vie / coulera le sang d'un Varenne / Écoutez le cri des Syriens tués à coups de fléchettes / par les aviateurs de la Troisième République / Entendez les hurlements des Marocains morts / sans qu'on ait mentionné leur âge ni leur sexe » (*Front rouge*, 1931).

15. Alain Ruscio, *Que la France était belle au temps des colonies. Anthologie de chansons coloniales et exotiques françaises*, Paris, Maisonneuve & Larose, 2001. Y sont présentées *in extenso*, commentées et critiquées 216 chansons auxquelles un CD de 25 titres est joint.

textes dits « comiques », les « romantiques » et les « épiques », répondant chacun aux goûts des auditeurs. Dans le mode « comique » colonial, les procédés les plus faciles ont été utilisés pour faire s'esclaffer nos aïeux aux dépens des « indigènes ». Prenons la championne toutes catégories, *La Petite Tonkinoise*, au destin exceptionnel. Écrite en 1906[16], c'est à partir de 1931, lors de sa reprise par Joséphine Baker, qu'elle fait le tour du monde. Il semble d'ailleurs paradoxal que cette chanson, censée faire parler une jeune « Tonkinoise », ait été popularisée par une Américaine noire. Signe supplémentaire de la confusion qui a longtemps régné dans les esprits et reflet des discours officiels associant les « indigènes » en un tout que l'esprit populaire a ingéré dans l'idée que, finalement, les « non-Blancs » se ressemblaient tous peu ou prou. Mais l'étude des paroles est particulièrement révélatrice des préconçus et de l'image largement diffusée des populations de la Plus Grande France. Ainsi, la jeune femme est affublée du nom de *Mélaoli*, qui, s'il n'a rien de vietnamien, résume parfaitement à quelle fonction première était destinée la femme colonisée aux yeux des colonisateurs. D'ailleurs, toujours aussi finement, l'auteur précise : « Peu gourmande/Ell'ne d'mande/Quand nous mangeons tous les deux/Qu'un'banane, c'est peu coûteux/Moi, j'y en donne autant qu'ell'veut. » Or, à la fin de la chanson, le Français quitte la colonie, laissant sans regret sa « Tonkiki », après en avoir abondamment profité. *La Petite Tonkinoise* est la glorieuse aînée, mais au long des décennies il y eut des centaines de chansonnettes ridiculisant les « indigènes ». Au hasard, cette délicate strophe d'Aristide Bruant dédiée à une femme noire : « La Noire n'a qu'un seul amant/Qui s'appelle le Régiment/Et le Régiment le sait bien/La Noire a remplacé le chien. » Ou une pléiade de titres se moquant des langues de nos « protégés » : *La Chouïa Barka, La Youffa, danse des casbahs*, ou utilisant des onomatopées : *Bou-dou-ba-da-bouh, Sallafoumal, idylle nègre...*

Le deuxième genre, dit « romantique », est certes moins dégradant, mais n'apporte guère d'informations sur la réalité des régions alors dominées par la France. Que de clichés dans ces chansons ! Que de cieux d'Orient, de parfums envoûtants ! Le lieu de prédilection fut alors, et de loin, Tahiti : « L'île de Tahiti/Se révèle en ses rives d'or/Le paradis avec ses trésors. » Mais toutes les villes de l'empire eurent droit à leurs mélodies, relayant auprès de tous une étrange cartographie coloniale : « Au loin, c'est Tunis la blanche/En

16. Presque centenaire, elle fut écrite par Henri Christiné, auteur à succès, sur une musique de Vincent Scotto, compositeur d'immense avenir, et fut créée par Polin, puis reprise par Karl Dittan et Esther Lekain.

rêve hallucinant/Dans les flots pervenche/Qui va mirant/Son spectre blanc... », « Sous le ciel du Congo/Quand de là-haut descend la lune/On voit les p'tits négros... » Que d'amours déchaînées, surtout ! La chanson coloniale a été le lieu privilégié d'expression de maints fantasmes de l'homme blanc. Climats chauds, filles de feu... Conquête de terres supposées vierges, conquête de femmes supposées faciles...

Vient enfin la chanson martiale, militaire, qui a toujours accompagné les batailles. Dans les colonies, on la retrouve dès la conquête de l'Algérie (une demi-douzaine de chants sur la capture d'Abd el-Kader), puis lors des campagnes du Tonkin, du Maroc, d'Afrique noire..., donnant lieu à une invraisemblable *Marseillaise du Dahomey* en 1894 : « Si, sur cette terre étrange/Nous devons verser notre sang/Nous attendrons l'heure dernière/En Français dignes de leur rang/Ô France, alors, dans ta mémoire/Garde un fidèle souvenir/À tes fils qui surent mourir/Au loin, pour ton nom, pour la gloire ! »

Des chansons anticolonialistes ? Il y en eut, mais que le ruisseau fut mince comparé au puissant fleuve de la chanson laudatrice ! Parmi ces textes, on retrouve toute une série de chansons anarchistes du début du siècle, mêlant hostilité aux conquêtes coloniales, antimilitarisme et anticléricalisme, ainsi que des chansons communistes de l'époque de la guerre du Rif (dont un hymne proclamant fièrement : *Le Maroc aux Marocains !*) et quelques chants de marginaux ou d'originaux lors des grandes festivités des années 1930. C'est, en tout cas pour notre période, à peu près tout, et c'est donc peu.

La chanson coloniale paraît totalement obsolète, ringarde, mais dans l'implantation et la transmission de l'idéologie raciale et impériale elle a joué un grand rôle. Pourtant, son étude paraît encore aujourd'hui à certains sans beaucoup d'intérêt tant elle paraît un genre peu sérieux, mineur. Mineur ! Un chant peut-il l'être lorsque des millions de contemporains l'apprennent, le mémorisent, le portent, le transmettent ? lorsque deux ou trois générations le reprennent ? et surtout lorsque, quarante ans après la mort du système colonial, certaines chansons trottent encore dans les têtes ? À n'en pas douter, chansons et littérature ont largement contribué à forger cette « culture coloniale » dans la société française.

« Les Zoulous, Folies-Bergère », affiche de Jules Chéret, 1878.

SPECTACLES, THÉÂTRE ET COLONIES

Par Sylvie CHALAYE

Dans la première moitié du XIXe siècle, les colonies évoquaient au théâtre des contrées où sévissait l'esclavage. C'étaient essentiellement des mélodrames romantiques qui condamnaient la cruauté des colons et leur impitoyable âpreté. Après 1848 et l'abolition de l'esclavage, ces sujets passèrent de mode, et l'on relégua les Antilles au rang de « vieilles colonies » tandis que les aspirations coloniales nouvelles se tournaient d'abord en direction de l'Afrique. En dépit des premières conquêtes que connaît le Second Empire, l'Afrique était encore très peu représentée sur les scènes des théâtres jusqu'en 1860, mais elle devint bientôt, avec les grands voyages d'exploration, un horizon exotique qui se prêtait aux décors des productions à grand spectacle telles que les réclama bientôt une bourgeoisie en mal de plaisirs et de rêveries. Art de lanterne magique, le théâtre offrait en trois dimensions l'exotisme que commençait à distiller toute une littérature romanesque qui emballait notamment la jeunesse et puisait aux sources des aventures relatées par David Livingstone ou John Hanning Speke.

Un des premiers grands succès de ce théâtre qui convoque les paysages exotiques, dont les explorateurs rapportent le témoignage chaque jour, sera en 1865 *L'Africaine*, un opéra de Giacomo Meyerbeer dont Eugène Scribe a écrit le livret et dont on a d'ailleurs conservé les maquettes tant le décor émerveillera les spectateurs[1]. Mais quelques années plus tard théâtres et

1. *L'Africaine ou les Derniers Feux du grand opéra*, Paris, Bibliothèque nationale, coll. « Les dossiers du musée d'Orsay », 1995.

music-halls s'empressent de satisfaire la curiosité des spectateurs. Tandis que les Folies-Bergère, en 1878, mettent à l'affiche *Les Zoulous*, le théâtre du Châtelet programme *La Vénus noire* d'Adolphe Belot, un spectacle digne des adaptations de Jules Verne, un spectacle pour rêver de voyages et de découvertes, avec, à en croire le *Moniteur universel*, un bestiaire des plus étonnants : « Le tableau de la "caravane" traversant le pays des Niams-Niams déroule un pittoresque cortège. Tous les animaux de la zone torride y défilent : une petite girafe ouvre la marche, puis viennent des dromadaires blancs, des zèbres, des mules, des lévriers à la silhouette acérée, des vaches nubiennes aux hautes cornes, des singes noirs peu distincts des porteurs de l'expédition. On dirait une sortie de l'Arche africaine[2]. »

Les décorateurs du Châtelet recherchent alors la couleur locale en reproduisant les récits d'explorateurs comme Schweinfurth. Succès de curiosité, cette reconstitution vivante et animée des images de l'Afrique attire la foule. Adolphe Belot et le Châtelet lancent un nouveau genre théâtral que la conquête coloniale ne va pas manquer d'instrumentaliser afin de gagner l'opinion publique et, tout au long de la IIIe République, de convaincre de sa légitimité et du bien-fondé de son entreprise.

On constate dans tous ces spectacles, de la fin du XIXe siècle à l'entre-deux-guerres, une constance remarquable dans la description des relations entre colons et indigènes. Ces modèles mentaux ont ainsi structuré en profondeur et durablement les rapports entre les Français et les ressortissants des anciennes colonies, au point de laisser des séquelles que l'on retrouve encore aujourd'hui. Aussi le théâtre a-t-il eu une responsabilité importante dans le façonnage d'une culture coloniale en France.

Exotisme sur fond de victoires françaises

Les premiers spectacles à s'engager dans cette veine « coloniale » soutiennent d'abord les campagnes militaires et font l'apologie des premières grandes victoires françaises. Les spectateurs attendent surtout des images colorées et pittoresques, auxquelles la propagande coloniale ajoute l'exaltation d'un certain nationalisme républicain. Gugenheim et Lefaure, à l'occasion des fêtes du 14 juillet 1891, font jouer aux arènes du bois de Boulogne

2. Paul de Saint-Victor, *Moniteur universel*, 8 septembre 1879.

Cinq mois au Soudan[3], grande pantomime militaire qui glorifie une victoire de l'armée française sur Samory. Un an plus tard, ils reprennent quasiment la même atmosphère et montent *Au Dahomey*[4] pour le théâtre de la Porte Saint-Martin. La pièce a du succès : non seulement elle offre aux regards des décors spectaculaires, mais elle glorifie l'action des soldats français. Un critique de *L'Entr'acte* s'en réjouit ouvertement : « Il y a bien longtemps que nous n'avions eu, hélas, à fêter par une pièce militaire une guerre glorieuse, bien franchement glorieuse pour la France. La merveilleuse campagne du colonel Dodds au Dahomey nous l'a fournie, cette occasion tant attendue[5]. »

Histoire de ne pas laisser refroidir l'exaltation du public, des « Dahomey » éclosent alors un peu partout sur les scènes des théâtres à Paris comme en province[6]. Les revues sacrifient elles aussi à la mode. Le Bataclan donne dès février 1893 *Béhanzin ou la Prise de Kana*, et la plupart mettent en scène un tableau consacré au Dahomey, comme dans *Muselez-les* à la Gaîté-Rochechouart, avec des couplets qui se veulent des plus patriotiques : « Glorieux fils de notre France [...]/À l'appel du clairon qui sonne/Courant au glorieux devoir/Conquérir le continent noir/Ils vont héroïque colonne/Au Dahomey, pleins de fierté/Et jusqu'au centre de l'Afrique/Ils luttent pour la République *(bis)*/Et meurent pour la liberté ! »

Des sauvages à pacifier

Ainsi peu à peu, pour les besoins de la justification des interventions militaires, puisqu'il s'agit bel et bien de mener une guerre, on développe le statut sauvage et sanguinaire de l'indigène et on légitime la colonisation comme unique moyen de ramener paix et sérénité dans ces régions. La conquête coloniale se mue aux yeux de l'opinion publique en guerre de pacification. Les affiches présentant le spectacle des Zoulous aux Folies-Bergère donnent à voir des guerriers au corps convulsé, vêtus de plumes et de peaux de bête, bouclier et sagaie au poing, un rictus effrayant sur le visage. Celles du Casino de Paris qui annoncent en 1893 le spectacle de *Cent*

3. E. Gugenheim et G. Lefaure, *Cinq mois au Soudan*, grande pantomime militaire en quatre étapes, arènes du bois de Boulogne, 13 juillet 1891, Imprimerie des arts et manufactures Dubuisson, s.d.
4. F. Oswald, E. Gugenheim et G. Lefaure, *Au Dahomey*, en cinq actes et dix tableaux, Porte Saint-Martin, 10 décembre 1892, Paris, Paul Ollendorff, 1893.
5. René Doumic, *Moniteur*, 12 décembre 1892.
6. Voir Sylvie Chalaye, *L'Image du Noir au théâtre de Marguerite de Navarre à Jean Genet (1550-1960)*, Paris, L'Harmattan, 1998.

Dahoméens montrent une Amazone en furie brandissant des têtes coupées. Ces sauvages dont les Européens sont venus extirper la barbarie représentent un péril permanent et contribuent d'ailleurs au climat menaçant de l'Afrique. Un des personnages d'*À l'ombre du mal*[7] d'Henri-René Lenormand, que Gaston Baty monte au Studio des Champs-Élysées en 1924, les définit comme « des brutes emplumées qui vous lâchent des javelots empoisonnés dans le dos » (II, 1).

Dans ces pièces, les indigènes, qui n'ont pas encore été touchés par la grâce de la civilisation, apparaissent comme des sauvages prompts à verser le sang. Dès le premier tableau de *Cinq mois au Soudan*, la foule aurait supplicié un pauvre nègre que la faim a poussé à voler une banane sans l'intervention énergique d'un soldat français pour le sauver. Il faut décidément les empêcher de s'entretuer ! Les nègres du *Démon noir*[8] d'André-Paul Antoine, joué au Grand-Guignol en 1922, éventrent l'innocente Diba sans savoir pourquoi. Le mystère plane et, de toute façon, d'après l'un des personnages, « avec les nègres, on ne sait jamais » (I, 7).

Ces spectacles présentent ainsi les colonisés comme de pauvres primitifs ahuris, tributaires des vicissitudes de la nature, des « indigènes » qui attendent que les colons les sauvent. Ils ont l'esprit obscurci par l'ignorance et la superstition. « Des malheureux qui, pour se préserver de la foudre, mangent la charogne putréfiée des foudroyées, ne sont pas nos semblables [...] des brutes capables de certaines trahisons, de certaines stupidités, ne sont même pas des hommes », constate l'administrateur de la colonie dans *À l'ombre du mal* (II, 1). Cette masse hébétée est toujours soumise à un roi tyrannique qui tue et torture comme il respire. Ce stéréotype de roi cruel trouve une de ses premières incarnations en Mounza, le despote de *La Vénus noire*. Il se nourrit de chair humaine et siège sur un trône constellé de clous. Dans *Cinq mois au Soudan*, devant la requête des Français, Samory « écoute impassible en s'éventant avec son chasse-mouches » (III, 1) et finalement décide de soumettre au supplice tous les Européens de l'expédition.

Ce genre de retournement est une autre caractéristique du naturel des sauvages. Mounza, Samory, Béhanzin, se montrent tous instables et imprévisibles. Béhanzin, le roi des Dahoméens, qui a osé braver l'armée française, trône entouré d'Amazones fanatiques sur la scène de la Porte Saint-Martin,

7. H.-R. Lenormand, *À l'ombre du mal*, pièce en trois actes et un intermède, in *Les Cahiers dramatiques*, n° 24, supplément du *Théâtre* et *Comoedia illustré*.

8. André-Paul Antoine, *Le Démon noir*, drame en deux actes et trois tableaux, Grand-Guignol, 25 janvier 1922, supplément théâtral à la revue *Le Capitole*, Paris, Revue littéraire, théâtrale et biographique, 1923.

avide de sacrifices, collectionnant les têtes coupées et bien sûr ne comprenant rien au discours humanitaire de l'homme civilisé. Dans *À l'ombre du mal*, l'Almamy, le chef du village de Kadiéso, où les bons Blancs tentent d'instaurer la justice, s'entoure de jeunes esclaves dont il fait le trafic et tue par colère un jeune enfant. Un brave Blanc se montre outré et reproche à l'Almamy sa cruauté. Mais, dénué de tout sentiment humain, celui-ci s'étonne qu'on attache tant de valeur à cet enfant, car enfin il ne l'a « payé que quinze francs, ce petit esclave » (I, 3). Cannibale et esclavagiste, le roi nègre n'est qu'un tyran dont les généreux colons viennent délivrer les Africains. « Nous avons promis aux indigènes de les délivrer de leurs oppresseurs, rappelle Le Cormier dans *À l'ombre du mal*. C'est la seule justification de notre présence ici » (I, 3).

Des bêtes à domestiquer

L'autre paramètre destiné à légitimer l'action française aux colonies, et qui participe d'une construction méprisante de l'Autre dans la mentalité coloniale, est l'animalité. Agités, puérils et arriérés, les indigènes qui frétillent au son du tam-tam ont tout l'air de singes. La littérature coloniale multiplie les descriptions d'Africains dont la ressemblance avec les primates paraît indéniable[9]. Affiches publicitaires et attractions de foire s'amusent aux rapprochements les plus saisissants. D'autant que la représentation simiesque du Noir justifie à son tour la présence européenne en Afrique. Ces bêtes sans foi ni loi ont éminemment besoin de la parole sainte et de la justice que seuls missionnaires et colons peuvent leur apporter. Avant l'arrivée salvatrice du Blanc, pas d'humanité en Afrique ! « Nous représentons ici la cause de la civilisation et de l'humanité », proclame le colonel venu combattre Béhanzin dans *Au Dahomey* (VI, 1). Car il est du devoir de l'Europe de lutter contre la barbarie primitive de l'Afrique et d'utiliser pour cela la guerre s'il le faut ! Même les pièces plutôt critiques à l'égard de l'entreprise coloniale continuent d'entretenir ce point de vue déjà bien ancré dans les esprits depuis le milieu du XIXe siècle.

Les indigènes d'*À l'ombre du mal* sont définis comme un « peuple singe ». Lenormand décrit les danses qu'exécutent les féticheurs dans l'intermède de sa pièce en précisant que « tous trois sont agités de contorsions

9. Léon Fanoudh-Siefer, *Le Mythe du nègre et de l'Afrique noire dans la littérature française de 1800 à la Deuxième Guerre mondiale*, Abidjan/Dakar/Lomé, NEA, 1980, p. 178-179.

simiesques » et qu'ils évoluent « bondissant comme des singes ». Rougé, colonial épuisé par le climat équatorial après vingt ans d'Afrique, ne comprend pas comment ces « sales nègres » *(sic)* font pour résister au soleil (I, 1) : « Ce sont mes ignobles chimpanzés de Noirs qui porteront en terre la carcasse détestée de leur résident !... Quarante-trois degrés ! Et ça chante et ça danse ! Et ça ne crève même pas d'un coup de soleil ! *(Le tam-tam et les chants s'exaspèrent, s'accélèrent frénétiquement.)* Ah oui, des chimpanzés ! » La première version de la pièce a été montée en 1913 par Dullin ; quand Gaston Baty la programme à nouveau en 1924, puis en 1933, la « bestiale grimace du Noir » (III, 6) préside toujours aux représentations.

Dans *Le Démon noir*, joué en 1922, le personnage de Ti-Saao, le domestique que Catherine prétend avoir « apprivoisé », est imaginé par A.-P. Antoine dans ses didascalies comme « un être bizarre, simiesque, inquiétant » (I, 2). Il ajoute que son aspect « éveille irrésistiblement l'idée d'une bête, d'une forme inférieure de l'humanité » (I, 2). Les indigènes sont systématiquement désignés comme des « brutes » ou des « chiens », ce sont là des qualificatifs qui leur sont indissociables. Ti-Saao est un bâtard, réfractaire au dressage. Singes et chiens à la fois, les bêtes brutes que sont les indigènes se caractérisent bien sûr par les défauts qui marquent ces animaux. « N'oubliez pas que chez le peuple singe la fourberie est une vertu », rappelle le vieux colonial d'*À l'ombre du mal* (I, 7). Il ne faut jamais faire confiance aux indigènes, même à ceux qui paraissent les plus soumis. « Ce sont des êtres capables de tout dès qu'on cesse d'être le plus fort. Ils ne respectent que la poigne », explique Millet à Dartois dans *Le Démon noir* (I, 3).

Ainsi, les personnages qui prétendent vouloir s'en rendre amis en sont les premières victimes. Catherine prend la défense de Ti-Saao. Mais c'est elle qui sera pourtant sacrifiée à la fin. Même scénario dans *À l'ombre du mal*. Mme Le Cormier, qui prétend qu'« il n'y a qu'à les aimer un peu », sera pourtant choisie comme victime. C'est précisément alors qu'elle part soulager les souffrances de Maélik, injustement fouetté par Rougé, qu'elle se fait tuer et horriblement mutiler par les sauvages, elle qui tenait tant à les aider !

L'homme blanc a beau apprivoiser le nègre, celui-ci revient toujours à sa sauvagerie primitive. Lenormand écrivit une suite à cette pièce où l'on retrouvait, dix ans plus tard, le personnage de Le Cormier dans une mission au Gabon : *Terre de Satan*[10]. L'œuvre d'évangélisation des sœurs est mise à

10. H.-R. Lenormand, *Terre de Satan*, drame en trois actes, Paris, Albin Michel, 1942.

mal, une force maléfique s'est emparée des nègres du village qui dansent toutes les nuits au son lancinant du tam-tam. Le terrible démon-singe, qui répandait déjà son venin dans *À l'ombre du mal*, sort à nouveau de la boue végétale des forêts, « engraissé par la ruse et la férocité des païens », « puisant des forces nouvelles dans leur bêtise et leur épouvantable animalité » (III, 1). Une jeune fillette de l'école missionnaire a été violée, un prêtre a été cruellement assassiné. « Ah ! monsieur Le Cormier, se lamente sœur Marguerite, ce pays redevient ce qu'il était avant nous. Les crimes, la bestialité » (I, 2).

L'ensemble de la pièce dénonce les difficultés de l'entreprise civilisatrice dans ce pays habité par Satan : « Les Noirs chrétiens ? Les Noirs citoyens ? Les Noirs amis de la France ? Honte sur ces balivernes ! », s'exclame un des personnages (II, 4). Si les Blancs les abandonnaient à leur sort, « ils seraient de nouveau seuls et nus sur la terre qui les a faits. Ils seraient ce qu'ils sont, de la viande noire qui s'achète, s'entretue et s'entredévore » (II, 4).

Réussite coloniale et fraternité

À côté du sauvage, la propagande coloniale développe l'image de l'Africain domestiqué et acquis à la cause, autrement dit le bon tirailleur, devenu placide et démontrant les bienfaits de la colonisation. Assagi, discipliné, le colonisé devient un frère qui a une dette vis-à-vis de son maître français et viendra le défendre contre ses agresseurs, un autre lieu commun de la pensée coloniale qui va se décliner notamment dans les chansons militaires de 1914[11].

La sauvagerie et l'animalité que l'on prêtait à ces peuples cannibales justifiaient la conquête, mais servaient aussi de faire-valoir à l'armée française. Réduire l'intelligence du nègre à celle d'un animal et donner des peuples indigènes une image échevelée permettait de minimiser aux yeux de l'opinion publique les revers que rencontraient en Afrique les troupes de la IIIe République. Les soldats français au théâtre représentaient donc droiture et honneur, valeurs dont ces sauvages avachis n'avaient même pas idée. Le capitaine de *Cinq mois au Soudan* ne plie pas devant le roi Samory qui le menace : « Je ne sais qu'une chose, c'est que je parle au nom de la France,

11. Voir Sylvie Chalaye, « La nouba du tirailleur », in *Nègres en images*, Paris, L'Harmattan, 2002, p. 110-118, et dans le présent ouvrage la contribution d'Alain Ruscio.

et que celui qui parle au nom de la France est plus fort que le plus puissant des rois » (3e étape). On magnifie la conquête coloniale en créditant ses acteurs d'une détermination à toute épreuve, au point d'en faire les héros d'une vaste épopée.

Les spectacles militaires jouaient ainsi sur un manichéisme rudimentaire. L'affiche qui annonçait *Au Dahomey* au théâtre de la Porte Saint-Martin montrait à côté des hordes de sauvages noirs dépoitraillés, brandissant à bout de bras leurs fusils, les colonnes françaises parfaitement ordonnées, étincelantes dans leurs uniformes immaculés, image ordonnée et paisible de la civilisation qui avance. L'entreprise civilisatrice de la colonisation devait trouver un emblème. Si l'indigène perdu au fin fond de sa brousse apparaissait comme un sauvage monstrueux, la venue messianique de la France devait métamorphoser ces peuples et leur apporter ordre et justice. Dans *À l'ombre du mal*, Maélik représente le Noir en pleine mutation, en pleine phase de bonification grâce à la présence salvatrice des Blancs : « J'ai oublié ma ruse natale [...] depuis que les Blancs sont venus dans ce pays. J'aime les Blancs. J'aime leur justice [...]. Les Noirs n'avaient pas de justice avant votre arrivée. Quand l'un avait fait tort à l'autre, celui-ci faisait tort au premier. C'était une vengeance et ce n'était pas la justice » (II, 4).

L'intervention française devait apparaître à tout prix comme une réussite. Et, pour ce faire, on brandit bientôt la figure héroïque du tirailleur comme une figure emblématique des vertus de la « cure coloniale ». En lui, toute trace du sauvage a disparu. Avant : un sauvage emplumé agité de convulsions simiesques ; après : un beau soldat au port altier arborant un magnifique uniforme tricolore et une baïonnette rutilante.

Le *vertueux tirailleur* à côté de l'*indigène arriéré* était un contraste dont s'amusait facilement le théâtre et que l'on trouvait, par exemple, dès l'ouverture du *Démon noir* d'A.-P. Antoine. Dartois donnait alors des ordres à deux soldats au garde-à-vous. Pendant cette scène avec le fameux Ti-Saao « dont l'aspect éveillait irrésistiblement l'idée d'une bête », Antoine notait alors dans les didascalies : « Son attitude soumise et même rampante contrastait étrangement avec l'attitude déférente, mais martiale, des soldats » (I, 3). Et, après le départ des deux tirailleurs, Millet s'exclamait : « Quels beaux soldats ! » Qu'on le désigne comme spahi soudanais, milicien congolais, tirailleur sénégalais, le soldat noir enrôlé dans l'armée française, nouvel adepte et défenseur de la civilisation, voilà une grande réussite de l'entreprise coloniale. Il n'y a pas soldat plus dévoué !

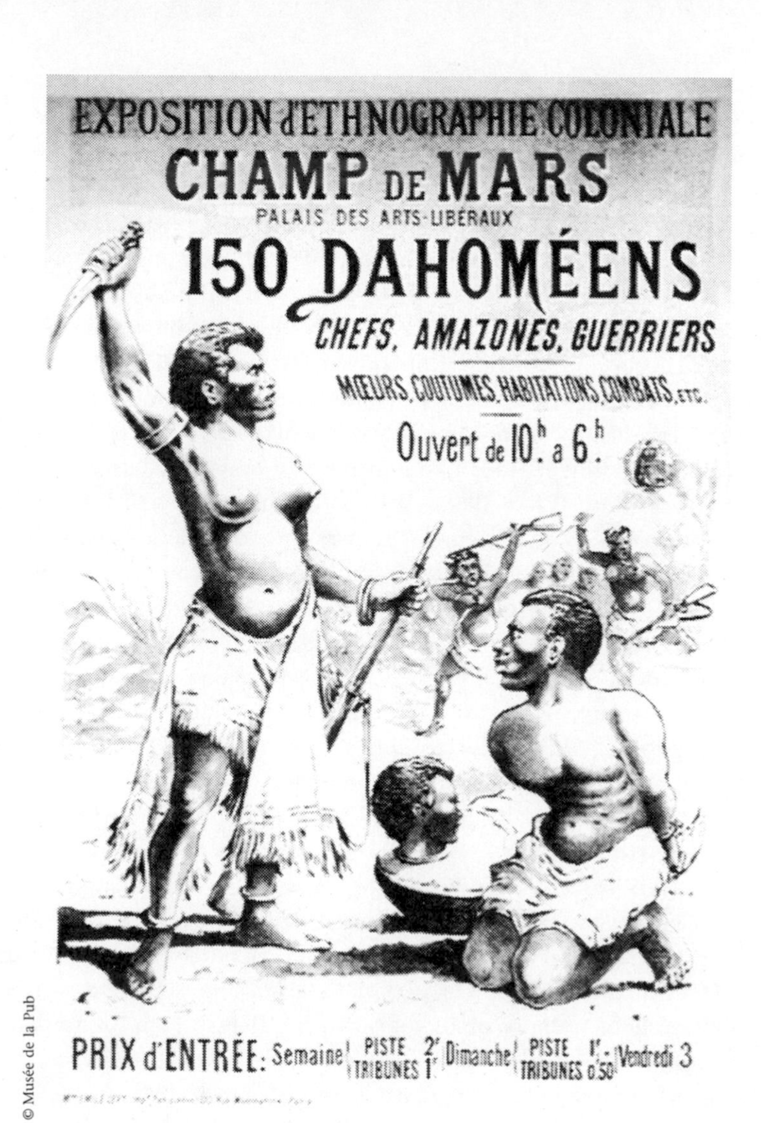

« 150 Dahoméens, Champ de Mars »,
exposition d'ethnographie coloniale,
affiche d'Émile Levy, 1893.

À la fin de *Cinq mois au Soudan*, ce sont les troupes de spahis soudanais, avec à leur tête Castagnoul (un Blanc tout de même !), qui arrivent comme la cavalerie pour sauver les Européens que Samory va supplicier. Dans le grand tableau qui couronne le spectacle, ils libèrent la ville en grande pompe. On a quasiment la même image dans *Au Dahomey* avec la prise d'Abomey, incendiée par ce requin de Béhanzin dans un ultime mouvement de colère. Les fiers héros à la chéchia arrachent les captives des flammes. C'est avec la guerre au Dahomey que la presse commença à faire des troupes noires d'Afrique de véritables héros. Elles étaient la preuve que les Africains ne rejetaient pas la colonisation française et étaient au contraire de braves soldats qui venaient lui prêter main-forte. À la veille de la Grande Guerre, on retint même l'idée de la « dette coloniale », le colonel Mangin défendant l'idée que la France, qui avait durant des années investi ses forces vives aux colonies, attendait un juste retour des choses et que les soldats de la force noire devaient venir se sacrifier pour leurs frères blancs. En 1915, au moment où le conflit franco-allemand s'enlisait et où les doutes commençaient à gagner l'arrière, la propagande utilisa largement l'image du tirailleur. Soldat résistant, toujours souriant, il permettait de dédramatiser la guerre. Avec son « Y'a bon ! » à toute épreuve, il incarnait l'esprit positif. Le tirailleur devint quasiment une mascotte, d'autant plus sympathique que sa présence dans les troupes françaises était ressentie par l'Allemagne comme une humiliation[12].

Après l'armistice, on oublia vite le héros de guerre, mais on conserva la mascotte : on connaît la fortune que rencontrèrent les affiches Banania. Dès 1915, la marque récupéra le personnage et contribua à pérenniser sa représentation[13]. Le « Y'a bon ! » du tirailleur au large sourire devint après la guerre un cliché indissociable de l'Africain qui avait reçu les lumières de la civilisation, mais gardait sa naïveté puérile. À côté du sauvage, quelle image rassurante que ce nègre rigolard, la mine toujours réjouie, s'épanouissant dans un large rire, un peu niais mais tellement amusant. Le pouvoir balsamique de la civilisation, la cure coloniale, a purgé le nègre de sa sauvagerie native. Il est devenu un grand enfant complice des plus petits, un bon génie en chocolat, placide et sympathique, qui les effraie encore un peu, mais les amuse surtout.

---

12. Sylvie Chalaye, « La mascotte "Y'a bon" à l'affiche », in *Nègres en images*, Paris, L'Harmattan, 2002.
13. Jean Garrigues, *Banania, histoire d'une passion française*, Paris, Du May, 1991.

Car voilà bien un paradoxe de l'idéologie coloniale : si sauvagerie et animalité de l'indigène devaient justifier l'action française aux colonies, il ne fallait pas pour autant entretenir l'effroi. À côté de l'épouvante que pouvaient convoquer ces spectacles qui donnaient de l'Afrique l'image d'un continent effroyable, l'idéologie coloniale s'empressa de désamorcer la terreur que pouvait générer la sauvagerie des indigènes en la retournant en sujet de moquerie et en valorisant le divertissement exotique. Os dans le nez, plumes au derrière et, pourquoi pas, ceinture de bananes devaient bientôt alimenter tout un théâtre humoristique avec danses nègres, bamboula et costumes hauts en couleur, notamment *Malikoko, roi nègre*, que le Châtelet donna en 1919 et reprit en 1925 avec sa jungle, ses gentils cannibales et son jazz-band, un des plus grands succès des Années folles. Mais ce furent aussi les revues chatoyantes des Folies-Bergère ou du Casino de Paris avec danseuses en plumes, rois nègres anthropophages et jeunes explorateurs. Et les coups de pied au cul que recevait le clown Chocolat, les « chansons nègres » à la *Bou-dou-ba-da-bouh*[14] racontant les déboires humoristiques d'un spahi ou d'un turco, comme le célèbre final colonial des Folies-Bergère, continuaient d'entretenir une certaine idéologie à laquelle n'échappèrent pas les spectacles de Joséphine Baker.

Ce qui est assez étonnant, c'est la constance de ce discours colonial : entre *La Vénus noire* de Belot en 1878 et *Malikoko, roi nègre* de Mouëzy-Éon en 1925, en passant par *À l'ombre du mal* de Lenormand de sa version de 1913 jusqu'à sa reprise en 1933, il ne bougera quasiment pas. En dehors du jazz-band et de la musique qui feront évoluer l'esthétique, la mentalité qui sous-tend les intrigues reste la même. Vecteur important de la culture en métropole, ce théâtre n'a cessé d'entretenir l'idée de la légitimité de l'entreprise coloniale en faisant de l'indigène un sauvage à pacifier, un animal à humaniser, un grand enfant à dresser, au point de maintenir l'opinion publique française dans cet état d'esprit paternaliste dont elle a encore tant de mal à se défaire et qui continue de parasiter nos relations politiques, économiques, artistiques et culturelles actuelles avec l'Afrique francophone notamment. Une culture coloniale encore rémanente plus de quarante ans après les indépendances dans la France du XXIe siècle.

---

14. Chanson de Lucien Boyer, créée par Mayol aux Folies-Bergère en 1913.

Le Petit Journal, « Caravane d'instituteurs français en Algérie », 1903.

ÉCOLE, PÉDAGOGIE ET COLONIES

Par Gilles MANCERON

Au lendemain d'une guerre qui avait provoqué la perte de deux provinces et dans le contexte d'une Europe où s'affirmaient partout les nationalités, l'école avait avant tout pour rôle de développer le sentiment patriotique, en faisant appel moins aux acquis complexes de l'histoire universitaire qu'à la construction d'une légende. Comme l'écrivait Ernest Lavisse dans l'article « Histoire » de son *Dictionnaire pédagogique* : « Faisons-leur aimer nos ancêtres les Gaulois et les forêts des druides, Charles Martel à Poitiers, Roland à Roncevaux, Jeanne d'Arc, Bayard, tous nos héros du passé, même enveloppés de légendes. » Dans cette exaltation programmée de la patrie, la valorisation de l'expansion coloniale occupait une place de choix.

On pouvait lire, par exemple, dans un manuel de géographie de 1913 destiné aux futurs instituteurs, les « indications pédagogiques » suivantes : « Nous tenons à insister dès maintenant sur la nécessité de faire, dans l'enseignement géographique élémentaire, une large place à l'étude de *notre* empire colonial. Les colonies jouent d'ores et déjà et joueront de plus en plus un rôle considérable dans la vie économique du pays ; il importe donc que les petits Français connaissent les ressources des terres immenses sur lesquelles flotte *notre* drapeau. Il faut donc qu'ils sachent les conditions de vie, les chances de succès, mais aussi les risques à courir pour le colon dans *nos* principales possessions. L'école pourra ainsi fortifier les vocations coloniales justifiées, mais en même temps décourager - cela n'importe pas moins - les engouements irraisonnés[1]. » Texte caractéristique, où on remarque l'usage,

1. *Précis de géographie* de J. Fèvre et H. Hauser, deuxième année, « L'Europe et la France », Alcan, 1913, p. 838. Les mots « notre » et « nos » mis en italique le sont par nous.

à trois reprises, des possessifs « notre » et « nos », destinés à donner l'impression aux élèves qu'ils sont personnellement détenteurs des territoires coloniaux et concernés par leur avenir.

Modeler l'esprit des écoliers

Les textes et plus encore les images des manuels scolaires de la IIIe République ont ainsi modelé l'esprit de plusieurs générations d'écoliers. Les livres scolaires (où les apprentissages de la langue, de l'« histoire de France » et de la morale sont des éléments partout présents quelles que soient les matières et profondément entremêlés) sont tous chargés, à partir des années 1880, de diffuser le même message patriotique et colonial. Qu'ils soient destinés aux écoles laïques ou aux écoles religieuses, tous mettent en avant l'œuvre « civilisatrice » de la France. Et, dans ce projet explicite de façonnement des esprits, la visée prospective est avouée. Nombreuses sont ainsi les occurrences du futur et les descriptions prophétiques de l'avenir à construire : « L'Algérie *sera* une de nos plus précieuses ressources *dans l'avenir* », peut-on lire par exemple dans un livre de géographie[2].

De ce point de vue, plus encore que les manuels d'histoire et de géographie, ce sont probablement les livres de lecture qui ont eu l'action la plus durable et la plus efficace. Les exemples les plus symptomatiques sont ceux des deux livres de lecture qui ont été utilisés l'un et l'autre pendant près d'un siècle dans les écoles, avec de nombreuses rééditions. Ainsi *Petit-Jean*, de Charles Jeannel, publié en 1846 et diffusé jusque dans les années 1930, livre de lecture presque officiel sous le Second Empire, a ensuite prolongé sa carrière pendant toute la IIIe République dans les écoles catholiques. De même, *Le Tour de la France par deux enfants*, de G. Bruno, publié pour la première fois en 1877 à partir d'une première version de 1871, connut de nombreuses rééditions tout au long des IIIe et IVe Républiques. Dans ces deux livres, où deux orphelins, Louise et Petit-Jean dans le premier, Julien et André dans le second, font l'apprentissage de la vie (les premiers en écoutant dans leur village le père Maurice, un marin à la retraite, les seconds à travers une découverte personnelle par un périple à travers la France), les colonies et en particulier l'Algérie sont présentes.

---

2. *Troisième année de géographie. Les Cinq Parties du monde*, de P. Foncin, à l'usage de l'enseignement secondaire et primaire supérieur, Armand Colin, 1885. Les mots mis en italique le sont par nous.

Orienter l'esprit et justifier l'acte de conquête

C'est surtout le cas dans *Petit-Jean*[3]. Dans ce livre où les références à la France d'avant 1789 sont omniprésentes, les allusions sont d'abord indirectes, par le truchement de l'histoire des Sarrasins et des croisades, à laquelle trois chapitres sont consacrés. La figure de saint Louis y fait écho aux exploits récents en Algérie du fils du roi Louis-Philippe, le duc d'Aumale, dont la fameuse prise de la smala d'Abd el-Kader puis la mise en captivité de ce dernier sont précisément contemporaines de l'écriture du livre et de sa première édition. L'allégorie historique est soulignée par le fait que le récit de la croisade de saint Louis par le père Maurice, d'abord prolongé par celui de la campagne de Bonaparte en Égypte - « Il n'y a pas encore cinquante ans qu'un Français, comme il n'y en a jamais eu de plus étonnant, nommé Napoléon Bonaparte, attaqua l'Égypte avec une petite armée de braves et remporta sur les musulmans, au pied même des Pyramides, des victoires prodigieuses » -, se termine par l'annonce de ses propres souvenirs de la conquête d'Alger en 1830 : « Trente ans après, les Français ont entièrement détruit, en Afrique, un royaume de mahométans [...] moi-même j'ai fait la guerre contre eux [...] et j'ai tiré des coups de canon contre la ville d'Alger, qui était autrefois une ville mahométane et qui est maintenant une ville chrétienne et française. »

Le livre consacre en effet à la prise d'Alger, 180 pages plus loin, deux chapitres. Située dans le cadre d'un affrontement intemporel, la conquête de 1830 s'inscrit dans une longue suite d'expéditions punitives : « L'empereur Charles Quint [...] conduisit lui-même contre la ville d'Alger une grande flotte et une nombreuse armée qui furent entièrement détruites. [...] Louis XIV envoya deux fois des flottes puissantes [...] » Faisant abstraction de la chronologie, le débarquement de Sidi-Ferruch est justifié par les activités corsaires en Méditerranée et les razzias - faits bien réels... mais qui remontent à plus d'un siècle auparavant : « Au lieu de cultiver la terre et de travailler pour vivre, ils montaient bien armés sur de légers vaisseaux, construits exprès pour aller vite, et poursuivaient ou guettaient au passage les vaisseaux marchands des chrétiens. Ils se jetaient impétueusement sur

---

3. *Petit-Jean*, de Charles Jeannel, a été publié pour la première fois en 1846 et repris dans une deuxième version en 1853, après l'avènement du Second Empire, aux éditions Delagrave, qui le réimprimeront 29 fois jusqu'en 1874. Une troisième version paraît en 1879, adaptée à la République, qui sera rééditée quatre fois jusqu'en 1884, où, sans plus d'allusion à la Révolution et à Napoléon, le livre connaîtra encore 19 éditions jusqu'en 1930. Voir Dominique Maingueneau, *Les Livres d'école de la République, 1870-1914. Discours et idéologie*, Paris, Le Sycomore, 1979.

des gens sans défense, égorgeaient ceux qui voulaient résister, garrottaient les autres, pillaient l'argent et les marchandises, et s'en retournaient en Afrique avec leurs prisonniers. Là, on tourmentait ces malheureux pour les obliger à abandonner la religion de Jésus-Christ, et, s'ils résistaient, on les vendait comme esclaves. [...] Souvent même ces hardis brigands descendaient sur le rivage, mettaient le feu dans les hameaux isolés, pillaient à la hâte, emmenaient les femmes et les enfants, et se sauvaient sur leurs vaisseaux avec leurs victimes, tandis que les hommes, accourus des champs pour défendre leur famille, voyaient du bord, avec des cris de rage, s'éloigner leurs filles, leur mère, leur épouse, dont ils entendaient encore les gémissements et qui leur tendaient inutilement les bras. »

Ces actes barbares dont la date est passée sous silence sont là pour justifier un droit de conquête : « Avant que la poussière fût dissipée, nos soldats avaient escaladé les remparts ; [...] et le drapeau de la France, paisible et radieux, flottait victorieusement au-dessus des ruines. Le repaire des brigands était détruit. » Ce récit, qui suscite enthousiasme et identification de la part de Petit-Jean, annonce un autre prolongement, car le père Maurice dit à l'enfant qu'il est probablement appelé, lui aussi, à combattre un jour en Algérie : « Le pays d'Alger, autrefois inhospitalier et barbare, est devenu comme un prolongement de la France, où vous irez peut-être bientôt vous battre à votre tour pour défendre, contre un peuple cruel et sans foi, la cause de la religion, des lois et de l'humanité. »

La prédiction se réalise puisque le dernier chapitre est voué aux exploits héroïques de Petit-Jean devenu jeune homme et soldat en Algérie. Sergent dans l'infanterie, il s'illustre à son tour par un exploit : il sauve la vie de son colonel, menacé par des Arabes sanguinaires. « Six Arabes embusqués derrière un épais buisson l'avaient blessé d'un coup de feu. Il avait tué celui qui, le croyant mort, s'était approché pour lui couper la tête, mais les cinq autres approchaient pour l'égorger. Petit-Jean fond sur eux ; il fait si bien manœuvrer sa baïonnette que presque du même coup il crève un œil à l'un d'eux et en perce un autre de part en part. Le colonel, retrouvant un de ses pistolets chargé, casse la tête à un troisième. Les deux autres s'enfuient, et Jean en abattit encore un d'un coup de fusil. »

Mis dans la même position par la lecture de ce livre que Petit-Jean face au père Maurice, les jeunes écoliers vibreront ainsi aux mêmes récits poignants et recevront les mêmes prophéties que Petit-Jean sur les combats qu'ils seront peut-être amenés à conduire plus tard. D'autant que la scène finale est représentée à partir de l'édition de 1884, qui comprend une vingtaine d'illustrations, et cela jusqu'aux années 1930, voire à celles de l'Occupation (pensons que les classes qui ont participé à la guerre d'Algérie correspondent aux garçons nés entre 1932 et 1942).

Une certaine vision du monde

Le Tour de la France par deux enfants de G. Bruno[4], diffusé à 3 millions d'exemplaires entre 1877 et 1887, après avoir été publié par la librairie Belin, et réédité à 6 millions d'exemplaires en 1901, a lui aussi connu une grande longévité puisqu'il a accompagné la scolarité à l'école primaire de cinq générations successives d'élèves, depuis celle née à la fin du Second Empire, vers 1866, jusqu'à celle du baby-boom après la Seconde Guerre mondiale, née vers 1946 !... Les deux orphelins sont ici deux frères, Julien et André, âgés de sept et quatorze ans (âges correspondant au début et à la fin du niveau primaire), qui ont dû quitter la Lorraine, l'une des provinces perdues après la défaite de 1870. Porteur d'un contenu cette fois laïque et moins guerrier, davantage tourné vers l'économie contemporaine du pays que vers son passé monarchique, ce livre, animé d'une foi inébranlable dans le progrès scientifique, exalte les inventeurs et les savants comme les véritables grands hommes d'une France où la République, grâce à l'école, représente l'avenir et la lumière par rapport à un passé fait d'obscurantisme et d'archaïsmes. Le voyage des deux garçons ne les conduit pas en Algérie. Centré sur l'Hexagone, rien en l'occurrence n'y concerne directement l'univers colonial - bien davantage évoqué par les autres manuels scolaires - et, s'il est patriotique, le livre n'est ni militariste ni colonialiste militant. Ce qui est compréhensible au vu de la date de l'édition originale, veille des grandes conquêtes de la IIIe République. Mais un passage montre bien comment les stéréotypes sur les « races » ont été intégrés au discours scientiste et positiviste de l'idéologie scolaire laïque de la IIIe République.

Lors de la visite d'un bateau à Marseille, Julien et André s'extasient : « On rencontrait des Chinois aux larges pantalons jaunes ou des Arabes aux

4. *Le Tour de la France par deux enfants*, de G. Bruno, a été publié à la librairie Belin sous ce pseudonyme par Augustine Guyau, compagne d'Alfred Fouillée, qu'elle épousa en 1885. Le livre, réédité à de nombreuses reprises, sera imprimé à 8,5 millions de volumes jusque dans les années 1950. La version originale a été republiée en 1977 par l'éditeur Belin pour le centenaire de sa fondation. Voir l'article de Jacques et Mona Ozouf, « *Le Tour de la France par deux enfants*. Le petit livre rouge de la République », in Pierre Nora, *Les Lieux de mémoire*, t. I : *La République*, Paris, Gallimard, 1984. Alfred Fouillée est notamment l'auteur de *Tempérament et caractère selon les individus, les sexes et les races*, Paris, Alcan, 1893, où il considère entre autres le métissage comme une « régression » qui provoque une division de l'individu et des troubles de la personnalité.

yeux brillants et sauvages, car une partie des hommes de peine du navire est composée de Chinois et d'Algériens. » Et l'auteur profite de cette visite du bateau pour faire une rapide leçon sur les « races humaines », à partir d'une gravure où sont représentés : un Européen barbu arborant un plastron, une cravate et un costume ; un Peau-Rouge au torse nu orné d'un collier et les cheveux surmontés de deux plumes ; un Chinois à longue natte et longues moustaches, un calot noir sur la tête ; et un Noir dont la poitrine est couverte d'une simple tunique flottante à manches courtes. Le texte est éloquent : « Les quatre races d'hommes : la race blanche, la plus parfaite des races humaines, habite surtout l'Europe, l'Ouest de l'Asie, le nord de l'Afrique et l'Amérique. Elle se reconnaît à sa tête ovale, à une bouche peu fendue, à des lèvres peu épaisses. D'ailleurs son teint peut varier. La race jaune occupe principalement l'Asie orientale, la Chine et le Japon : visage plat, pommettes saillantes, nez aplati, paupières bridées, yeux en amande, peu de cheveux et peu de barbe. La race rouge, qui habitait autrefois toute l'Amérique, a une peau rougeâtre, les yeux enfoncés, le nez long et arqué, le front très fuyant. La race noire, qui occupe surtout l'Afrique et le sud de l'Océanie, a la peau très noire, les cheveux crépus, le nez écrasé, les lèvres épaisses, les bras très longs. » Cette description physique est clairement orientée vers une hiérarchie implicite : Blanc, Jaune, Rouge et Noir... Et les caractères physiques des trois dernières « races » se lisent en contraste permanent avec ceux de la « race blanche », qui est la norme, le type humain dont tous les autres s'écartent et dévient, la « race noire » étant, à tout point de vue, celle qui en est la plus éloignée.

Le discours colonialiste est ouvertement porté par d'autres livres de lecture, tel *Jean Lavenir*, de E. Petit et G. Lamy[5], abondamment illustré, publié après 1889, qui n'a pas eu la diffusion massive des précédents. Se présentant sous la forme de lettres envoyées au jeune Jean par un ami servant dans l'armée d'Afrique, en Tunisie et Algérie, c'est un long panégyrique de la colonisation française qui invite le lecteur à en éprouver de la fierté. Ainsi : « Dans Bizerte nous avons désormais notre Gibraltar français qui commande le passage d'un bassin à l'autre de la Méditerranée, comme le Gibraltar anglais en commande l'entrée. [...] Les Anglais ne sont plus les seuls à détenir les clefs de la route des Indes : grâce à Bizerte, nous en sommes devenus, nous aussi, les portiers. »

Son correspondant vante à Jean Lavenir la mise en valeur de l'Algérie : « Cette plaine de la Mitidja est une fête pour les yeux avec ses vignobles, ses

5. *Jean Lavenir*, de E. Petit et G. Lamy, est publié chez Picard et Kaan, s.d. (après 1889).

riches terres à céréales, ses vergers d'orangers. [...] Quand les Français arrivèrent ici en 1830, les eaux croupissaient dans les bas-fonds, l'air était empesté, et longtemps cette plaine fiévreuse, aujourd'hui si fertile, fut le tombeau de nos soldats et de nos colons. Dans les premières années de la conquête, le général Duvivier proposait d'abandonner "l'abjecte et désolée Mitidja. Nous la laisserons, écrivait-il, aux chacals, aux courses de bandits arabes, au domaine de la mort sans gloire." Il est heureux que cet avis n'ait pas prévalu. La Mitidja, assainie, cultivée, vidée de ses eaux dormantes, est devenue le paradis du colon. Et dire qu'il y a des gens pour déclarer que la France n'a pas le génie colonisateur ! » Toutes ces lettres ont pour but d'inciter Jean à tenter l'aventure.

Patriotisme et colonialisme

Au-delà de leurs différences, ces livres de lecture sont parvenus à ancrer dans les mentalités non seulement le patriotisme, mais aussi la conscience de l'empire français et le sentiment de supériorité sur les indigènes qui légitime la colonisation. De leur côté, tous les manuels des différentes matières scolaires - même ceux de grammaire sont porteurs d'une morale et d'un regard sur le monde - diffusent l'idée que les colonies appartiennent personnellement aux écoliers et les enrichissent eux-mêmes comme elles enrichissent le pays.

Certes, on trouve des variantes entre les manuels des écoles catholiques et ceux des écoles publiques : les premiers associent la figure du missionnaire à celle de l'officier[6] quand les seconds préfèrent adjoindre à ce dernier les personnages de l'ingénieur bâtisseur de ponts et de routes et de l'instituteur. Mais ils ont le même racisme en partage. Et, au nom d'une conception de la « civilisation par étapes » des « peuples inférieurs », les défenseurs les plus ardents de la laïcité se gardent bien de critiquer l'action de l'Église outre-mer[7].

Entre 1870 et 1914, dans l'iconographie de tous ces manuels scolaires, le thème de la conquête est omniprésent et près des trois quarts des illustrations concernent la seule Algérie[8]. En tête viennent les scènes représen-

6. Jacqueline Frayssinet-Dominjon, *Les Manuels d'histoire de l'école libre, 1881-1959*, Presses de la FNSP, 1969.

7. Voir Gilles Manceron, « Le missionnaire à barbe noire et l'enseignant laïque », in *Images et Colonies*, ACHAC/BDIC, 1993.

8. Voir en particulier les articles d'Yves Gaulupeau, « L'Afrique en images dans les manuels élé-

tant le coup d'éventail du dey Hussein au consul Deval, le débarquement de Sidi-Ferruch et la prise d'Alger, scènes aux variantes innombrables qui resteront récurrentes pendant près d'un siècle. Ensuite, c'est le face-à-face entre Abd-el-Kader et Bugeaud, affrontement complexe car il fait écho à l'affrontement entre Vercingétorix et César ; or, dans les deux cas, le héros vaincu est brossé avec sympathie, de manière à mettre en évidence son courage tout en expliquant sa défaite. Manière aussi de faire apparaître que la seule voie restant à l'Algérie est celle de la soumission à l'empire vainqueur, la France, qui continue outre-mer l'œuvre de la Rome antique qui l'avait jadis à la fois colonisée, développée et civilisée. L'idée, souvent simplement suggérée par l'emploi des mêmes termes pour parler des Gaulois face aux Romains et des Algériens face aux Français, est même, dans l'un des manuels[9], explicitement formulée : « En apportant aux indigènes les bienfaits de la paix et de la civilisation, les Français ont fait pour eux ce que les Romains avaient fait pour les Gaulois. »

Les Arabes sont souvent évoqués comme des êtres cruels et fourbes. Et, bien paradoxalement, présentés en position d'attaquants face à des troupes françaises en état de légitime défense, comme dans l'épisode de la défense du fort de Mazagran où « les douze mille Arabes virent qu'ils ne viendraient jamais à bout des cent vingt-trois Français et s'en allèrent[10] ». Si elles se situent dans le registre héroïque, les images sont moins réalistes qu'allégoriques. Rares sont les manuels qui donnent aux élèves une représentation sanglante de la conquête. Un livre de 1897 pour le cours moyen montre pourtant les têtes coupées plantées sur des piques sur les murailles d'Alger que franchissent les soldats[11]. Mais, toujours, on trouve l'éloge et la justification de la colonisation.

Culture coloniale ou éducation

Il ne faut pourtant pas prendre les livres de classe pour un ensemble totalement univoque, et la question de la part d'adhésion à l'expansion coloniale des instituteurs et des professeurs dans leurs cours se pose. Dès la

mentaires d'histoire (1880-1969) », in *Images et Colonies (1880-1962)*, ACHAC/BDIC, 1993, et « Les manuels par l'image : pour une approche sérielle des contenus », in *Histoire de l'éducation*, n° 58, mai 1993.

9. *Histoire de France*, cours élémentaire, d'A. Aymard.

10. *Histoire de France* d'Ernest Lavisse pour le cours élémentaire, 1884.

11. *Histoire de France*, cours moyen, de C. Plomion, Garnier, 1897.

Promenades autour du monde en Asie et en Afrique,
livre de lecture, anonyme, librairie T. Lefèvre, 1917.

fin du XIXe siècle, il existe des tentatives, certes très minoritaires, de présenter la conquête coloniale de façon critique. Comme dans la série dont Gustave Hervé fut l'auteur vers 1905, où, par exemple, dans le manuel pour le cours primaire supérieur, une illustration a pour légende : « La civilisation européenne en Afrique : les troupes françaises enfumant une tribu arabe, hommes, femmes et enfants, dans les grottes de Dahra en Algérie. » Le fait est qu'un courant syndicaliste révolutionnaire se développe au sein de l'enseignement primaire, autour de *L'Émancipation de l'instituteur*, en 1903, puis de *L'École émancipée*, en 1910, fortement antimilitariste et anticolonialiste, mais dont l'impact réel sur l'enseignement dispensé est bien difficile à mesurer. De même, un manuel de cours moyen opposé au discours colonial sera publié à la fin des années 1920 par la Fédération de l'enseignement CGTU, qui ne connaîtra qu'une diffusion marginale, tout comme, sous la IVe République, celui de Cholley, Clozier et Dresch, ou celui d'Aimé Bonnefin et Max Marchand en Algérie[12], qui s'efforceront de présenter également l'histoire propre des pays coloniaux.

Dans le discours des manuels les plus répandus, une évolution se manifeste à compter du centenaire de la conquête d'Alger et de l'Exposition coloniale de Vincennes de 1931 : les représentations des colonies deviennent nettement moins guerrières, et la proportion d'images décrivant les bienfaits de la colonisation croît régulièrement jusqu'à atteindre le tiers de l'iconographie. En même temps, le discours insiste sur la mise en valeur des pays colonisés. On peut lire, par exemple, dans un livre de 1939, que la colonisation « n'est pas une œuvre de conquête brutale », mais « une œuvre de paix et de civilisation[13] ».

Les images de Lyautey « l'Africain » ou « le Marocain » et de Savorgnan de Brazza affranchissant des esclaves africains se généralisent, induisant, par exemple dans l'édition de 1930 du manuel de Lavisse pour le cours élémentaire (imprimé à des millions d'exemplaires avec de nombreuses rééditions jusqu'en 1953), la légende suivante : « Cela prouve que notre France est bonne et généreuse pour les peuples qu'elle a soumis. » (Phrase qui revient un peu plus loin, mot pour mot, comme pour bien marteler l'idée, dans la légende d'une autre illustration.) Ou encore, dans le même *Petit Lavisse* : « Partout la France enseigne le travail. Elle crée des écoles, des routes, des chemins de fer, des lignes télégraphiques. » Discours trompé et trompeur,

12. Aimé Bonnefin et Max Marchand, *Histoire de France et d'Algérie*, premier livre, cours élémentaire et moyen 1re année, Paris, Hachette, 1951.
13. J. Brunhes, *La France et la France d'outre-mer*, Tours, Mame, 1939.

où l'image des esclaves affranchis par Brazza s'accompagne d'un silence total sur la traite négrière et l'esclavage pratiqué par la France aux Antilles jusqu'en 1848 et sur ce nouvel esclavage qu'est le travail forcé dans l'Afrique-Équatoriale française, dénoncé par André Gide en 1927 dans son *Voyage au Congo*.

Si les images de la conquête et l'évocation stéréotypée des peuples coloniaux subsistent, le discours des manuels s'est fait moins guerrier et davantage paternaliste et « développementaliste ». À la variante guerrière de l'éloge de la colonisation a succédé une variante « civilisatrice » et « humanitaire ». C'est la plus insidieuse et probablement aussi la plus durable. De ce point de vue, on ne peut qu'inviter à réfléchir sur le contenu latent d'un certain nombre de représentations actuelles de la misère dans certains pays africains et des bienfaits de l'assistance humanitaire qui leur est dispensée par des pays du Nord. Autant de représentations qui peuvent apparaître comme la perpétuation pure et simple de ce discours[14].

---

14. Voir le livre de Françoise Vergès, *Abolir l'esclavage, une utopie coloniale. Les Ambiguïtés d'une politique humanitaire*, Paris, Albin Michel, 2001.

« Y'a bon Banania », affiche de De Andreis, 1915.

Partie II
FIXATION D'UNE APPARTENANCE (après 1914)

« Journée de l'armée d'Afrique et des troupes coloniales », affiche de Lucien Jonas, 1917.

MOURIR : L'APPEL À L'EMPIRE

Par Éric DEROO

Le 14 juillet 1913, à l'occasion de la grand-messe patriotique qu'est devenu le défilé militaire de Longchamp, le président de la République Raymond Poincaré accroche la Légion d'honneur au drapeau du 1er régiment de tirailleurs sénégalais (1er RTS). L'acte est fort car il s'agit de la plus haute distinction que la nation accorde à une unité. Elle récompense la participation des soldats noirs à toutes les opérations de la conquête coloniale depuis 1854, de l'Afrique noire à Madagascar, jusqu'à la toute récente campagne du Maroc. Autre symbole de reconnaissance, très largement repris dans la presse, le président remet leurs drapeaux tricolores à 25 régiments récents, mixtes ou indigènes : dix régiments d'artillerie ou d'infanterie coloniale mixte du Maroc (composés aux deux tiers d'Africains), cinq régiments de tirailleurs algériens, trois de sénégalais, deux de tirailleurs indochinois (un annamite et un tonkinois), trois régiments de tirailleurs malgaches et enfin deux dits « indigènes », celui du Tchad et celui du Gabon.

Un tournant symbolique

En 1913, la guerre avec l'Allemagne paraît à beaucoup de Français inévitable, à la plupart même indispensable, malgré quelques oppositions pacifistes minoritaires. Cette année-là marque aussi l'aboutissement d'un long processus qui voit l'empire, à travers ses hommes devenus soldats, s'intégrer de plus en plus à la nation. Depuis 1870, la perte de l'Alsace et de la Lorraine a amputé la France de deux zones économiques et stratégiques essentielles. Paris, la capitale, est à portée d'une attaque massive de l'ennemi. Bien qu'appuyée à l'est sur une ceinture de forts à casemates d'artillerie performante, construite à grands frais, la défense du territoire est fondée sur une doctrine résolument offensive. Une doctrine où l'on proclame la suprématie de l'infanterie, la « reine des batailles » où le choc des poitrines, soutenu par la volonté de revanche des citoyens en armes, doit tout emporter sur son passage. Mais, pour soutenir un tel élan, il faut des hommes, et la France en compte presque moitié moins que son voisin d'outre-Rhin. De plus elle ne mobilise réellement tous ses fils que depuis la loi de 1905 qui a rendu le service militaire obligatoire, universel et égalitaire, tandis que l'empire allemand, inspiré du modèle prussien de 1813, s'appuie sur des réserves nombreuses, bien entraînées, dotées d'un matériel moderne.

L'immense domaine colonial (10 millions de kilomètres carrés) que la République vient de se constituer en à peine quarante ans tombe à point nommé et va répondre à des objectifs multiples et souvent contradictoires. Ancrée sur le continent européen, de vocation et de tradition longtemps paysannes, la nation n'a pas de véritable projet colonial. Intérêts financiers des sociétés d'exploitation, des groupements de colons et de commerçants, vision civilisatrice de grands commis de l'État, civils et militaires, de savants et de religieux, et préoccupations continentales de la classe politique émergent tour à tour. La qualité des orateurs et la propagande mise en œuvre pour les soutenir finissent régulièrement par l'emporter sur la réalité. Sur le plan international, les colonies permettent d'affirmer le génie du modèle français et sa capacité à rebondir très vite au lendemain de la sévère défaite de 1870 et des aventures de la Commune de Paris. Le congrès de Berlin en 1885 - à l'occasion duquel les grandes puissances européennes se partagent l'espace outre-mer, en particulier le continent africain - marque le retour de la France dans le concert des nations. Les traités d'alliance négociés par la suite avec la Grande-Bretagne et surtout la Russie confirment sa place face à une Allemagne en pleine expansion.

Sur le plan intérieur, l'édification de l'identité nationale, territoriale, politique et culturelle, s'établit en partie par rapport au fait colonial. En définissant une hiérarchie des « races » colonisées et les valeurs d'emploi qui en résultent, racisme scientifique et préjugés populaires permettent aux Français de se reconnaître comme tels (jusque-là, on était d'abord breton, flamand, ariégeois ou corse...). Autre lien collectif : le progrès scientifique et social républicain qui est offert, au nom de tous, à l'humanité entière, « sauvages » compris. Avec la mission civilisatrice s'affichent et s'expérimentent les principes et les ambitions de la République. Si en métropole l'école et la caserne sont les lieux d'apprentissage du métier de citoyen, aux colonies c'est à l'armée qu'est dévolu ce travail d'encadrement. Les innombrables expéditions et colonnes dites « de pacification », les campagnes de conquête en Asie et en Afrique noire - précédées par celles de l'Algérie dès 1830, ne peuvent se faire sans l'appoint de forces supplétives indigènes.

Depuis l'Antiquité on sait utiliser des bandes mercenaires, mais ici, comme à Rome, on va transformer les barbares en hommes[1], et on l'envisage sur une échelle de temps variable selon les « races ». Ces supplétifs, « noirs, jaunes ou arabes », considérés comme primitifs, esclaves de leur destin, à demi sauvages donc bons guerriers, vont se changer en élèves dont la supposée sauvagerie se modifiera au contact de la mère patrie. La grandeur d'une telle tâche absout par avance ces désormais « grands enfants », innocents des inévitables exactions perpétrées sur le terrain. Devenus fidèles sujets de la nation, ils devront en échange en assumer toutes les contraintes et payer la dette de sang, la plus facile à honorer... Cette barbarie canalisée, normalisée par les cadres européens, bientôt relayés par les petits gradés indigènes, ce passage du sauvage au bon soldat, coïncide avec la fin des grandes opérations militaires et le début de la mise en valeur impériale - mise en valeur des terres et des hommes.

Dès les années 1900 paraissent des manuels d'instruction à l'usage des officiers et sous-officiers appelés à servir dans les troupes coloniales ou dans l'armée d'Afrique (celle qui est formée en Afrique du Nord). Toutes les « races » de l'empire y sont présentées avec des définitions physiques particulières : « grand, fort, petit, robuste, malingre... » À ces types correspondent des stigmatisations morales : « fragile, résistant, fidèle, obéissant, fier, dur à l'effort, paresseux, méfiant, courageux, joueur, récriminateur, intelligence moyenne, développée... » Et s'ébauche une attitude dans les relations : « à encourager, s'en défier, à surveiller, à pousser... » À chacune de ces caractéristiques s'attache un usage déterminé sur le champ de bataille : infanterie d'assaut, cavalerie légère de reconnaissance, forces d'occupation, auxiliaires pour l'artillerie, services de l'arrière et manutention. La campagne du Maroc, en 1908, met en pratique, avec efficacité selon les officiers, cette rationalisation des moyens humains.

1. Le recrutement des premiers tirailleurs sénégalais par Faidherbe en 1850 se fait à partir des esclaves récemment affranchis par les lois abolitionnistes. Sans statut ni fonction, ils végètent par milliers sur les côtes, en butte à l'hostilité des anciennes populations négrières. Marqués par de telles origines, les tirailleurs resteront souvent exogènes au sein des différentes sociétés africaines qu'ils côtoient.

La Force noire au secours de la nation

Paru en 1910, *La Force noire* du lieutenant-colonel Mangin, suivi peu après de *La Force jaune* du général Pennequin, résume bien la pensée de la plupart des cadres coloniaux. Futur général à Verdun, Charles Mangin a pris part à la traversée d'ouest en est du continent africain du capitaine Marchand de 1897 à 1899. Conclue par l'affaire de Fachoda - les Anglais gardent alors la main sur le haut Nil -, la mission connaît en France un incroyable succès populaire. On invite même la centaine de tirailleurs africains qui ont permis un tel exploit à venir défiler dans Paris pour la première fois en 1899. À partir des enseignements tirés de l'expédition, soutenu par le lobby colonial et sûr, pour un temps, par l'intérêt du public, Mangin imagine une Afrique noire qui serait un immense réservoir de ressources économiques et surtout de soldats dévoués. Son projet est « à tiroirs ». Non seulement il vient combler le déficit démographique français, mais il permet aussi de faire occuper le Maghreb, réputé hostile car musulman et peu assimilable, par des tirailleurs noirs fidèles, en majorité animistes et peu enclins à fraterniser avec leurs anciens maîtres en esclavage. Cette force d'occupation sédentaire dégagerait de sa lourde tâche l'armée d'Afrique, composée de régiments européens très solides - Légion étrangère, zouaves, chasseurs d'Afrique - qui seraient ainsi mieux employés sur les frontières de l'Est. Autres unités d'élite, dont Mangin se méfie pourtant, les régiments de tirailleurs et de spahis algériens verraient leur fougue au combat plus utile face aux Prussiens. Dans cette vision s'associent engagement pragmatique des hommes et contrôle des colonisés à travers les vieux antagonismes ethniques et religieux. Enfin, et c'est un des aspects centraux de *La Force noire*, elle sera le creuset dont sortira une élite africaine attachée à la France. Sur ce point, il rejoint le général Pennequin, qui dans *La Force jaune* propose moins l'envoi de contingents en métropole que la formation, par l'éducation militaire, de cadres indochinois aptes à gérer leur pays un jour. Se révèlent à cette occasion les protagonistes du débat colonial, entre tenants de l'assimilation (la colonie s'intègre dans la nation française qui finit par l'absorber) et ceux de l'association (la colonie s'émancipe peu à peu sous la houlette de la France).

À la veille de l'entrée en guerre, l'appel à l'Afrique n'occupe pas une place centrale dans la mobilisation de la patrie. La majorité des Français reste étrangère aux enjeux coloniaux, dont les forces noire ou jaune... Cela demeure une affaire de spécialistes qui entendent bien, à la faveur du conflit, imposer leurs vues. Faites en 1909, les déclarations dans *Le Matin* d'Adolphe Messimy, ministre des Colonies (et futur ministre de la Guerre en 1914),

Le Petit Journal

ADMINISTRATION

15 CENT. SUPPLÉMENT ILLUSTRÉ 15 CENT.

ABONNEMENTS

DIMANCHE 1er JUIN

LE DRAPEAU DES TIRAILLEURS SÉNÉGALAIS

déjà décoré de la Légion d'honneur, vient de recevoir la fourragère aux couleurs de la Médaille militaire et la Croix de guerre à quatre palmes.

Le Petit Journal, « Le drapeau des tirailleurs sénégalais », 1919.

restent du domaine de l'incantation. Pourtant elles témoignent de l'inversion des rôles à laquelle est parvenu, poussé à l'extrême, un certain discours républicain : « L'Afrique nous a coûté des monceaux d'or, des milliers de soldats et des flots de sang. Mais les hommes et le sang, elle doit nous les rendre avec usure. »

En 1914, l'état-major continue de manifester un réel scepticisme à l'égard des hypothèses de Mangin, sans compter les gouverneurs des colonies et les commerçants qui craignent une saignée des forces vives de l'empire. Un empire auquel on va demander très vite de plus en plus de sacrifices, au fur et à mesure des besoins nécessités par la guerre.

Mobilisation !

Les premiers combats se révèlent terribles pour les tirailleurs sénégalais (dix bataillons, soit environ 8 000 hommes) et malgaches (un bataillon) au front[2]. Contrairement à un mythe répandu, ils ne forment pas la seule chair à canon d'une première ligne sacrifiée, et leurs pertes seront égales à celles des poilus français (entre 22 et 24 % des effectifs). Mais c'était déjà trop pour ces recrues, volontaires ou volontaires « forcés », qui, du continent africain, se retrouvent directement plongées sous les obus. Tirs d'artillerie d'une intensité jamais rencontrée, désorganisation générale et disparitions brutales des cadres auxquels ils étaient habitués laissent les troupes noires totalement désemparées. Les rigueurs de l'hiver 1915 finissent de décimer les bataillons. Maladies pulmonaires, épidémies de tuberculose, délabrement physique et moral conduisent le commandement à relever les Africains pour les installer dans d'immenses camps créés pour eux dans les régions de Fréjus et de Bordeaux.

Les troupes algériennes, tunisiennes et marocaines (plus de 25 000 hommes dirigés vers la France en 1914), plus adaptées aux conditions climatiques, mieux entraînées et pourvues d'un encadrement important, résistent davantage au choc de la bataille. Elles subissent aussi les ravages du front, souffrent de problèmes sanitaires, mais s'affirment très rapidement parmi les meilleures. À la fin de la Grande Guerre, leurs emblèmes seront les plus décorés de l'armée française[3].

---

2. Seront également bientôt présents un bataillon somali, un calédonien et un venu de Polynésie.
3. À la suite des travaux pionniers de Gilbert Meynier, *L'Algérie révélée. La Guerre de 1914-1918 et le Premier Quart du XXe siècle*, Publications de l'université de Lille, 1979, et de Marc Michel, *L'Appel à l'Afrique : contributions et réactions à l'effort de guerre en A-OF, 1914-1919*, Publications de la Sor-

Les premiers soldats de la Fédération indochinoise, environ 2 000 hommes, sont acheminés vers l'Europe à partir de 1916. Il existe plusieurs causes à cet appel tardif. Comme en Afrique se pose en Indochine le problème de la désorganisation économique du pays si on le vide de ses bras. En outre, on se méfie systématiquement des « Annamites » (désignation courante pour tous les Vietnamiens...), qu'on qualifie de « demoiselles », de piètres soldats et plus sérieusement de « comploteurs » depuis l'affaire dite des « empoisonneurs » en 1908. À Hanoi, cette année-là, des artilleurs indigènes mirent du datura dans le repas de leurs chefs européens. Ils agissaient en liaison avec un des nombreux groupes nationalistes qui depuis la conquête tentaient de se libérer du fardeau colonial. La répression fut féroce et, comme on le fera plus tard lors de la révolte de Yen Bai en 1930, on envisage de remettre les tirailleurs à la disposition de l'autorité civile pour en faire de simples auxiliaires de police. Néanmoins, les hécatombes des deux premières années du conflit exigent de combler les rangs. C'est réellement à partir de l'année 1916 que le gouvernement français se livre à une véritable chasse aux recrues dans tout l'empire. Jusque-là, l'enrôlement se faisait selon divers systèmes de conscription, variant en fonction des colonies et des nécessités ponctuelles. Obligatoire en Algérie dès 1912, le service se faisait ailleurs au gré de quotas établis par la direction militaire des territoires. Ainsi, « engagés volontaires » avec primes côtoyaient « désignés volontaires » (par les chefs de village ou locaux qui se débarrassaient des gêneurs de toute nature) et appelés de la classe.

Pour faire face aux énormes besoins de cette guerre totale - plusieurs fronts ouverts : en France, dans les Balkans, au Moyen-Orient, en Afrique noire... ; production des industries d'armement, protection et entretien des voies de communication, manutention dans les ports, gares et dépôts, transports des matériels, soins aux blessés à l'arrière... -, l'état-major entend mobiliser rationnellement tous les colonisés. Cependant, malgré une censure omniprésente, les nouvelles des opérations parviennent peu à peu aux colonies, et des régions entières tentent de se soustraire à l'appel, des révoltes éclatent[4]. En Afrique noire, on imagine alors de nommer Blaise Diagne, député du Sénégal, à la tête d'un Commissariat général des troupes noires.

---

bonne, 1982, une approche globale reste à entreprendre sur la nature profonde des comportements des différents contingents de « colonisés » au front.

4. Voir les travaux de Marc Michel, *L'Appel à l'Afrique..., op. cit.*, de Chantal Valensky, « Le soldat occulté », in *Les Malgaches de l'armée française*, Paris, L'Harmattan, 1995, et de Mireille Le Van Ho, *Travailleurs et tirailleurs vietnamiens en France pendant la Première Guerre mondiale*, thèse de 3e cycle, Paris-VII, 1986.

Dès 1917, il parcourt les cercles territoriaux et argumente autour des droits à conquérir en échange du sang versé, sans oublier quelques primes et avantages à percevoir pour les chefs et les familles. C'est un des rares moments où l'on propose une égalité de traitement aux sujets de l'empire (acquisition de la citoyenneté aux décorés, aux blessés, promotions, impôts allégés, pensions, emplois réservés...). Dans la réalité, pratiquement aucun de ces engagements ne sera tenu après la guerre...

Le temps du « Y'a bon » est arrivé...

La campagne de recrutement s'accompagne en France d'une propagande soutenue. Mais c'est moins aux indigènes mobilisés qu'elle s'adresse qu'aux Français. Des centaines de cartes postales, photographiques ou illustrées, de vignettes publicitaires, d'affiches, de unes et de reportages dans la presse, des objets manufacturés, des romans et des films du cinéma des armées vantent la bravoure du fidèle « Y'a bon » (slogan repris par une marque de chocolat en poudre avec succès), du féroce turco, de l'intrépide spahi ou de l'habile Tonkinois. Le tirailleur sert à convaincre la nation de ses ressources pour vaincre et surtout à stigmatiser les Allemands : des barbares, encore plus sauvages que ceux qu'on leur oppose. La célèbre carte postale figurant un tirailleur qui garde des prisonniers allemands derrière des barbelés et déclare à un père accompagné de ses enfants : « Ti viens voir li sauvages ! ! ! » résume le message. En combattant à nos côtés, ceux du bon droit, contre les « Boches inhumains », les tirailleurs acquièrent un autre statut. La hiérarchie des races est bouleversée pour cause patriotique ; les propagandistes de la République, jamais à un paradoxe près, inventent une nouvelle catégorie entre sauvage et indigène. Dans les années 1930, on lira sous la plume d'un journaliste colonial : « C'étaient nos enfants [les tirailleurs], ils ont gagné au front le droit d'être nos fils... » Les Allemands, qui depuis la participation des Algériens aux combats de 1870 dénoncent l'utilisation de « nègres » par les Français, se souviendront des cartes postales de tirailleurs ramenant fièrement des colliers de « zoreilles boches ». Hitler les poursuivra de sa haine dans *Mein Kampf,* et son armée en fusillera des centaines, faits prisonniers lors des combats de mai et juin 1940. Sans même parler des « enfants » de la force noire (les troupes d'occupation en Rhénanie après 1918) stérilisés à partir de 1938 par les nazis...

Quant à l'état d'esprit des centaines de milliers de fantassins, cavaliers, artilleurs, pionniers, infirmiers, conducteurs (auxquels il conviendrait

« Ce que nous devons à nos colonies », anonyme, 1918.

d'ajouter autant d'ouvriers d'usine, de dockers et de requis aux colonies), il est malaisé à cerner. Le contrôle dit du « moral » est total. Souvent dicté à un scribe de service, le courrier est systématiquement ouvert. Sa lecture, à quelques rares exceptions, apporte peu d'informations : espoir de voir la guerre bientôt finie, gagnée, et d'un rapide retour au pays, nouvelles de camarades de villages voisins, rencontres avec des Français serviables... Usant du paternalisme en usage outre-mer, les cadres coloniaux veillent à la condition physique et morale de leurs hommes tout en les maintenant à distance d'une trop grande familiarité avec la population. Spectacles de théâtre ou de danse « indigènes », compétitions sportives, bordels aménagés, nourriture et vêtements adaptés, correspondance avec des marraines de guerre (source d'une littérature et d'une iconographie ambiguës où s'ébauchent les stéréotypes de l'amant noir), occupent les tirailleurs au cantonnement. À l'éloignement près, le sort apparent de l'immense majorité des poilus...

Le tirailleur : une inscription réelle dans l'inconscient national

Un élément important, qui revient dans les témoignages recueillis auprès des tirailleurs de toutes origines, est la rencontre avec les Français : des hommes, des femmes, des enfants « qui ne sont pas comme ceux des colonies ». Émues par le destin de ces soldats, venus de si loin pour les défendre, de nombreuses familles les reçoivent, les aident, s'inquiètent de leur santé, des leurs au pays ; des idylles naissent (des directives précises en limitent cependant la conclusion). Les colonisés découvrent là une réalité du discours fraternel républicain jusqu'alors uniquement réservé aux emphases de la propagande. Autre fraternité, celle des tranchées. Même si elle demeure toujours teintée de paternalisme, un lien particulier et durable s'instaure entre « frères d'armes » de l'armée coloniale et des autres formations[5]. Il est certain que cette confrontation, cette forme de liberté inimaginable outre-mer, va contribuer à la prise de conscience politique de beaucoup d'« indigènes » démobilisés et encourager, chez quelques-uns, une

5. La standardisation des tenues et des équipements joue également un rôle important. Dotés jusqu'en 1914 de tenues exotiques, dites « à l'orientale », « à la chinoise »..., aux couleurs et aux coupes particulières, les tirailleurs reçoivent, comme toute l'armée française en 1915, la fameuse tenue bleu horizon puis les premières versions « moutarde », ancêtre du vert kaki contemporain. Rassemblés sous un même uniforme qui atténue les particularismes et crée du sens collectif, des millions d'hommes se rapprochent et se solidarisent.

active volonté d'émancipation. Considérés à leur retour avec suspicion par les potentats locaux, les anciens combattants peuvent en revanche trouver une oreille complaisante auprès des administrateurs civils et militaires, eux-mêmes rescapés de la guerre. Faible récompense au regard de toutes les promesses non respectées et naissance d'un personnage : celui de l'ancien tirailleur décoré. Présent avec ses médailles à toutes les cérémonies commémoratives à la gloire de la Plus Grande France, devenu souvent commis, planton, interprète, garde-cercle, cuisinier..., il constitue un rouage intermédiaire essentiel au bon fonctionnement du pouvoir colonial[6]. Dans la série des icônes stéréotypées, il trouve sa place entre les derniers chasseurs aux dents limées, la mauresque aux seins nus et l'artisan : une carte postale des années 1920 montre un Algérien chenu et décoré avec pour légende : « Algérie, type arabe médaillé, ancien tirailleur »...

Le 11 novembre 1918, le bilan est lourd pour les « poilus des colonies », comparable à celui des Français. Sur les 175 000 Algériens mobilisés de 1914 à 1918, on compte 35 000 tués ou disparus et 72 000 blessés, 40 000 Marocains laissent 12 000 tués, sur 80 000 Tunisiens recrutés près de 21 000 sont morts ou disparus. L'Afrique-Occidentale et l'Afrique-Équatoriale ont fourni plus de 180 000 hommes dont 134 000 envoyés en Europe : 25 000 ne reviendront jamais. Pour Madagascar : 41 000 hommes, 2 500 tués ; pour l'Indochine : 49 000 hommes, 1 600 tués ; Somalis et Pacifique, Indes, vieilles colonies des Antilles, Guyane, Réunion, quatre communes du Sénégal... : au total l'empire aura enrôlé plus de 600 000 sujets, dont 430 000 mis en ligne sur les différents fronts. Souvent mal employés, victimes de la mythologie patriotique et revancharde, les soldats indigènes de l'armée coloniale et de l'armée d'Afrique verseront leur sang sans y gagner le moindre droit. Quant aux responsables politiques et militaires, ils n'en tireront pas la moindre leçon. En 1939, Georges Mandel, ancien collaborateur de Clemenceau, n'hésite pas à appeler l'empire à la rescousse pour la défense de la civilisation menacée par le racisme nazi : « La France est un empire de 100 millions d'habitants, nous vaincrons parce que nous sommes les plus forts. » De toute évidence, avec la Grande Guerre, les populations issues des colonies ont pénétré en profondeur l'imaginaire de la société française. D'une certaine manière, c'est alors seulement qu'elles ont commencé d'exister aux yeux des Français. Mourir pour avoir le droit de vivre en quelque sorte.

6. Amadou Hampâté Bâ le décrit remarquablement dans *Oui mon commandant*, Arles, Actes Sud, 1994, et dans la plupart de ses romans.

Pépé le Moko, affiche, 1936.

RÊVER : L'IMPOSSIBLE TENTATION DU CINÉMA COLONIAL

Par Olivier BARLET et Pascal BLANCHARD

Marcel Oms, dans l'une des toutes dernières études qu'il a proposées sur le cinéma colonial[1], nous interrogeait sur l'objet du genre et ses limites. Il soulignait, avec pertinence, la quasi-absence d'allusion aux conquêtes militaires, de l'Algérie à l'Afrique noire en passant par l'Indochine, sujet tabou, comme si celles-ci n'avaient jamais eu lieu. Comme si cette prise de possession était naturelle. La colonisation est là, elle a toujours été là, il n'y a pas à rappeler une origine teintée de violence et d'opposition. Seuls films à faire exception, *Les Belles de nuit* de René Clair et celui de Renoir sur le centenaire de l'Algérie *(Le Bled)*. Le premier traite la question sur un ton détaché ; le second glorifie cette conquête en la mythifiant, transformant les premiers conquérants de Charles X en valeureux acteurs de la mise en valeur du pays à travers des mises en perspective de terres labourées par des hordes de tracteurs ! Dès les origines du cinématographe, certains réalisateurs vont

1. Suite à une communication au colloque « Images et colonies » (janvier 1993), ce texte a été publié dans l'ouvrage collectif, sous la direction de Pascal Blanchard et Armelle Chatelier, *Images et Colonies*, Paris, Syros/ACHAC, 1993. Le cinéma colonial désigne en principe les films conçus et produits dans les colonies (pour un public occidental et/ou un public local) mais aussi, par extension, les productions européennes ou américaines qui situent simplement leur action en totalité ou en partie dans les colonies (ou dans un domaine perçu comme potentiellement colonial). Nous nous attacherons ici, avant tout, à ces derniers, non sans évoquer le cinéma ethnographique et les productions proches du genre. Pour un essai de définition plus poussé, on se reportera à G. Gauthier et P. Esnault, « Le cinéma colonial », in *Revue du cinéma*, n° 394, mai 1984, et R. Lefevre, « Le cinéma colonial », in *Images et Colonies*, Paris, ACHAC/BDIC, 1993.

illustrer, sur des modes divers, cette naturelle prise de possession de terres lointaines.

Dans un univers proche, on peut citer *Le Voyage sur la Lune* de Georges Méliès (1902), où des scientifiques se confrontent aux habitants de la Lune représentés en tribu, les corps peints et portant des lances, qui résistent aux envahisseurs et les forcent à partir. Allégorie des conquêtes coloniales d'alors, ce film peut se lire comme une véritable légitimation de la mission civilisatrice pour le progrès de l'humanité. Il en est de même des premiers films de Louis Lumière, qui datent de 1896, sur le thème des troupes exhibées en Europe - comme à Paris au jardin d'Acclimatation et à Genève en 1896 ou l'année suivante à Lyon avec les Ashantis. Dès 1900, ses cameramen rapportent des documentaires des colonies : *La Prière du muezzin, Alger marché arabe, Tunis le marché aux poissons, Chevrier marocain, Tunis rue El-Halfaouine...* Il s'agit de donner vie aux photographies qui ont, comme l'illustration publicitaire, fixé l'imagerie et les stéréotypes coloniaux. Il s'agit aussi d'inscrire ces terres dans l'espace national, français, légitime de la patrie... Par la projection d'images pacifiées, preuves d'un empire en marche vers un destin radieux, ces films sont une sorte de légitimation de l'acte colonial et des conquêtes. Ici, l'image est la preuve d'une réalité : si le réalisateur peut filmer, c'est qu'elles existent, c'est que ces terres sont pacifiées, c'est que ces terres ont une valeur, c'est qu'elles sont françaises...

Le cinéma colonial français : un genre à part ?

Pourtant, en dehors de notables exceptions (les films de Jacques Feyder - *L'Atlantide* (1921) et *Le Grand Jeu* (1933) -, de Léon Poirier - d'*Amours exotiques* (1925) à *La Route inconnue* (1948) en passant par *L'Appel du silence* (1936)[2], *Brazza* (1939) et *La Croisière noire* (1925) -, de Marcel L'Herbier - *La Route impériale* (1935) et *Les Hommes nouveaux* (1936) -, de Marc Allégret - le médiocre *Zou Zou* avec Joséphine Baker (1932) -, de Christian-Jaque - *Un de la Légion* (1936) avec l'incontournable Fernandel - ou de Julien Duvivier - *La Bandera* (1935)[3] et *Pépé le Moko* (1936) -, un film de propagande de Jean Renoir en 1930 ou la rencontre d'exception de Raimu et Sacha Guitry dans

---

2. Nous renvoyons sur ce film à l'étude récente de Steve Ungar, « Léon Poirier's *L'Appel du silence* and the Cult of Imperial France », in *Journal of Film Preservation, Cinéma colonial : patrimoine emprunté*, n° 63, octobre 2001, p. 41-46.

3. Sur l'impact du film et sa perception à l'époque dans la société française, voir l'article de C. Beylie, « *La Bandera* et la presse », in *L'Avant-Scène cinéma*, n° 285, avril 1982.

Le Blanc et le Noir en 1930), on ne retrouve pas dans les films tournés dans les colonies de « grands noms » du cinéma français. *Casablanca*, rappelons-le, bien qu'il concerne l'empire français (le Maroc sous Vichy), fut réalisé à Hollywood par Michael Curtiz et non par un réalisateur français.

Même lors de la montée des nationalismes et de la période des guerres d'indépendance, après la Seconde Guerre mondiale, la censure découragea les réalisateurs de l'époque d'aborder de front les enjeux de ces décolonisations en marche - de l'Indochine à l'Algérie en passant par l'Afrique noire -, à l'exception notable d'un René Vautier ou de François Reichenbach avec *Un cœur gros comme ça* (1961)[4].

Ce ne sera que bien tardivement, à partir de la fin des années 1970 (avec *RAS* d'Yves Boisset en 1973 et *La Victoire en chantant* de Jean-Jacques Annaud en 1976), que les cinéastes oseront affronter le passé colonial... Et encore, le genre reste minoritaire dans la production nationale[5]. Par la suite, à part *Coup de torchon* (1981), *Le Coup de Sirocco* (1979) et *Fort Saganne* (1984), combien de grands films sont aujourd'hui des références nationales du septième art et des classiques du film du dimanche soir ? Très peu ont été autant diffusés et programmés que les *Tarzan*, *Casablanca* ou *Les Mines du roi Salomon*[6], signe que notre vision actuelle du passé colonial en Afrique est bien souvent influencée de façon majoritaire par ces films étrangers. Précisons que l'Indochine, les Antilles, la Nouvelle-Calédonie, Madagascar ou la Guyane sont quasi absents de la production cinématographique coloniale de fiction... De fait, l'Afrique - du Nord comme subsaharienne - est au cœur de l'attrait des quelques réalisateurs français qui se sont spécialisés dans le genre.

Au-delà de cette concentration sur l'Afrique, cette réelle désaffection

4. Sans aucun doute le film charnière entre deux époques, qui fait suite à celui de René Vautier *(Afrique 50)* et qui rassemble une affiche d'exception : musique de Michel Legrand, participation de Michèle Morgan et de Jean-Paul Belmondo, scénario de Jean-Marc Ripert... C'est l'histoire d'un jeune boxeur sénégalais débarquant dans Paris, perdant son match et finissant à l'usine... Tourné façon caméra-vérité, poétique mais inégal, récompensé par le prix Louis-Delluc, il n'en demeure pas moins le premier film postcolonial ou le dernier film sur les colonies (tourné au cours de l'hiver 1961, mais diffusé en 1962)...

5. Au cours de cette époque qui précède ou qui suit les indépendances, la censure est omniprésente (18 films censurés ou reportés entre 1955 et 1962, selon Benjamin Stora), mais quelques films restent des approches critiques importantes, comme celui de Jean-Luc Godard *Le Petit Soldat*, *Adieu Philippine* de Jacques Rozier, *Muriel* d'Alain Resnais, *La Belle Vie* de Robert Enrico ou *L'Insoumis* d'Alain Cavalier. Bien sûr, le plus abouti reste celui de René Vautier en 1972, *Avoir vingt ans dans les Aurès*.

6. Dans les versions de 1937 avec Robeson, de 1950 avec Deborah Kerr et Stewart Granger, et le *remake* de 1958 réalisé par Kurt Neumann sous le titre *Watusi*.

des « grands réalisateurs français » semble très spécifique en regard des cinémas britannique ou américain. Cette situation a d'ailleurs longtemps laissé penser que le cinéma colonial français n'était que l'illustration historique de l'appropriation coloniale, voire un genre exclusivement propagandiste. À titre de comparaison, la production anglaise commence avec le début du siècle, soit près d'une vingtaine d'années plus tôt, avec le film de Robert William *Paul Kruger, rêve d'un empire* et James Williamson avec *Attaque de la mission en Chine* (1901). En France, il faut attendre les lendemains de la Grande Guerre pour voir le genre s'affirmer (à l'exception des films de Camille de Morlhon en 1912) et rencontrer son public, notamment avec Léon Poirier et *Âmes d'Orient* (1919) ou René Le Somptier et sa *Sultane de l'amour* (1919), et surtout, deux ans plus tard, avec le mythique *L'Atlantide* de Pierre Benoit.

À cette production française, peu d'études d'envergure et globale - excepté celle de Leprohon[7], mais qui remonte à l'immédiat après-guerre - ont été consacrées, et seulement quelques festivals rétrospectifs sont à signaler[8]. Pourtant, le lien entre ce cinéma et l'idéologie qui l'a produit ne suffit pas à résumer la complexité de cette relation, ni même à limiter l'appréhension de cette production à une simple production « officielle ». En s'inscrivant dans la construction d'une identité nationale, le cinéma colonial a de toute évidence puissamment contribué à la conceptualisation d'un imaginaire en permanente évolution et encore à l'œuvre dans la France contemporaine. Il a surtout touché un vaste public qui, avec ces westerns coloniaux, va découvrir un monde, une épopée, un espace de conquêtes inconnu. Une sorte d'initiation à la France coloniale ludique et romanesque, où les rôles entre les « gentils » - administrateurs, colons[9], médecins, missionnaires, légionnaires... - et les « méchants » - indigènes, rebelles, fanatiques religieux... - sont parfaitement répartis[10].

---

7. P. Leprohon, *L'Exotisme et le Cinéma. Les Chasseurs d'images à la conquête du monde*, Paris, Éditions. J. Susse, coll. « Voyages et aventures », 1945.
8. Pour les plus importants, on peut citer celui de Pessac (Festival du film d'histoire) en 1991, celui de 1994 à l'Institut du monde arabe pour *Images et Colonies* (ACHAC/CNC/IMA), la programmation en 2002 pour *Kannibals et Vahinés* au Forum des images, deux ou trois programmations à Beaubourg ou à la Cinémathèque...
9. F. Garçon, « Une décolonisation qui s'annonce difficile. Le cinéma français, le colon et le colonisé », in M. Godet, *De Russie et d'ailleurs, feux croisés sur l'histoire*, IES, 1995, p. 105-114.
10. P. Boulanger, « Le cinéma colonial ou la réalité coloniale travestie », in *Cinéma*, n° 72, décembre 1972, p. 56-60.

Une fonction de médiatisation et de glorification

À n'en pas douter, le cinéma colonial a rempli une fonction de médiatisation essentielle dans la pénétration de la culture coloniale au sein de toutes les strates sociales et économiques, mais a donné aussi un sentiment de proximité à l'égard de ces mondes qui pouvaient sembler lointains. De plus, par le cinéma, de nouveaux héros ont émergé : les légionnaires [11]. Sous le soleil du désert, défendant le coq gaulois, ils poussent les limites de la civilisation aux extrêmes frontières de la « sauvagerie ». Des héros modernes, pleins de vie, souvent hors normes (pour ne pas dire en révolte), mais qui par leur engagement - *L'Homme du Niger* (1939) - comme par la leçon à tirer de leur destin - *Pépé le Moko* - servent de modèles dans une France en quête de reconquête nationale. À partir des années 1926-1930, la production française s'attache de façon active à la thématique du héros colonial. Des films comme *Feu* (1926) de Jacques de Baroncelli (et son *remake* du même réalisateur en 1938), *Occident* (1927) d'Henri Fescourt, *Sables* (1930) de Dimitri Kirsanoff, *Sous le ciel d'Orient*, vont s'imposer au box-office... Ils seront pour la plupart l'objet de *remakes* dans les années 1933-1938, ce qui souligne l'attrait et la fascination du public, mais aussi le désir d'affiner l'approche de la génération précédente. Le Sahara est bien souvent au centre de ce mythe colonial : *La Piste du Sud* (1938), *Sirocco* (1930), *Simoun* (1933) ou *sos Sahara* (1936) sont, à côté des films de légionnaires, les grands classiques du genre. Des titres comme *Baroud* (1931) de Max Ingram, *Sidonie Panache* (1934), *Gueule d'amour*, *Le Grand Jeu* (1933), *Un de la Légion* (1936) et, se déroulant en Syrie, *Trois de Saint-Cyr* (1938), et bien sûr *L'Appel du silence* (produit grâce à une souscription nationale de plus de 100 000 Français et qui obtiendra le prix du Cinéma français en 1936) vont rivaliser avec l'importante production américaine (encore le mythe légionnaire et celui de l'Afrique mystérieuse) [12],

---

11. A. Andreu, « De *L'État sauvage* à *Fort Saganne*. Qu'il est beau mon légionnaire... », in *L'Événement du jeudi*, mai 1987, p. 92.

12. Difficile d'oublier des titres comme *L'Oasis d'amour* (1929), *Le clairon sonne* (1929), *Morocco* (1930), *Renégats* (1930)..., mais aussi des films aux approches multiples, dans cette production d'avant-guerre, comme *L'Afrique inhumaine (Roughest Africa)* et *Les Deux Légionnaires* de Laurel et Hardy, *Burning Sands* (1922), *Le Cavalier des sables* de Tourneur en 1926, *Road to Morocco*, *Frères héroïques* (1939), *Sultane* (1926), *Le Légionnaire* de Louis Ralph en 1929, *La Patrouille perdue* de John Ford en 1933, *Sous le soleil d'Orient* (1927), *Le Spahi* (1928), *Tornades* (1937)...

notamment les nombreux *remakes* et aventures de Tarzan [13], et britannique (avec les grands classiques sur l'Inde) [14].

Dans cette mouvance, le film français majeur reste *La Croisière noire* de Léon Poirier, commandé en 1924 par Citroën qui, selon le producteur du film (Pierre Marcel), voulait « conquérir pacifiquement l'Afrique en la découpant par un formidable réseau routier que, dans trente ans, des millions d'automobiles sillonneront en tous sens ». Et de conclure, pour convaincre Léon Poirier d'accepter de collaborer : « Songez au film prodigieux, faisant date non seulement dans l'histoire du cinéma, mais dans l'histoire, que Stanley ou Brazza auraient pu rapporter si les frères Lumière avaient inventé leur cinématographe quinze ans plus tôt... » Ce Paris-Dakar avant l'heure n'est pas seulement un témoin de la gloriole coloniale en marche, mais bien un acteur du mythe colonial en formation. C'est aussi à ce niveau qu'il faut appréhender le cinéma colonial, comme acteur de premier plan du mythe colonial en construction et de la culture coloniale en France.

Des clichés en noir et blanc

Les clichés sont connus. Ils illustrent une vision darwiniste de l'humanité où le sauvage devra suivre la voie tracée par la civilisation blanche pour connaître le progrès. La rhétorique du cinéma colonial découle d'un code proprement manichéen. Le cadrage de dos montre la « puissance animale »

---

13. Les *Tarzan* sont sans doute les films les plus populaires sur l'Afrique, mais ils s'inscrivent à la limite du genre. Tout au long de la période coloniale on peut citer : *Tarzan chez les singes* (1918), *The Romance of Tarzan* (1918), *The Adventures of Tarzan* (1921), *Tarzan et le lion d'or* (1927), *Tarzan l'homme singe* (1932, sans doute le meilleur de la série avec Weissmuller et O'Sullivan), *Tarzan l'intrépide* (1933), *Tarzan et sa compagne* (1934), *The New Adventure of Tarzan* (1935), *Tarzan s'évade* (1936), *Tarzan et la déesse verte* (1938), *Tarzan trouve un fils* (1939, le plus sadique de tous), *Trésor de Tarzan* (1941, le début de l'épopée familiale), *Les Aventures de Tarzan à New York* (1942), *Le Mystère de Tarzan* et *Triomphe de Tarzan* (1943, deux films avec Tarzan contre les nazis !), *Tarzan and the Amazones* (1945), *Tarzan et la femme léopard* (1946), *Tarzan et les sirènes* (1948), *Tarzan et la fontaine magique* (1949), *Tarzan et la belle esclave* (1950), *Reine de la jungle* (1951), *Tarzan défenseur de la jungle* (1952), *Tarzan et la diablesse* (1953), *Tarzan chez les Soukoulous* (1954), *Tarzan et le safari perdu* (1956), *Tarzan et la chasseresse* (1957), *Combat mortel de Tarzan* (1958), *Tarzan l'homme singe* (1959), *Tarzan le magnifique* (1960)... À l'issue de la période coloniale, le genre va progressivement disparaître : *Tarzan aux Indes* (1962), puis trois films en 1967, *Tarzan Jungle Rebellion*, *Tarzan et l'enfant de la jungle* (1967) et *Tarzan and the Great River*... avant un long silence jusqu'aux années récentes.

14. Les réalisateurs de la London Film, comme le précise Raymond Lefèvre, ont proposé des productions de premier plan à la même époque, comme *Alerte aux Indes* (1938), *Bozambo* (1935) et *Les Quatre Plumes blanches* (1939).

« La Croisière jaune », affichette pour l'ouvrage
paru chez Plon, 1931.

et occulte le visage, symbole de l'être pensant. Le nu, « état de nature », s'oppose à l'habillé du colon, « état de culture ». Le colonisé est le plus souvent cadré à droite, dans la partie négative de l'image, ou bien au sol pour exprimer son « animalité », les vêtements souvent rayés soulignant l'infamie des personnages[15]... L'Africain noir est enfantin, naïf, arriéré - un animal que Joséphine Baker incarne à longueur de films, jusqu'à être carrément simiesque dans *La Sirène des tropiques* d'Etiévan et Nalpas réalisé en 1927 -, ou alors un simple supplétif du Blanc, un boy dévoué, une petite « négresse » soumise et féline... Alors que l'Arabe est fourbe, dangereux, traître (ou un indic de police), brutal, prêt à trahir et en éternelle rébellion[16]. C'est toujours un fanatique, religieux, incapable de mettre en valeur sa terre (tout juste bon à la razzier) et en perpétuelle lutte de pouvoir. Aujourd'hui, le singe a remplacé le Noir dans des publicités (Omo), dans des films d'animation *(Le Livre de la jungle)* ou dans certains films de fiction, mais la rhétorique demeure... À l'image du singe du film *Le Roi lion* de Walt Disney, dont la vo sera doublée en français par une voix d'Africain fort accentuée... Alors que l'Arabe, sous la figure de quelques acteurs fétiches, devient un humoriste, une sorte de bouffon des fables urbaines contemporaines (à l'image de *Taxi*) ou ce nouvel *indigène* des temps modernes : le beur de service.

S'appuyant sur les fantasmes que génère cette animalité d'un sauvage supposé proche de l'état de nature, le sensationnel fait vendre l'image coloniale. Un critique écrit à propos de *L'Afrique vous parle* : « Ce film comporte une scène extrêmement forte : un lion se jette sur un indigène et le déchiquette. Bien que les détails échappent, la disposition de la caméra ne permet de conserver aucun doute sur le sort du Noir ; on voit distinctement le lion lacérant l'homme et l'on perçoit les gémissements du malheureux... Nous sommes persuadés que ce film plaira à tout le monde[17]. »

---

15. Youssef El-Ftouh, « L'Afrique dans les images coloniales », in *Écrans d'Afrique*, n°s 9-10, 3e-4e trimestres 1994 (dans le cadre du programme de l'ACHAC), et son article pionnier sur la question, en collaboration avec Manuel Pinto, « L'image de l'Afrique dans le cinéma », in *Images et Colonies*, Paris, ACHAC/BDIC, 1993.

16. L'analyse du cinéma colonial au Maghreb est assez riche en études. On ne peut les citer toutes, mais les plus importantes sont : A. Araib, « L'image de l'Arabe dans le cinéma français », in *Septième Art*, n° 52, 1985 ; H. Ben Ammar, « Le cinéma colonial en Tunisie », in *Septième Art*, n° 51, 1984 ; Abdelkader Benali, *Le Cinéma colonial au Maghreb*, Paris, Cerf, 1998 ; P. Dine, *Images of the Algerian War*, Oxford, Clarendon Press, 1994.

17. Cité par Jean-Claude Yrzoala Meda, « Le cinéma colonial : les conditions de son développement », in *Écrans d'Afrique*, n°s 9-10, 3e-4e trimestres 1994.

Une production importante

À côté des grands films de fiction, les films courts, vendeurs de sensations ou d'illusions, passent en première partie dans les séances de cinéma avant le long métrage. Aucun organisme officiel, excepté l'Agence économique des Colonies et ses relais structurels comme la Ligue maritime et coloniale, n'a pour charge de les diffuser ou de les produire. Ils sont en général réalisés par des initiatives privées (comme France Outre-Mer Film, Pathé, Éclair, Les Actualités françaises, Franco-Film, Raymond-Millet), mais celles-ci reçoivent de nombreuses aides de l'administration (hommes, soldats, moyens financiers et logistiques, moyens de transport, soutien financier de l'Agence des colonies...). L'État se contente donc souvent d'apporter ce soutien et de conserver un droit de diffusion non commercial, ce qui est largement suffisant puisque le message et le contenu de ces films constituent une sorte d'autocensure naturelle beaucoup plus efficace pour la pénétration des imaginaires en métropole.

Aujourd'hui, aucun catalogue de référence ne les recense tous, si bien qu'il est difficile de les cerner avec précision, mais les Archives du film du CNC conservent 820 documentaires coloniaux français sur support nitrate de 1896 à 1955, auxquels il convient d'ajouter environ 300 fictions (soit 1,75 % des fonds conservés aux Archives du film/CNC). Quarante-cinq pour cent de la production est tournée au Maghreb, surtout au Maroc et en Tunisie, alors que 26 % concerne l'Afrique noire (A-ÉF et A-OF), surtout le Cameroun, le Congo, le Sénégal et le Mali, et 15 % concerne enfin l'Indochine (Cochinchine, Tonkin, Annam) et le reste de l'empire. C'est dans les années 1920 que la production est la plus importante, à une époque où, face aux rébellions observées dans certains pays, la politique coloniale doit structurer son discours[18]. Sur l'ensemble de la période, on peut estimer à un total d'environ 2 000 films les productions françaises liées à l'entreprise coloniale, dont un quart de films de fiction, et en ajoutant ceux conservés par les sociétés Gaumont, Pathé, ECPA, INA... La production à caractère ethnographique reste difficile à quantifier, alors que la production missionnaire, à la différence de la Belgique, est quasi inexistante en France (à peine 2 % des thèmes des films documentaires). Le plus étonnant, c'est que les grands

18. Éric Le Roy, « Le fonds cinématographique colonial aux Archives du film et du dépôt légal du CNC (France) », in *Journal of Film Preservation*, n° 63, octobre 2001, Bruxelles, p. 55-56. Éric Le Roy précise les thèmes récurrents de cette production documentaire conservée aux Archives du film. En tout premier lieu, le tourisme et l'exotisme (33 %), puis scènes et types (23 %), l'économie (22 %), l'actualité (9 %), éducation et hygiène (5 %).

noms de cette production documentaire sont aujourd'hui quasi inconnus. En effet, le grand public a oublié André Zwobada (et ses nombreux films de fiction sur le Maghreb), Jean Benoit-Lévy, René Bugniet (thème économique), Philippe Este (scènes et types), René Moreau (tourisme), Georges R. Manue (thème économique), un des principaux propagandistes du parti colonial, Alfred Chaumel, J.-K. Raymond-Millet...

Le qualificatif de « documentaire » peut dans la grande majorité des cas s'appliquer aux fictions. Les gages de réalisme sont alors autant d'alibis ethnographiques pour servir la mythologie coloniale et le contenu romanesque. Une grille de lecture exotique basée sur des codes européens profondément supérieurs et inégalitaires se met en place : « Colorier le monde, c'est toujours un moyen de le nier », écrivait Roland Barthes dans *Mythologies*. La dualité déjà évoquée caractérise l'espace colonial posé comme le contraire du monde occidental[19] : nature contre culture, sauvage contre civilisé, groupe contre individu, croyance contre science, etc. Cet explorateur à la fois missionnaire et militaire qu'est le héros colonial[20] trouve dans l'indigène son opposé. Mais « indigène » est déjà une distinction, une évolution de l'état sauvage et une partie du décorum exotique.

Les premiers films « ethnographiques » partent du souci de conserver les images d'une mémoire appelée à disparaître : ces sociétés dont on imagine qu'elles sont sans histoire mais qui vont rapidement évoluer sous l'effet du contact avec la civilisation. Il faut faire vite pour saisir de façon scientifique ces témoins de l'histoire de l'humanité, ces formes supposées originelles de l'évolution. En 1895, le Dr Félix-Louis Regnault filme une potière wolof à l'exposition ethnographique sur l'Afrique occidentale du Champ-de-Mars à Paris[21]. En 1896, ce seront les « attitudes du repos dans les races humaines », premiers témoignages filmés d'une anthropométrie en mouvement. L'idée de Regnault est de multiplier les films pour que de leur comparaison surgissent des idées générales permettant d'établir une ethnologie. Sous l'impulsion notamment du banquier Albert Kahn, « un programme systématique d'enregistrement cinématographique fut lancé à travers le

19. F. Chevaldonné, « Le cinéma colonial ou le fonctionnement d'un code », in *La Révolution et le Cinéma*, Paris, Éditions des Quatre-Vents, 1988.

20. M. Cade, « De la casquette du père Bugeaud aux moustaches du maréchal Lyautey », in *Les Cahiers de la Cinémathèque*, n° 49, 1993.

21. Sans doute les premières images de zoos humains réalisées au monde. Sur ces images, voir les travaux de Fatimah Tobing Rony, *The Third Eye. Race, Cinema and Ethnographic Spectacle*, Durham, Duke University Press, 1996 (notamment la première partie du livre et les photogrammes extraits du film du Dr Félix-Louis Regnault), et l'ouvrage collectif *Zoos humains. De la Vénus hottentote aux* reality shows, Paris, La Découverte, 2002, notamment la contribution d'Éric Deroo.

monde entier : 140 000 mètres de films ont été tournés et plus de 70 000 photographies autochromes réalisées, à travers 38 pays de tous les continents pour rendre compte de tous les aspects de la vie quotidienne[22] ». Se met alors en marche une collection d'images sur le monde, dans cette geste de prise de contrôle de l'humanité par l'Occident. L'image devient, au même titre que le verbe, un moyen supplémentaire dans cette mise en scène coloniale qui construit le monde qui nous entoure, un média de plus pour édifier cette culture coloniale en formation.

Hier et aujourd'hui encore

Aujourd'hui encore, les programmes d'aide aux documentaires télévisuels dans les pays du Sud comme ceux du CIRTF (Conseil international des radios-télévisions d'expression française) privilégient les films patrimoniaux : habitat traditionnel, produits du terroir, instruments de musique traditionnels, contes et légendes... Des films politiquement corrects en somme, bien loin d'une dynamique d'interrogation par l'image des pratiques sociales, des dynamiques de changement et d'autonomisation des sociétés. Alors que les premiers documentaires coloniaux servaient à justifier le passage à l'indigénat, c'est-à-dire à la sortie de l'état sauvage pour s'intégrer à la colonie civilisée, les documentaires subventionnés aujourd'hui renforcent, sous leur intention de mise en valeur des traditions locales, la fixation de la représentation de soi. Le documentaire anecdotique ou paysagiste qui se généralise sur les chaînes de télévision du monde entier contribue de même à l'intégration, au Sud comme au Nord d'une vision décorative des pays du Sud, alors même que, comme le dit Glissant, « le décor n'est pas pays ». Hier dans les documentaires coloniaux comme aujourd'hui dans ces films télévisuels, et malgré la réflexion engagée depuis[23], la dualité à l'œuvre renforce la distance entre les cultures.

---

22. Marc-Henri Piault, « L'exotisme et le cinéma ethnographique : la rupture de *La Croisière noire* », in *Journal of Film Preservation*, n° 63, octobre 2001, Bruxelles, p. 8.

23. Nous citerons les études majeures au niveau de l'approche globale sur cette production en Europe : Pierre Boulanger, *Le Cinéma colonial de* L'Atlantide *à* Lawrence d'Arabie, Paris, Seghers, 1975 ; Francis Ramirez et Christian Rolot, *Histoire du cinéma colonial au Zaïre, au Rwanda et au Burundi*, Musée royal de l'Afrique centrale, Tervuren, 1985 ; P. Brunetta, *L'Ora d'Africa nel cinema italiano, 1911-1989*, Trente, Materiale di Lavoro, 1991 ; Abdelkader Benali, *Le Cinéma colonial au Maghreb*, Paris, Cerf, 1998 ; Fatimah Tobing Rony, *The Third Eye. Race, Cinema and Ethnographic Spectacle*, Durham, Duke University Press, 1996 ; A. Magherbi, *Les Algériens au miroir du cinéma colonial*, Alger, SNED, 1982 ; D. Sherzer, *Cinema, Colonialism, Postcolonialism*, Texas, University of

Dès le début du XXe siècle, et en parfaite continuité avec les récits des explorateurs comme Speke et Stanley qui « pénètrent » dans la seconde moitié du XIXe le *Continent mystérieux* - titre d'un film de 1924 de Paul Castelnau sur le premier raid Citroën à travers le Sahara -, l'homme blanc découvre étonné des images dont la volonté de sensationnalisme et de pittoresque efface la frontière entre réalité et fiction. Une grande mystification est à l'œuvre, qui s'appuie sur la contradiction de l'exotisme : d'une part, la multiplicité du monde trouble l'unité rationnelle que l'observation scientifique permet de dégager ; d'autre part, l'intérêt qui en résulte pour les curiosités de la planète est ramené à une échelle de valeurs et à une normalité proprement occidentales. Les différences deviennent des manques de développement, des inachèvements sur la voie de la seule - et unique - civilisation, et le cinéma colonial ne cesse de rejouer à l'homme blanc le spectacle de son efficacité et de son emprise sur le monde. Il en fait l'unité en avançant dans son œuvre de progrès, comme le soulignent de façon allégorique les autochenilles de *La Croisière noire* traversant l'Afrique...

Pourtant, si la fascination s'exerce, c'est aussi envers l'état de nature supposé du sauvage, qui ouvre à toutes les projections. Le Blanc y rencontre les archétypes inquiétants, voire effrayants, d'une animalité que la proximité avec la nature rend difficile à dompter mais qui le fascine par ce qu'elle suppose de libération des pulsions : brutalité, transgression du sacré par l'anthropophagie, sexualité débridée... Proximité dans l'évolution, mais différence irréductible en contradiction avec l'ordre général du monde : l'exotisme tente de résoudre cette opposition en maintenant la distance et en instaurant une inégalité fondamentale entre l'observateur et l'observé. Cela ne va pas sans s'opposer à une expansion coloniale dont le but ultime est l'assimilation générale de l'empire à la *centralité* métropolitaine. Un certain louvoiement sera ainsi perceptible dans le cinéma colonial jusqu'à la période charnière du milieu des années 1930 où, face aux résistances et dans un contexte de crise, l'heure sera à l'enrôlement forcé dans l'ordre métropolitain.

Les documentaires ethnographiques se donnent comme objet signifiant et non comme langage d'observation impliquant l'idéologie d'un

---

Texas, 1995. Enfin, nous signalons le récent numéro spécial de la revue bruxelloise *Journal of Film Preservation* (n° 63), sous le titre « Cinéma colonial : patrimoine emprunté », d'octobre 2001, avec une dizaine de contributions importantes. Pour le cinéma colonial britannique, on peut citer deux articles : R. Smyth, « The Development of British Colonial Film Policy, 1927-1939 », in *Journal of African History*, vol. 20, n° 3, 1979, et T. Hoefert, « Imperialism in British Films during the 1930's », in *Cahier d'histoire et de politique internationales*, n° 11, 1991 ; et John MacKenzie (dir.), *Imperialism and Popular Culture*, Manchester, Manchester University Press, 1986.

regard. Ils tentent une vision positiviste, mais n'échappent pas aux clichés « exotisants » liés au choix des images et des angles de vue par des opérateurs professionnels, alors que les films de fiction jouent sur ces mêmes stéréotypes dans leur reconstruction pseudo-réaliste du monde colonial. Quand il tourne *Le Bled,* Jean Renoir « oublie » de filmer les autochtones, tout occupé qu'il est à légitimer et à sanctifier la présence française. L'abondance de cartes topographiques dans les films coloniaux - comme dans le sommet du genre, *Français, vous avez un empire* - connote ce besoin de légitimation : alibi scientifique de la « pénétration » d'un continent donné comme vierge et donc comme un vide à combler, à conquérir. *Le Bled* présente ainsi l'Algérie comme un champ aride à travailler : on n'occupe pas, on remplit, on fertilise, on met en valeur, on civilise...

La porte du mythe est ouverte : le héros colonial est un solitaire épris de découvertes, qui s'exile et endure toutes les souffrances pour ouvrir aux sauvages infantiles les valeurs du travail et de la civilisation. Il maîtrise son destin comme plus tard les héros de westerns, non sans se référer au progrès qui le porte et qu'il porte. Ses références sont anciennes, voire antiques : il n'hésite pas à évoquer le passé romain du Maghreb pour définir la colonisation, légitimant par une telle filiation sacrée son appropriation salvatrice. Pour l'Afrique noire, l'équivalent d'un Renoir est sans aucun doute Jean d'Esme. De son véritable nom Jean d'Esmenard, ce romancier colonial, proche de l'Agence économique des colonies et de l'Institut colonial, initie son style documentaire colonial en 1925 avec *Razzaff le Magnolia.* Après ce coup d'essai, dans le style documentaire à histoire, il réalisera *Peaux-Noires* (1930), *La Grande Caravane* (1934) et le sommet du genre, *Sentinelles d'empire* (1938), sans doute le film le plus abouti sur le particularisme colonial français, illustré, dans ce voyage aux confins des marches de l'empire, d'un groupe de méharistes nomades avec à leur tête une quinzaine d'officiers français. Dans des décors merveilleux, où le réalisateur cherche à montrer le « visage de l'Afrique », c'est une fascination pour ces terres « vierges » qui émerge sur les écrans de France en offrant une lecture de l'acte colonial détaché de toutes contingences matérielles ou raciales. L'acte colonial est tout simplement noble et pur... Il est « vrai » comme ces paysages immaculés et vierges.

C'est sur la trace de tels films que Jacques de Baroncelli réalisera en 1939 *L'Homme du Niger,* exaltation sans limites de l'œuvre civilisatrice de la France, tout en s'attachant à une esthétique forte des décors coloniaux. À travers l'image de l'ingénieur et du médecin, remplaçant progressivement celle du colon et du militaire, c'est l'exaltation des hôpitaux et des barrages qui vient légitimer la présence française. Le barrage permet en effet la construction d'une parfaite allégorie : détaché de toute contingence économique (aucune terre exploitée), de toute autorité visible (symbole de pacification aboutie où le militaire n'a plus lieu d'être), il figure idéalement la rencontre du guide blanc et de la masse noire pour construire en commun un monde à l'abandon, l'eau du barrage du Niger devant, demain, symboliser la fertilité retrouvée de ces pays... C'est un film qui annonce que l'Afrique est condamnée à mort sans la présence du Blanc. D'ailleurs le réalisateur le souligne en novembre 1939 dans une interview, reconnaissant avoir centré son film sur l'œuvre française en Afrique par excellence, la plus « noble » et la plus « belle » à ses yeux, presque « accomplie partout », celle de la « lutte contre la maladie et contre la mort ». En un mot, le colonialisme c'est la vie ! Une telle dialectique permet une distanciation réelle avec le souvenir, contesté, des conquêtes et des troubles permanents dans l'empire (comme la guerre du Rif), et de positionner l'idéal colonial français au-dessus de tout autre.

D'une guerre à l'autre, du fantasme à l'idéalisation

Ce n'est qu'après la Seconde Guerre mondiale que se posera la question, à la lumière des mouvements indépendantistes, d'une reconnaissance de la différence et, partant, de son autonomie par rapport au pouvoir colonial. Dans le cinéma colonial d'avant 1931-1933 au contraire, si la différence est évoquée, c'est pour marquer combien elle est insurmontable, et même à quel point l'épouser reviendrait à s'y perdre. Le vocabulaire sexuel ou nuptial est de rigueur : la confrontation physique avec l'exotisme colonial (rejouée par le spectateur de cinéma dans son fauteuil) a l'ambivalence d'une tentation impossible[24]. Elle se joue - comme l'invasion coloniale - en deux temps : appropriation et mise à distance. Conquise, la colonie est offerte à la jouissance du Blanc : seul Serge de Poligny, avec *La Soif des hommes* (1949), tente une remise en cause, une *mise à distance* de ce droit naturel des colons sur les terres, en insistant sur les origines de ceux-ci et en brisant le mythe d'un colonat idéalisé. Mais dans les autres films la colonie doit être instrumentalisée pour éviter un décentrement préjudiciable au rapport de domination. La femme sera bien sûr l'objet cinématographique idéal de cette

24. M.-H. Piault, « L'exotisme et le cinéma ethnographique : la rupture de *La Croisière noire* », *op. cit.*, p. 12.

« La traversée du Sahara »,
affiche du Raid Citroën, 1923.

appropriation : satanique séductrice, elle menace d'entraîner le héros dans l'impasse du reniement de soi, de ses valeurs comme de son rôle civilisateur (comme dans *Malaria* en 1942). La rejeter sera pour lui l'occasion de structurer son être intime comme son être au monde (colonial).

À cet égard, la première adaptation au cinéma du roman à succès de Pierre Benoit, *L'Atlantide*, par Jacques Feyder en 1921, résume à merveille le rapport fantasmé à l'exotisme et ce qui attend ceux qui s'aventureraient dans une relation à l'Autre. On meurt beaucoup d'amour dans le palais d'Antinea, la dernière Atlante, où l'on n'accède, comme dans le monde colonisé, qu'après s'être enfoncé au plus profond du désert le plus aride. Fidèle à son origine, le capitaine Morhange refuse l'amour de la reine, laquelle, désirant se venger, se donne à son compagnon Saint-Avit afin qu'ils s'entretuent. La passion l'égarant, il s'exécute et tue Saint-Avit. Même s'il parvient à s'échapper du palais après avoir pris conscience de la gravité de son acte, sa fascination l'y fera revenir et il ne pourra qu'y laisser la vie, la psychose emportant ceux qui franchissent la limite en s'enfonçant dans l'utopie.

On peut posséder les belles *indigènes* mais pas les aimer au risque de renier les règles du devoir patriotique, une valeur qui dans les films coloniaux n'est positive que si elle est portée par les Français. Le mélange des races est prohibé (jusque dans la production nationale, comme avec *Razzia sur la schnouf* en 1954) : le métissage bafoue l'ordre social et met l'intégrité de l'Occident en danger. De toute façon, l'indigène étant incapable d'intégrer les vraies valeurs coloniales, l'égalité est impossible. À moins qu'il ne s'assimile complètement. C'est ce que fera Safia, la prostituée tunisienne des deux versions de *La Maison du Maltais*[25] : la « fille de charme » deviendra une « charmante maîtresse », parfaitement adaptée à la vie parisienne. Et l'assimilation efface la mixité.

La colonie préconise aux indigènes d'« évoluer », de se civiliser, mais point trop n'en faut : l'adhésion aux valeurs républicaines d'égalité et de fraternité ne saurait combler le gouffre entre les cultures. L'« évolué » des films coloniaux n'est jamais adulte : soit enfant turbulent, soit élève trop appliqué. La différence ne peut que persister, et il reste inexorablement au cœur des ténèbres ; la mise à distance doit toujours être maintenue. Alors que le maintien de la colonie comme un espace rêvé plutôt qu'appréhendé dans sa réalité en empêche la compréhension et ne laisse place qu'à la séduction, cette phobie du mélange et de la perte de sa propre intégrité, encore si vivace aujourd'hui, dénote la faillite de l'assimilation coloniale. Miroir

25. Celle de H. Fescourt en 1927 et celle de P. Chenal en 1938.

d'une relation impossible, le cinéma colonial rend visible la contradiction d'une aventure qui ne pourra qu'être durablement dramatique et porte avant l'heure, dans ses fictions mêmes, la décolonisation.

Une dernière fois revenons à Marc-Henri Piault et à son analyse de *La Croisière noire*, film charnière dans la production coloniale française et sans aucun doute moment clef dans l'élaboration d'une culture coloniale en France. Le film eut un « succès retentissant où, aux fiertés cocardières françaises devant les images d'un immense empire colonial, se mêlait le sentiment de découvrir des civilisations déchues, n'attendant que l'aide généreuse de la métropole pour accéder au monde fraternel du progrès universel ! [...] Le développement des liens entre les territoires dispersés de la colonisation, l'établissement d'une unité de gestion et d'une unité de pensée référées aux trois couleurs du drapeau national, voilà ce qu'expriment les images de *La Croisière noire*. Ces images désormais ne pourront être que de deux ordres : soit la vision de sociétés plus ou moins proches de la sauvagerie naturelle [...], soit la démonstration des transformations qu'apporte la colonisation. » De toute évidence, la colonisation a alors, dans le domaine de la promotion par l'image cinématographique, trouvé un rythme et un style. Dès lors la culture coloniale va promouvoir cette double dialectique : le progrès pour illustrer l'action du colonisateur et la sauvagerie pour parler des sociétés indigènes. Un langage simple, qui fonctionne aussi bien sur les écrans des salles obscures que dans la tête des Français...

« Centenaire de l'Algérie » 1830-1930,
affiche de Léon Cauvy, 1929, diffusée en 1930.

PROPAGER : L'AGENCE GÉNÉRALE DES COLONIES

Par Sandrine LEMAIRE

Le désir de documenter le public sur les ressources d'outre-mer et de multiplier les échanges entre la France et ses possessions a conduit à la fondation d'une organisation souvent méconnue[1] qui épouse la chronologie de la conquête de l'empire. Les expositions universelles aussi ont été des moteurs dans la création d'une infrastructure de propagande liée exclusivement aux colonies. Ainsi, les prémices de l'information coloniale officielle se décèlent lors de l'Exposition universelle de 1855 avec la création d'une Exposition permanente des colonies. Cependant, dès 1899, l'Office colonial, relevant du ministère des Colonies, marque véritablement l'institutionnalisation de la propagande organisée dès lors par les administrateurs coloniaux. La longévité de cet organisme, qui a connu l'ensemble des régimes politiques, de la IIIe République à la Ve en passant par le régime de Vichy jusqu'aux décolonisations et au-delà, en a fait un pilier du discours colonial. Établissement pérenne et quasi « extrapolitique », cette institution a donc marqué durablement les esprits de l'empreinte idéologique visant en partie à justifier la conquête et à légitimer le maintien d'un vaste empire colonial.

1. Voir à ce sujet la thèse de Sandrine Lemaire, *L'Agence économique des colonies. Instrument de propagande ou creuset de l'idéologie coloniale en France (1870-1960) ?*, Florence, Institut universitaire européen, 2000.

L'Agence : une machine à informer et à séduire

Depuis les années 1880, les constructeurs de la France impériale ont cherché à enrôler et à acquérir le soutien des Français, tout d'abord de l'élite puis du plus grand nombre. Leur discours de propagande a revêtu différents atours, et plusieurs thèmes furent invoqués, destinés à « vendre » la France coloniale. En fait, l'ensemble de leurs arguments tendait à redéfinir l'intérêt national d'après les lignes impériales ; il s'agissait en somme de « nationaliser l'idée coloniale ».

Or, au lendemain de la Première Guerre mondiale, le domaine colonial français se trouvait au centre de l'édifice national par sa participation active à la victoire et sa place dans la reconstruction en cours. Il fallait alors convaincre l'opinion publique, encore indifférente à la réalité politique de l'empire, par une intense propagande. Propagande que la Grande Guerre consacra effectivement, l'opinion étant désormais reconnue comme une modalité essentielle au sein de l'espace public. Agissant comme un révélateur, l'après-guerre fut marqué par un véritable volontarisme officiel en la matière, et l'Office colonial fut alors réorganisé et constitué en Agence générale des colonies par décret du 29 juin 1919. En 1920, Albert Sarraut, ministre des Colonies, soulignait en effet cette nécessité en réclamant une propagande moderne pour promouvoir l'idée d'empire en métropole : « Il est absolument indispensable qu'une propagande méthodique, sérieuse, constante, par la parole et par l'image, le journal, la conférence, le film, l'exposition, puisse agir dans notre pays sur l'adulte et l'enfant [...]. Nous devons améliorer et élargir dans nos écoles primaires, nos collèges, nos lycées, l'enseignement trop succinct qui leur est donné sur notre histoire et la composition de notre domaine colonial. Il faut que cet enseignement soit plus vivant, plus expressif, plus pratique, que l'image, le film, la projection renseignent et amusent le jeune Français ignorant de nos colonies[2]. »

Une page semblait alors tournée dans l'histoire coloniale française. Le temps de la conquête n'était plus, celui de l'administration de cet immense empire et de l'action propagandiste pour rallier les métropolitains commençait. La République, au lendemain de la guerre, promut donc l'idée coloniale[3] comme jamais elle ne l'avait fait auparavant, et l'Agence générale des

---

2. Intervention au Sénat d'Albert Sarraut, *Annales du Sénat*, séance du 27 février 1920.

3. Voir à ce sujet les travaux de Raoul Girardet, *L'Idée coloniale en France de 1871 à 1962*, Paris, Hachette, 1972, Charles-Robert Ageron, *France coloniale ou parti colonial ?*, Paris, PUF, 1978, et Thomas August, *The Selling of the Empire : British and French Imperialist Propaganda, 1890-1940*, Londres, Greenwood Press, 1985.

Colonies fut chargée de faire l'« éducation coloniale » des Français. Elle avait pour but, de manière générale, de les inciter à intégrer l'empire dans leur système de pensée mais aussi dans leur vie quotidienne, à concevoir l'empire comme faisant « un » avec la métropole, comme partie intégrante de la nation. Dans l'élaboration et la diffusion de ce discours, l'Agence joua un rôle essentiel, et à travers elle l'action de l'État fut surtout significative à compter du début des années 1920 jusqu'au milieu des années 1950. Principal propagateur du discours et des images sur les colonies et les colonisés, le dispositif discursif était soigneusement contrôlé par les fonctionnaires de l'Agence tentant d'apporter la preuve de la réalité d'une action constructive dans les colonies. Actrice mais surtout organisatrice de la propagande, l'Agence a instrumentalisé la représentation de l'empire en contribuant à diffuser et à ancrer une vision spécifique dans l'esprit des Français.

L'Agence : « chef d'orchestre »

Le succès des campagnes de propagande tend à naître d'une autorité forte, centralisée, produisant un message consistant. La propagande n'a effectivement de sens que si elle obtient la convergence d'une multiplicité d'actions individuelles ; or cette coordination ne peut s'effectuer que par l'intermédiaire d'une structure. La force de l'Agence fut de s'imposer, dès l'entre-deux-guerres, comme l'épicentre de l'information coloniale.

Au cœur de l'idéologie coloniale en métropole, il n'y avait dès lors que peu, ou pas, de contre-discours, car l'Agence « inondait », gérait et générait son propre discours en s'assurant la maîtrise de sa production et des relais de diffusion. Interlocuteur privilégié, elle s'octroya ainsi un monopole en contrôlant tous les maillons de la chaîne d'information, aussi bien en amont, en la collectant, qu'en aval, en gérant sa diffusion, tout en veillant à sa production en interne. Toutefois, elle ne pouvait la répercuter seule ; pour la suppléer, se constituèrent à ses côtés, entre 1919 et 1923, des agences économiques des colonies en France représentant les grands ensembles de l'empire[4]. Ainsi, chacune d'elles gérait par exemple de véritables campagnes de prises de vue aussi bien photographiques que cinématographiques, puis opérait un choix en procédant au montage de ces images fixes ou animées

4. Différentes agences économiques furent ainsi créées pour l'Indochine, l'Afrique-Occidentale française, l'Afrique-Équatoriale française, Madagascar et les territoires africains sous mandat, Togo et Cameroun.

avant de les diffuser auprès du grand public sous forme de dossiers photographiques, de tableaux de synthèse ou de films documentaires ayant tous unanimement pour but de glorifier l'« œuvre coloniale française ».

Le discours était ainsi uniformisé grâce à un réseau structuré et multiple capable de toucher toutes les strates de la société et l'ensemble des Français. En s'érigeant en noyau autour duquel gravitait un ensemble regroupant de nombreux organismes ou associations privés, l'Agence est devenue le commanditaire d'un réel réseau d'information. Elle tentait de créer un véritable consensus et de produire une idéologie unique. L'Agence a ainsi tissé une toile où tous se sont retrouvés dans le credo colonial à « prêcher leur foi » dans l'empire. Une fois établie, cette structure servait à manipuler l'opinion par une panoplie de supports variés allant de l'objet du quotidien au plus insolite, mais surtout en utilisant le pouvoir de la presse et des images, en grossissant, minorant, occultant, valorisant certains faits. En effet, la propagande ne se limite pas au martèlement d'un discours de promotion d'une idéologie déterminée, mais s'étend à la sélection des informations, à leur tri, à leur hiérarchisation, à leur mise en perspective de même qu'à leur rédaction et à leur accompagnement iconographique ou sonore.

La propagande : à chacun selon ses goûts

L'Agence organisa son réseau en s'appuyant sur des relais préexistants mais aussi en créant des structures propres à relayer son action. De multiples vecteurs, comprenant les médias déjà reconnus de la presse ou de la radiophonie mais aussi les cartes postales ou encore les vignettes publicitaires, ont été utilisés dans cet objectif d'éducation coloniale. Qu'ils aient été classiques ou curieux, leur variété témoigne de l'importance des moyens mis en œuvre ainsi que de la multiplication des occasions pour chaque Français de « rencontrer » et de connaître « son » empire. Mais, si la propagande cherchait à manipuler, elle souhaitait aussi éduquer une jeunesse qu'elle plaçait au cœur de son dispositif. En effet, les jeunes représentaient un « investissement » dans la mesure où les esprits, plus malléables, pouvaient se forger au fil des années pour atteindre un degré de conviction et une foi inébranlable dans la valeur de l'empire. Ils pouvaient ensuite répercuter à leur tour l'idée de la Plus Grande France.

La volonté pédagogique des propagandistes était manifeste et, à cette fin, ils parvinrent à inscrire de manière croissante l'idée impériale dans les programmes et cursus scolaires. De surcroît, les enseignants recevaient des cours entièrement élaborés par le service de documentation de l'Agence. Cartes murales, atlas, vignettes ou encore édition de livres de lecture et manuels scolaires s'ajoutaient aux nombreux outils exploités. Mais cette rigueur, qui inscrivait de manière durable le discours officiel au sein de la culture française en l'inculquant aux enfants, s'accompagnait de supports beaucoup plus ludiques. Effectivement, bons points, protège-cahiers, dossiers photographiques et surtout jeux et concours permettaient à la fois d'insister sur les héros du panthéon colonial et d'attirer l'attention du public sur les possibilités offertes par les colonies. Le système scolaire devenait alors un agent de reproduction de l'idéologie impérialiste.

Cependant l'Agence développa des trésors d'ingéniosité concrétisés par une propagande multiforme. Ce fut donc par l'utilisation, simultanée ou intermittente, de ces divers moyens qu'étaient les cartes postales et les timbres, les images d'Épinal et les vignettes publicitaires, les jeux et jouets, les almanachs et calendriers, les médailles et fanions, les brochures et livres, les disques et affiches, la presse, la radio et enfin le cinéma que l'Agence tenta d'imposer l'empire au quotidien. Cette inscription dans la vie quotidienne se réalisa par d'autres modes ludiques mettant directement les Français au contact des colonies et des colonisés, car si l'école constituait une pièce maîtresse du dispositif d'apprentissage, la volonté d'éduquer se traduisit aussi dans un champ qui misait sur le spectaculaire pour enseigner.

En effet, la connaissance de l'empire et simultanément son intégration au sein de la Plus Grande France furent mises en scène par de véritables « leçons de choses ». Les foires et expositions permirent notamment au public de découvrir et d'apprécier les produits coloniaux lors de dégustations spécialement organisées afin de modifier les goûts et habitudes de consommation. La multiplication des leçons pratiques et des dégustations organisées par l'Agence autour de produits « exotiques » tels le cacao, la banane ou encore le riz permit une véritable démocratisation de leur consommation durant l'entre-deux-guerres. Les expositions devaient rendre le domaine colonial plus familier. Il s'agissait de compléter le dispositif plus théorique des connaissances acquises par les livres, journaux et autres tracts et brochures, et de parvenir à aller au-devant de la population par une propagande concrète, palpable pourrait-on dire. La formule de ces événements, composés, ordonnancés[5], associés à une dimension spectaculaire, devait vaincre les obstacles de l'indifférence et de l'inertie. La stratégie était donc

---

5. Voir, entre autres, l'ouvrage de P. Morton, *Hybrid Modernities. Architecture and Representation at the 1931 Colonial Exposition, Paris*, Cambridge, The MIT Press, 2000.

de frapper les imaginations avant d'asséner, mais de manière plus durable parce que distillé un peu partout et surtout de manière très systématique et répétitive, le contenu de l'idéologie. Comment ne pas être frappé par le fameux « tour du monde en un jour », ce voyage métaphorique d'un pays à un autre sans jamais avoir à quitter le site, proposé par l'Exposition coloniale aux portes de Paris en 1931 ? En effet, cette énorme machine à informer sollicitait tous les sens pour vulgariser le message officiel en même temps qu'elle faisait rêver. Ainsi, chaque jour et chaque soir, des spectacles savamment orchestrés plongeaient les visiteurs dans les reconstitutions de la cour de Béhanzin, au cœur des processions rituelles de l'Annam ou dans les fastes des *Nuits coloniales*, ces sons et lumières qui faisaient de l'exposition nocturne un monde magique, féerique et mystérieux. La propagande prenait alors l'aspect d'une représentation où l'État faisait le spectacle. Fête politique, Vincennes fut donc à la fois espace éducatif et lieu d'imaginaire. L'exposition, surtout, constituait une symbolique multiple et convergente qui tendait à légitimer le fait colonial. Elle fut par conséquent l'un des plus grands outils fédérateurs de l'opinion publique, permettant une véritable communion des Français autour du message colonial que la propagande s'employait à répandre dans toutes les strates de la société. Il s'agissait en fait d'un renforcement à long terme du socle patriotique national.

Mais, frein à l'endoctrinement, l'opinion se crée avec une somme de personnes ne pouvant faire la même expérience du même fait et qui, parce qu'elles n'emploient pas le même langage, n'ont pas la même culture ni une situation sociale identique, l'interprètent au travers de schèmes différents. Or c'est là qu'intervient le rôle du symbole qui donne un modèle d'identification des uns et des autres, au-delà même de leurs schémas mentaux individuels. Les différentes expositions cristallisèrent, fixèrent l'opinion sur des « réalités inventées » pour les besoins de la propagande. Le spectateur était en fait « construit » à travers la narration de l'exposition, comme étant lui-même un véritable explorateur. Les expositions servirent à éduquer la population française sur les possessions d'outre-mer tout en façonnant et en affirmant une identité nationale autour de la foi en une France unique, grande nation civilisée et propagatrice des idéaux républicains.

Ainsi, chacun de ces vecteurs comportait une efficacité particulière, spécifique, conduisant à multiplier, à croiser les diverses opportunités pour atteindre la complémentarité nécessaire. La création d'un environnement culturel noyé de représentations coloniales constitua sans aucun doute un terreau de la conscience coloniale métropolitaine et ancra une certaine image de soi et des autres au sein de la culture de masse française. Le discours fut véhiculé par des médias touchant des millions d'individus, permettant de répandre et d'enraciner le mythe d'une colonisation « bienfaisante et bienfaitrice », et surtout légitime, dans l'inconscient collectif. Il suffit pour s'en convaincre d'imaginer combien les Français pouvaient être sollicités, interpellés par un article, une émission radiophonique, une affiche aux dessins exotiques et aux couleurs chatoyantes, ou encore comment ils pouvaient être marqués par une visite à un stand colonial lors d'une exposition ou par l'apprentissage des contours géographiques de la Plus Grande France et des différentes « races » de l'empire colonial dans leur manuel scolaire. Si rien de cela ne les affectait, alors les cartes postales, les objets publicitaires, prenaient le relais ou s'ajoutaient aux perceptions déjà acquises. Aussi, entre les expositions, spectaculaires mais éphémères, et l'inscription au quotidien de l'idéologie coloniale par les manuels, la nourriture, les jeux ou les calendriers, l'empire était omniprésent. À l'école, dans la famille ou au travail, les Français acquéraient, en partie grâce à la séduction des vecteurs et des moyens utilisés, une culture nationale et coloniale spécifique. Les meilleurs moyens étaient mis en œuvre pour atteindre les classes moyenne et ouvrière afin de leur faire acquérir le sentiment impérial qui devait faire penser la nation non plus seulement comme Hexagone mais comme Plus Grande France.

La fiction coloniale : le théâtre des apparences

Pourtant, le principe même de la colonisation s'inscrivait en contradiction avec les valeurs républicaines de liberté et d'égalité. Comment l'Agence parvint-elle à inscrire le fait colonial dans les idéaux de la République ? Le corpus discursif diffusé par l'Agence des colonies témoigne de la vision étatique portée sur l'empire et constitue un idéal dont chaque outil de propagande devait témoigner. Ainsi, les images, qui étaient avant tout des symboles plus que des réalités de la modernité offerte aux colonisés, posèrent une chape sur les réalités coloniales en appauvrissant le discours. Les symboles et les allégories du Progrès, de la Démocratie, etc. permirent d'instiller de l'universalité républicaine dans le réel plus prosaïque de la colonisation. Vision d'un monde calme, ordonnancé, se dirigeant vers le progrès, toujours sous la conduite du colonisateur-guide, la représentation offerte par l'Agence montrait ainsi aux métropolitains l'utilité et l'efficacité de leur technologie, sa valeur universelle. C'était donc le « génie » de la France qui était valorisé, le développement étant rendu inconcevable sans le savoir-faire de l'Européen. L'orientation du discours était par ailleurs renforcée par l'emploi, quasi systématique, du procédé dichotomique : avant la colonisation étaient le chaos, la misère et les procédés ancestraux ; avec l'arrivée des Français, les colonies s'ouvrent peu à peu au modernisme allant de l'urbanisme aux modes de culture en passant par les moyens de transport. Les multiples images comparaient ainsi, à titre d'exemple, un pont de liane traditionnel, témoin de la fragilité et de l'archaïsme, et un pont de béton, symbole de la modernité civilisatrice. Ce procédé facile était censé attester de la légitimité de la colonisation ; aussi chaque cliché était-il savamment choisi, retravaillé si nécessaire pour conforter l'idéologie officielle.

Cette reconstruction de la relation coloniale était complexe et jouait sur de multiples éléments. La grande force de ce processus de légitimation fut sa capacité à pouvoir poser un écran discursif et imagé devant la réalité coloniale et à générer une amnésie collective. Cet euphémisme colonial, imposé par une rhétorique conçue sans faire référence au rapport réel de domination - la conquête, certes, mais aussi ses suites -, a de ce fait, suscité l'adhésion et créé le consensus autour de l'idée impériale. La force de l'Agence résidait exactement dans ce « brouillage des ondes » - omissions partielles ou totales -, une grille de lecture édulcorée imposant une vision qui, pour les métropolitains, rendait impossible d'aborder l'autre côté du miroir. La colonisation n'existait plus alors que sous le seul regard que le colonisateur portait sur sa pratique. L'étude du discours textuel ou imagé de l'Agence permet de plonger dans le théâtre des apparences, dans les jeux de construction et de manipulation, de comprendre comment fonctionnait cette remarquable machine à inventer, à créer de la fiction en manipulant les images du réel. Dès lors, les Français se sont-ils laissé bercer par cette fiction impériale, cet écran a-t-il fonctionné ?

« Français, vous avez un empire » : un mythe pérenne

L'omniprésence de l'Agence, dans le temps, dans l'espace, dans les supports, dans les relais, permet de concevoir la création d'un espace mental basé sur des éléments disponibles au sein de la société et qui ont permis que fonctionne la fiction : supériorité de la culture occidentale, de la civilisation, du système économique, détention des clés du progrès. La dimension pédagogique est un bon indicateur de cette imprégnation, notamment lorsqu'on s'attache aux images entrées progressivement dans l'univers scolaire *via* manuels, planches pédagogiques, protège-cahiers ou cartes géographiques. En effet, l'instituteur responsable de l'éducation des enfants jouait le rôle

« Semaine coloniale », anonyme, 1933.

de meneur de jeu et s'appuyait sur ces images « exemplaires » aux représentations édifiantes, légendées de manière à servir d'ancrage mémoriel et à prévenir toute « erreur » d'interprétation. Dans ce cadre, plus que partout ailleurs, chaque image contribuait à une partie de la formation de l'imaginaire social par lequel la communauté nationale s'appropriait son patrimoine.

Aussi ces images étaient-elles organisées pour la plupart autour de modèles et de symboles qui affichaient l'identité d'une valeur et d'un héros : le courage et l'intrépidité des troupes coloniales, la liberté éclairant le monde par le drapeau tricolore. Les valeurs républicaines étaient présentes, la liberté généralement incarnée par la libération des esclaves et la fraternité souvent représentée par les coloniaux, ces véritables guides pour les « indigènes ». L'égalité quant à elle était promise pour un avenir indéterminé et donc peu visible. Enfin, chaque petit Français, ou chaque adulte, pouvait disposer d'un « catalogue » des « races » de l'empire qui correspondait à l'étendue du territoire, symbole de l'immensité de la Plus Grande France. Les écoliers étaient appelés à devenir les prosélytes de l'idéologie coloniale et les manuels les parfaits instruments de propagation d'une idée pour des générations entières. Ils incitaient à un voyage au sein d'un consensus national, non sans quelques mystifications. Offrant une synthèse des discours, ils furent de véritables défenseurs de la colonisation reflétant le sentiment impérial qui infiltrait déjà la presse populaire.

En étudiant la propagande développée par l'Agence, nous entrons dans un domaine où se rejoignent le politique et le commercial, le ludique et le technique, l'idéologique et le spectaculaire. Finalement, par son histoire, son héritage, son langage et le décor qu'elle fabriqua, cette propagande créa des marchés, imprégna les esprits de la fameuse « mission civilisatrice » au nom de laquelle toutes les hiérarchies raciales étaient légitimées, et en cela elle fut aussi un fait de société. À travers elle, la République promut l'idée coloniale par une approche plus effective et systématique pour informer le public. La fiction coloniale qu'elle proposa tout au long du XXe siècle a d'ailleurs laissé des traces, visibles encore aujourd'hui quarante ans après les indépendances. Car cette propagande était rationnelle, basée exclusivement sur des faits, des statistiques, des notions économiques qu'elle transformait en arguments, en les déformant pour mieux démontrer la supériorité du système métropolitain, et pour ainsi réclamer l'adhésion de tous derrière son discours de supériorité de la civilisation sur la « barbarie », du progrès sur l'archaïsme, du colonisateur sur le colonisé, de la « race blanche » sur l'« indigène ». La prise de conscience par chacun de l'importance de l'empire et le ralliement des Français à la Plus Grande France comme acte de patriotisme étaient exaltés par des slogans, des images et d'édifiants récits exemplaires.

Le mythe impérial reposait sur quelques valeurs clés des sociétés occidentales, à savoir le progrès, la richesse, le travail et la civilisation, lesquelles marquent aujourd'hui encore les esprits. Le système de légitimation se structurait sur un argumentaire triple fonctionnant même après les indépendances : une théorie économique reposant sur la mise en valeur ; une réflexion politique gage de la grandeur, de la puissance de la France ; enfin, une conscience morale, sans doute la plus efficace, autour de la mission civilisatrice et d'une colonisation humaniste. Ces trois thèmes devinrent de véritables slogans pour la propagande officielle qui tentait de rassembler derrière ce corps paradigmatique l'ensemble de la communauté française.

La propagande coloniale tenta d'assurer la pérennité d'un système et, en cela, la censure exercée sur les failles du système et surtout sur les réalités répressives permettait d'offrir un terrain d'entente pour tous les partis politiques et toutes les strates de la société. Chacun reconnaissait dans la colonisation, telle qu'elle était présentée, la validité du système républicain et surtout sa légitimité et sa générosité à vouloir étendre ses principes civilisateurs dans le monde. Grâce à la tutelle protectrice de la France, les peuples sans histoire, donc sans civilisation, pouvaient quitter la barbarie, les ténèbres, le paganisme, l'ignorance. Or ce mythe d'une colonisation « civilisatrice » et paisible continue à abuser. Le postulat évolutionniste basé sur une incontestable supériorité de la civilisation occidentale fait encore pour beaucoup figure de lieu commun. Ainsi la légitimité de l'ordre colonial était-elle parfaitement intériorisée. Elle se mesure encore actuellement à travers les mêmes images, les mêmes discours tenus sur des pays « du tiers-monde » ou « en voie de développement » ou « les moins avancés ».

« Exposition coloniale, Marseille, 1922 », affiche de Cappiello, 1922.

CIVILISER : L'INVENTION DE L'INDIGÈNE

Par Nicolas BANCEL et Pascal BLANCHARD

Dans toute formation sociale, l'Autre, est une constante anthropologique majeure pour au moins deux raisons. D'une part, parce que les figures de l'extériorité sont les miroirs par lesquels se fondent, se transforment, s'affermissent ou se réaffirment la substance et les frontières des identités collectives. C'est pourquoi l'Autre est doté de « caractéristiques », variables dans le temps et qui renvoient en permanence à deux pôles : la stigmatisation et le désir. D'autre part, les figures de l'Autre sont des éléments indispensables et moteurs de toutes formes de mobilisations sociales : convoquées, instrumentalisées, elles inaugurent ou consolident des réseaux de sociabilité, structurent ou restructurent des groupes, mettent en relation (relation d'opposition ou d'unité) des fractions sociales. C'est à un processus de cette nature que nous assistons dans les années 1915-1918, qui vont voir émerger une double figure de l'Autre, deux « idéaux types » pour reprendre la terminologie de Max Weber : la persistance de la figure du « sauvage » et l'apparition de celle de l'indigène[1].

L'idéal type du sauvage anthropophage de la fin du XIXe siècle en effet ne disparaît pas, il reste l'un des ciments identitaires d'une nation en train

1. Les auteurs reprennent ici un certain nombre de leurs travaux autour de l'émergence de l'image de l'indigène en France. Que ce soit dans la revue *Hommes et Migrations* (mai 1997, n° 1207, et novembre 2000, n° 1228), dans l'ouvrage *De l'indigène à l'immigré*, Gallimard, 1998, rééd. 2002, dans le numéro spécial de la revue *Passerelles, Afriques*, juin 1998, dans le catalogue d'exposition *Images et Colonies*, 1993, dans la revue *Hermès*, 2001, n° 30, ou dans *Les Cahiers de la Méditerranée*, décembre 2000, n° 61.

de se faire, effigie inversée de la civilisation technique et rationnelle de l'Occident, figure renversée de l'homme civilisé, blanc et catholique. C'est la Première Guerre mondiale qui va marquer une transformation majeure dans les énoncés dominants de la culture coloniale en France en donnant vie à l'image de l'indigène dans le sens « ethnique » du terme : tout ce qui n'est pas blanc est colonisable.

Quelques figures de l'indigène

Trois figures de l'indigène au service de la défense de la « mère patrie » apparaissent durant le conflit : celle du tirailleur - le « Noir » -, dont la sauvagerie est retournée contre plus barbare que lui - le « Boche » - et dont la bravoure, la puissance physique et la « bonhomie » (« Y'a bon ») se sont mises au service de la France ; celle du cavalier maghrébin, perpétuant une tradition magnifiant la valeur guerrière de l'« Arabe », mais qui fixe définitivement sa fonction, sa perception et les craintes qu'il inspire (particulièrement l'islam) dans le champ étroit du politique ; enfin celle de l'« Indochinois » (et même des populations chinoises « importées » pour les usines d'armement), perçu depuis la conquête comme un piètre combattant - un archétype qui ne s'évanouira qu'avec la guerre d'Indochine... - et comme tel restant cantonné au rôle de main-d'œuvre industrielle importée et supplétive, très peu utilisée au front. Dans cette trilogie coloniale « utilitaire », dans cette segmentation du « type », on remarque une catégorisation très nette : au premier le champ du ludique et du corporel, au deuxième l'univers du politique et du revendicatif, au dernier l'espace économique et l'invisibilité. Autant de règles qui vont fonctionner tout au long de la colonisation et même après les indépendances, jusqu'à aujourd'hui. Aux « Noirs » les revendications d'ordre médiatique (présence dans les médias), le champ du culturel et du sport, aux « Arabes » l'espace du politique, de l'antiracisme et des revendications politiques, aux « Asiatiques » l'espace de l'économique, l'invisibilité et l'intégration par le travail... Autant d'archétypes qui trouvent leur origine dans les catégorisations coloniales s'affinant durant la Grande Guerre.

D'ailleurs, si la perception des Indochinois - qui conforte leur statut de « peuple besogneux » - et des Maghrébins - qui conservent leur inquiétante capacité au combat mais restent sous contrôle des autorités civiles et militaires - varie à la marge durant le conflit, il n'en est pas de même pour les tirailleurs dits « sénégalais », dont l'image s'impose comme structurante dans l'édification d'une culture coloniale en France. En effet, à partir de l'année 1917, le « brave tirailleur Y'a bon », enfant sympathique que la tutelle métropolitaine civilise progressivement, quitte les frontières séparant l'humanité de l'animalité, devient ce « bon nègre », grand enfant toujours rieur, qu'immortalisera la publicité Banania.

Cette guerre a permis de mesurer l'apport irremplaçable des indigènes des trois principales aires impériales, mais aussi de donner un rôle à chacun dans ce théâtre colonial en formation. L'indigène, comme les produits coloniaux, est une richesse : il peut s'exporter, pour la guerre ou comme main-d'œuvre, doit être protégé - des maladies comme des idéologies subversives -, éduqué - pour soutenir l'action de la France - et se reproduire pour construire un empire et une métropole plus forte[2]. De ce fait, sa dangerosité - élément qui domine toute l'iconographie et les discours durant la conquête - est sérieusement contrebalancée par les effets positifs de son instrumentalisation au service de la métropole. Enfin, immédiatement avant le conflit, les frontières définitives de l'empire sont tracées[3], la « mission civilisatrice » peut se déployer désormais sans entraves. L'un des credo de ce discours est l'« élévation » des colonisés aux lumières de la civilisation européenne : la contradiction est flagrante entre cette antienne et la persistance d'une représentation fortement stigmatisante de l'indigène. Par paliers et seuils successifs se dessine ainsi une autre représentation de l'Africain, qui le fait passer de la sauvagerie au statut d'indigène éducable, potentiellement assimilable, maintenant une hiérarchie d'ordre civilisationnelle et raciale avec le colonisateur, mais établissant aussi une multitude d'effets de proximité qui incluent désormais l'indigène, de plein droit, dans la Plus Grande France.

Deux strates de représentation de l'indigène doivent être délimitées, même si les passerelles sont nombreuses de l'une à l'autre. D'une part la production des énoncés et des images qui ressortent de la propagande coloniale, d'autre part les discours et l'iconographie issue de la culture populaire. On doit en effet bien distinguer, à partir des années 1920, ce qui ressort du *discours impérial* et ce qui ressort du *sens commun*, construit sur les bases d'un imaginaire collectif désormais profondément enraciné. De toute évidence, la rencontre de ces deux univers dans le champ de la culture de masse en émergence constitue un imaginaire collectif structurant de la culture colo-

2. D'innombrables cartes postales diffusées à la fin de la Première Guerre mondiale exhibent ainsi des tirailleurs ou de jeunes Africaines présentant des nourrissons, photographies légendées « Un futur tirailleur », « Soldat de la Plus Grande France », etc.
3. Si l'on excepte bien entendu les territoires du Cameroun et du Togo, et ceux de la Syrie et du Liban, que les Français et les Britanniques récupéreront après la défaite de l'Allemagne.

niale - d'autant plus présent qu'il semble en parfaite harmonie avec le désir de la nation, les énoncés de la science, les croyances populaires et l'intérêt du pays...

La persistance des archétypes dans la culture coloniale

La notion de culture coloniale « populaire » mérite une définition précise ou tout au moins un essai de délimitation applicable au cas qui nous occupe. On comprendra ici la culture populaire *visuelle*, composée par l'ensemble des dispositifs imagés fixes - cartes postales (dont les Français consomment plus de 500 millions d'exemplaires par an), photographies, affiches, jeux, illustrations, bandes dessinées, timbres... - et animés - cinéma, théâtre, cabaret, expositions... - destinés au public le plus large. Délimitation contestable, fluctuante, nous en convenons, mais en même temps indispensable, car les limites *ultimes* de la culture populaire ne peuvent être précisément dessinées sans revenir chaque fois à une époque, à des classes sociales par définition mouvantes ou à telle ou telle génération ou classe d'âge[4]. C'est bien à partir de ces formes, qui peuvent paraître anodines, que se trament les linéaments des mentalités collectives, que se construisent, se renforcent et se transforment les stéréotypes qui structurent l'imaginaire social. C'est ici que se perpétuent les préjugés, indispensables vecteurs des identités. La période qui suit la Première Guerre mondiale se caractérise par le prolongement des principaux archétypes qui tracent une séparation essentielle entre « nous » et les « indigènes ».

La figure de l'Arabe est plus anciennement structurée, puisqu'elle se fixe lors de la conquête de l'Algérie (1830). Héritier d'une civilisation monothéiste, urbaine et commerçante, échangeant depuis de longs siècles - sur un mode souvent conflictuel - avec l'Occident chrétien, l'Arabe[5] ne peut être placé au même rang que le « sauvage ». La cruauté est un thème récurrent dans les représentations, et ce qui semble donner une cohérence à sa figure est la crainte qu'il inspire. Une crainte enracinée dans l'opposition irréductible des religions chrétienne et musulmane, et qui confère à l'Arabe

4. Jean-Pierre Rioux et Jean-François Sirinelli, *La Culture de masse en France de la Belle Époque à aujourd'hui*, Paris, Fayard, 2002.

5. Soulignons que nous excluons de cette description le Kabyle, objet de fantasmes anthropologiques spécifiques : *descendants* en droite ligne des conquérants romains, les Kabyles auraient, selon nombre de théoriciens coloniaux ou auteurs de l'époque coloniale, préservé la pureté de leur « race blanche ».

sa puissance de cohésion comme peuple et donc comme ennemi du régime colonial. Les politiques musulmanes successives, qui n'auront de cesse de circonvenir les effets potentiellement menaçants de l'islam comme force d'unification politique contre la colonisation, témoignent de cette crainte permanente des autorités coloniales face à l'islam. La religion musulmane, dans l'espace des représentations, est largement utilisée dans les constructions archétypales de l'Arabe. La dénonciation de l'« obscurantisme » religieux, des complexes organisations sociales en confréries contrôlées par des chefs religieux, de l'inclination au sacrifice et à la guerre sainte, est un thème récurrent dans toute l'iconographie coloniale, de la fin du XIXe siècle à la fin de l'entre-deux-guerres[6].

La cruauté de l'Arabe se double par ailleurs d'un goût pour la traîtrise, la dissimulation et le crime. Corporellement, cela se traduit essentiellement dans l'iconographie par les postures : visage dissimulé, yeux fuyants, position voûtée, etc. Tout ce qui peut masquer, corrompre souterrainement, criminaliser au second degré une attitude, est utilisé dans l'iconographie[7]. Les caractères somatiques sont, d'une manière générale, moins mis en évidence dans les représentations de l'Arabe que dans celles du sauvage africain ou kanak. Mais ces représentations n'en contribuent pas moins à concrétiser les principaux archétypes, qui persisteront jusqu'à nous. Les périodes de crise - économique, sociale, politique - constituent des ferments privilégiés pour que s'actualisent ces représentations stigmatisantes. Au cours de l'entre-deux-guerres, la guerre du Rif les vivifie de manière radicale, de même qu'au cours des années 1933-1937 la crise économique consécutive au krach de 1929 déclenche une avalanche xénophobe sur l'immigration maghrébine[8].

---

6. Voir sur ce point les travaux, non encore publiés, de Delphine Demargne, *La Représentation du Maghreb à travers les images du journal* L'Illustration *de 1843 à 1918*, Paris-I, 2000. Travaux à mettre en perspective avec la thèse et les travaux de Jean-Barthélemy Debost sur « *Le Petit Journal* à la fin du siècle et la représentation de l'Afrique et de l'Africain » (Paris-I et livre collectif *Négripub*).

7. Nous brossons ici à grands traits un tableau qui nécessiterait sans doute plus de nuances. Et, de fait, des contre-exemples existent, telles les représentations parfois laudatives des Touaregs - entourés d'une mythologie ethnique et culturelle encore persistante.

8. Il n'est pas anecdotique de remarquer que les discours et les images produits durant la guerre du Rif annoncent, presque trait pour trait, ceux qui émailleront la guerre d'Algérie. De même, on peut largement comparer la crise xénophobe des années 1930 - et notamment la virulente campagne contre les « Sidis » en 1927 dans la presse française - et la résurgence d'un imaginaire antimaghrébin au cours des années 1990, démontrant la très grande puissance de ces schèmes culturels dans la longue durée.

« Exposition nationale coloniale, Marseille, 1922 »,
L'Indochine, affiche de Capon, 1922.

Les représentations du Noir dans la culture populaire restent également largement tributaires, durant l'entre-deux-guerres, de leur genèse durant la conquête. Les spectacles anthropo-zoologiques perdurent en effet jusqu'au début des années 1930, manifestant clairement la proximité des populations africaines avec la nature et l'animalité[9]. Ici encore, la fascination pour le corps de l'Autre peut servir d'analyseur de la vitalité des stéréotypes affectant les Africains : la sexualité, présumée endiablée, des Africains[10] est un thème omniprésent dans toutes les strates de la culture populaire. Le rapprochement avec l'animal est flagrant : une sexualité multiple, irrépressible et instinctive établit cette proximité, et le dégoût le dispute ici à la fascination pour de supposées « prouesses sexuelles ». De même, l'assignation de l'Africain à représenter toujours son corps en mouvement (danses dans les cabarets ou dans les zoos humains, manifestations déchaînées de la motricité au théâtre, érotisation des corps masculins et féminins dans la quasi-totalité des représentations) le rapproche également du monde animal. Enfin, innombrables sont les images réactualisant sans cesse les archétypes de l'anthropophagie, de l'obscurantisme religieux (cosmogonie), de la paresse et de la sauvagerie.

À travers le double mouvement de la diffusion de ces archétypes et de leur légitimation scientifique[11] se dessine dès lors une hiérarchie raciale coloniale, le Kanak se retrouvant à l'extrême limite du genre humain (pour les Français) alors qu'on retrouve au plus haut de l'échelle l'Indochinois (ou le Kabyle), hiérarchie instituée en fonction de la proximité supposée de tel ou tel indigène - biologique et/ou culturelle - avec l'Européen. Cette hiérarchie, intimement incorporée en France par la grande presse, les ouvrages de vulgarisation scientifique, les manuels scolaires..., témoigne de l'ambivalence de la culture coloniale française, s'appuyant sur un double discours, l'un classiquement structuré sur la hiérarchie raciale et « civilisationnelle », et socialisé à travers un ensemble de préjugés, l'autre porté par les idéaux universalistes véhiculés par le discours de la propagande coloniale officielle. De plus, cette vision touche l'ensemble de la société française et pas seule-

9. Sur la complexité de ce phénomène, nous renvoyons à Nicolas Bancel, Pascal Blanchard, Gilles Boëtsch, Eric Deroo, Sandrine Lemaire, *Zoos humains. De la Vénus hottentote aux* reality shows, La Découverte, Paris, 2002.

10. Dès 1916, les cartes postales mettant en scène les marraines de guerre et leurs protégés africains insistent particulièrement, sur un mode gaulois, sur la fascination sexuelle exercée par les Africains.

11. Rappelons pour mémoire que l'anthropologie s'affirme comme discipline autonome dans les années 1850 et que l'anthropologie physique se penche plus systématiquement sur les taxinomies raciales dans les années 1860-1880.

ment les élites ou les spécialistes des questions coloniales. Les paysans par exemple, souvent rétifs à la cause coloniale face à la concurrence des produits importés issus de l'empire, se sentent tout à fait impliqués lors des grands chocs coloniaux du moment[12]. S'élabore une sorte de fierté cocardière et de culture commune qui transcendent les frontières sociales, qui vont au-delà des clivages sociaux et touchent toutes les générations : enfants, adolescents, femmes et hommes adultes...

Faut-il assimiler les indigènes ?

C'est en effet dans la propagande coloniale que va se dessiner un mouvement différent, qui complexifie la perception et la représentation des populations coloniales : la tentative d'uniformiser les « indigènes » au service de l'empire. L'uniformisation de la figure de l'indigène répond en effet à l'affirmation d'un modèle idéologique spécifiquement français : l'assimilation. Pour soumettre la diversité des populations de l'empire à cet axiome, il est nécessaire de réduire leurs différences. L'assimilation est en effet directement issue des idéaux de la Révolution française et postule une égalité de principe entre tous les *citoyens*. Mais en régime colonial cette égalité est bien évidemment impossible, sauf à créer deux types distincts de ressortissants coloniaux : les colons et les colonisés. D'où l'émergence de la figure d'un *indigène type* de l'empire, qui conforte l'idée d'universalité des valeurs et de mission civilisatrice de la France d'un côté et réaffirme de l'autre l'inégalité des races (car s'il y a indigène, c'est bien qu'il y a infériorité). C'est là un élément structurant de la recherche d'un consensus colonial.

Toute l'iconographie officielle cherche donc à démontrer qu'une politique d'assimilation ne transformerait pas - pas avant des siècles - les colonisés en « petits Français ». On insiste sur le fossé séparant les Français des indigènes, même si l'on accepte l'idée que ces terres colonisées soient de plus en plus assimilées à l'État unitaire. En clair, l'assimilation est valable pour les terres, pas pour les hommes, excepté bien sûr une élite dite « évoluée » qui peut, à l'image de Blaise Diagne et plus tard d'Houphouët-Boigny, occuper de hautes fonctions en métropole. La promotion de cette élite

12. Notamment Fachoda en 1898, Tanger en 1905, Agadir en 1911, la présence coloniale dans la Grande Guerre et les grandes expositions officielles de 1922, 1924, 1930 et 1931 dans l'entre-deux-guerres.

devient la preuve tangible de la validité du système, capable d'assimiler les indigènes les plus brillants.

Le concept de *nation-empire*, qui marque le passage du concept *colonial* à celui d'*impérial*, est une étape essentielle de l'idée de citoyenneté en France et de la fixation du débat sur l'altérité. En affirmant cette indispensable allégeance des « élites » de l'empire, cette *nation-empire* est à la source d'une intégration acculturante pour une infime minorité (les évolués) légitimant l'exclusion de l'immense majorité. Hors de la communauté nationale, comme l'est l'étranger aujourd'hui, l'Autre est différencié par son statut (juridiquement explicité) et stigmatisé comme un « désintégrateur » potentiel de l'unité nationale. Dès lors, ce qui importe le plus n'est pas la différence entre un Indochinois et un Arabe, mais bien qu'ils correspondent tous deux au paradigme de l'indigène type. Cela ne signifie pas qu'il n'y a plus de différences entre ces populations, ce que personne ne cache, encore moins les anthropologues ou l'imagerie populaire, mais cette différence n'est finalement qu'anecdotique dans le discours officiel.

La dualité nécessaire entre colons et indigènes au sein de l'empire crée donc une fêlure au sein du modèle républicain d'assimilation. Un double langage dont la République reste encore tributaire. Au cours des années 1920, on privilégie ainsi les potentialités parallèles des peuples coloniaux, de manière à tendre à les uniformiser progressivement sur le plan culturel, linguistique, religieux, etc., rejoignant une longue tradition d'homogénéisation culturelle propre à la France des XVIIIe et XIXe siècles[13]. Au cours des années 1930, la figure de l'indigène type s'impose, grâce notamment à l'intensification de l'effort de propagande, concrétisé par des manifestations d'envergure internationale - l'Exposition coloniale internationale de Vincennes en 1931 bien sûr, mais également le centenaire de l'Algérie, l'Exposition internationale de 1937, les Salons de la France d'outre-mer de 1935 et 1940 -, la multiplication des revues et des brochures spécialisées, l'amplification des campagnes photographiques outre-mer et de l'action de diffusion de ces images vers la grande presse...

13. Que l'on pourrait parfaitement caractériser comme une colonisation de la métropole, à travers l'unification linguistique, l'imposition de l'autorité publique et du pouvoir de l'État, la lutte contre les cultures régionales...

Derrière les images ?

Au-delà de l'analyse de la production iconographique tout au long de ces années, qui nous permet de mieux comprendre les mécanismes de pénétration de la culture coloniale dans la société française, ce qui nous semble le plus intéressant ici est l'impact qu'elle a eu sur plusieurs générations de Français en termes de conscience citoyenne et de construction d'une société à deux vitesses raciales. En un mot, la création d'une société segmentée en deux strates, l'une au sein de laquelle vivent les populations aptes à la citoyenneté, l'autre composée des prétendants à cette citoyenneté *via* l'assimilation. Le clivage étant, dans ce cadre colonial, la différence d'origine... En un mot, la « race ». En effet, si le développement de la pensée scientifique raciste dès le milieu du XIXe siècle est aujourd'hui bien étudié, ce qui ne l'est pas c'est l'impact de cette catégorisation en termes de « race » sur la rhétorique civilisatrice et le poids de la colonisation sur le sentiment raciste en France. Car ces images - produites pour certaines à plusieurs millions d'exemplaires - permettent de mesurer, étape par étape, l'évolution des imaginaires et surtout la construction d'un modèle de différenciation au sein de la société qui devient, sans le savoir, coloniale.

Ainsi, nous partons de cette *fiction* - les images de propagande - pour appréhender la formation d'une société autoproclamée et *autoreprésentée* égalitaire, au sein de laquelle cohabitent pourtant des populations de statuts différents. C'est dans cette contradiction apparente entre un discours républicain fondé sur l'égalité - ou la tendance à l'égalité, y compris aux colonies - et une pratique et des représentations coloniales structurées par l'inégalitarisme qu'on doit, à notre sens, chercher à comprendre cet ensemble multiforme qui constitue la culture coloniale.

Un effort de description est donc indispensable pour identifier les prolongements contemporains de cette contradiction, qu'on pourrait dire *paradigmatique*, puisqu'elle se forme à l'origine de la grande expansion coloniale des années 1880[14], alors que se mettent en place l'essentiel du discours de légitimation coloniale, les représentations différenciatrices et une pratique d'hégémonie militaire qui débouche sur une domination par la force dans les colonies. L'un des continuums les plus évidents se situe, dans le prolongement de la politique coloniale d'assimilation, dans la politique d'intégra-

---

14. Voir l'ouvrage toujours d'actualité de Raoul Girardet, *L'Idée coloniale en France de 1871 à 1962*, Paris, La Table ronde, 1971.

tion comme dans les représentations qui structurent l'appréhension des immigrés issus de l'ex-empire.

Pour affiner cette approche des imaginaires coloniaux et leurs prolongements contemporains, il faut de toute évidence remettre en perspective cette propagande coloniale (ce « bain colonial », officiel ou non), qui, si elle a pu faire des Français de *bons petits coloniaux*, n'a pas à elle seule créé l'imaginaire collectif fondant la culture coloniale en France. Tout au plus a-t-elle contribué à populariser les éléments principaux du message colonial. Surtout, elle lui a donné deux attributs essentiels : un objectif concret dans la justification de l'acte colonial et un sens par la mission civilisatrice dévolue à la France. Par contre, la culture coloniale a eu aussi, à nos yeux, un impact très profond sur la société française en se greffant sur d'autres énoncés d'origine coloniale et sur le discours relatif aux contours de la citoyenneté, en affirmant clairement l'incapacité des peuples colonisés à être des *citoyens à part entière*[15].

Comme le soulignent Gérard Noiriel et, dans son dernier livre, Patrick Weil[16], le tournant très net sur ces questions se dessine autour de 1880 - au moment des premiers grands élans coloniaux. Dès lors le droit républicain sur les naturalisations et la nationalité - excepté quelques ouvertures au moment des conflits - restreint les possibilités d'accession à la citoyenneté pour les indigènes notamment, sous la pression du lobby colonial. Le décret d'application de la loi de 1889 pour les colonies - adopté en 1897 - écarte de fait les colonisés de la nationalité française (ou alors met en place le principe d'une citoyenneté différée, toujours reportée). C'est donc à un niveau plus subtil encore que la loi française reste établie sur des pratiques coercitives qui violent ses propres valeurs démocratiques. En aucun cas cependant les républicains n'ont trouvé une contradiction entre les institutions démocratiques et l'acquisition, puis l'administration de l'empire.

À la base du républicanisme français, l'idéal civilisateur, au nom duquel la nation des droits de l'homme a privé tant de gens de leur liberté, mérite d'être analysé. C'est dans ce contexte que se structure le concept d'indigène type, image renversée du *citoyen* et dont les différences raciales et culturelles

---

15. Dans le même ordre d'idée, on lira avec attention l'ouvrage de Gérard Noiriel, *Les Origines républicaines de Vichy*, Hachette, 1999, qui met en lumière un processus de différenciation juridique dès la fin des années 1920 entre Français de souche et populations immigrées. Ce très intéressant travail ne rend pourtant, à notre sens, pas entièrement compte des emprunts de la métropole à une législation coloniale qui fournit alors un terrain d'expérimentation concret inappréciable.
16. Patrick Weil, *Qu'est-ce qu'être français ?*, Paris, Grasset, 2002.

auraient été aplanies par le système colonial en faisant des diverses populations colonisées de l'empire un modèle de référence unique. L'indigène type constitue de toute évidence le point de rencontre d'idéologies profondément distinctes - essentiellement l'universalisme républicain et le différencialisme racial - dans leurs visions de l'homme et du monde. En ouvrant notre champ d'étude à la situation en métropole, il est évident que cette invention de l'*indigène type*, moment clé de l'imagerie coloniale officielle en métropole et aussi moment de rupture entre les grands industriels français et l'empire, se renforce par le discours sur l'immigration qui atteint alors un point de rupture et reproduit, très exactement, les contradictions du modèle colonial français.

En effet, le contexte des années 1930 (fermeture progressive des frontières) aboutit à la loi du 10 août 1932 qui établit, pour la première fois de manière active, le contrôle et le contingentement de l'immigration en France, et accorde une priorité aux travailleurs français. C'est d'ailleurs à la même époque, soit à l'ultime fin de notre périodisation, moment de l'apogée colonial en France, que Georges Mauco publie une thèse et surtout, l'année suivante, son ouvrage *Les Étrangers en France*[17]. Cette étude est un témoignage saisissant de l'imaginaire produit sur l'Autre et de toutes les contradictions du système français, balançant entre impératifs démographiques, contraintes économiques et politiques[18]. Elle est surtout la partie visible d'un processus interne à la société française qui révèle les contradictions profondes du discours sur les populations colonisées. L'auteur, Georges Mauco, intègre dans son analyse, comme fondement de sa démarche, les préjugés naturels des nationaux et les potentialités d'assimilation de chaque population immigrée.

Des étrangers sont désirés et d'autres non. Pour Mauco et beaucoup d'autres à l'époque (notamment au sein de la gauche socialiste ou radicale), toute perturbation biologique viendrait briser ce fragile équilibre national (et républicain). Le rejet des populations « exotiques », dans le cadre de la politique d'immigration du gouvernement français et dans le cadre d'une société française totalement imbibée des schèmes coloniaux, s'affirme alors que l'édifice colonial est prétendument en formation sur une base de fusion des peuples à moyen terme et souligne la contradiction formelle et la différence de fait entre discours républicain et réalité coloniale.

17. Georges Mauco, *Les Étrangers en France*, Paris, Armand Colin, 1932.
18. Eugen Weber, *Les Années 1930*, Paris, Fayard, 1994.

Cet indigène type est donc au cœur de la culture coloniale « à la française », coopérant humblement à la construction de sa propre destinée sous les directives et l'aura du colonisateur. Il constitue manifestement un des éléments essentiels de l'imaginaire colonial en France, qui trouve son point d'apogée au début des années 1930. Par la suite, cette image va évoluer sous des formes multiples qui, toutes, trouveront leurs origines dans cette figure de l'indigène qui s'est imposée au cours des années 1920-1930.

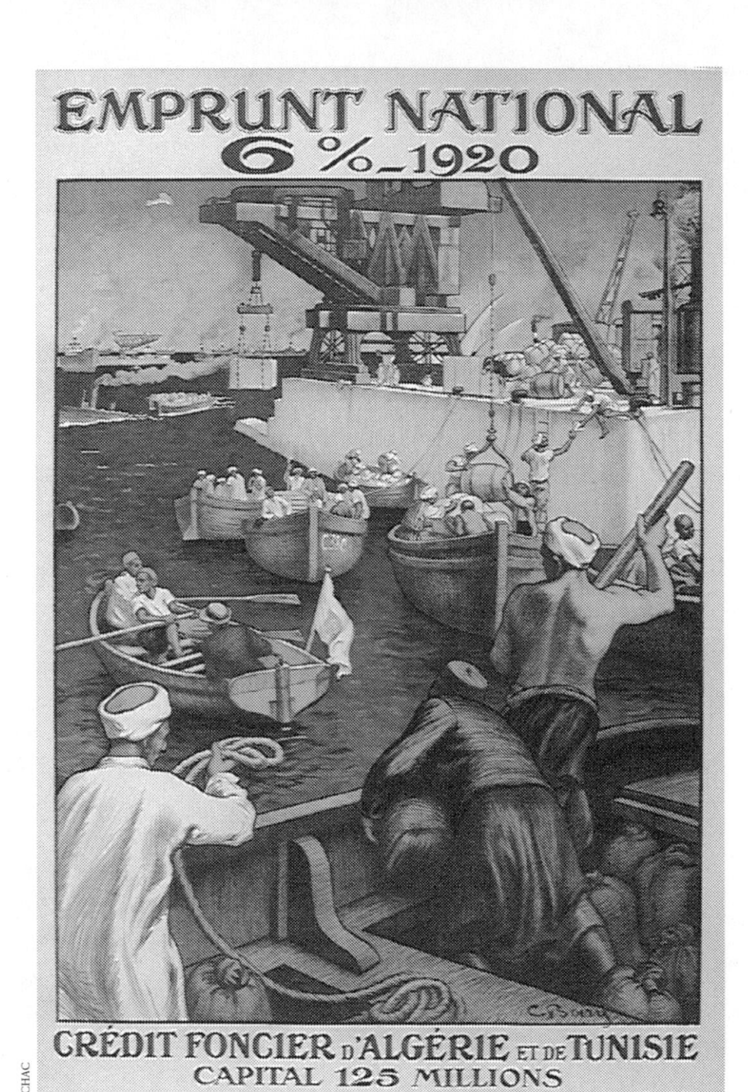

« Emprunt national, Crédit foncier d'Algérie et de Tunisie », affiche de C. Boiry, 1920.

VENDRE : LE MYTHE ÉCONOMIQUE COLONIAL

Par Catherine COQUERY-VIDROVITCH

La France, au sortir des guerres napoléoniennes, se retrouva en 1815 avec de menus confettis coloniaux : quelques îles aux Antilles, l'île de la Réunion dans l'océan Indien, quelques îles dans le Pacifique et deux comptoirs sur la côte sénégalaise. Mais au fil du XIXe siècle la France se prépara à reconstruire son empire. Le premier domaine de compétition avec la Grande-Bretagne fut le continent africain. La conquête relativement précoce de l'Algérie (1830) s'enferra dans une guerre de razzias dont les résultats économiques furent dans l'immédiat catastrophiques. En revanche, en Afrique noire, le monde des affaires devança largement la conquête, qui ne se précisa que dans les dernières années du siècle. Le commerce international décupla entre 1820 et 1850. Des firmes héritières des anciennes entreprises négrières, comme celle des frères Régis de Marseille, surent prendre le tournant du commerce dit « licite » des produits, par opposition au commerce devenu « honteux » des esclaves.

Le détonateur avait été la révolution industrielle qui, comme on le sait, démarra d'abord en Angleterre. C'est donc cette dernière qui lança la nécessité et la vogue des oléagineux tropicaux, notamment l'arachide des côtes de l'Inde et l'huile de palme du delta du Niger en Afrique occidentale dès 1802-1804. La France, en pleine expansion commerciale, l'imita à partir de la monarchie de Juillet.

Un commerce colonial déjà ancien

En effet, les frères Régis négocièrent dans les années 1840 avec le souverain du royaume du Dahomey de l'époque (sud du Bénin actuel), le roi Ghézo, le monopole de l'achat sur ses terres de l'huile artisanale fabriquée par ses femmes à partir des palmeraies naturelles de l'arrière-côte. Ce commerce fut bientôt suivi par celui des arachides cultivées par les paysans du Sénégal. Cette culture d'exportation fut en expansion permanente, surtout après la construction par les Français du chemin de fer Dakar - Saint-Louis (1883-1885) qui en facilita le transport et l'exportation. Les importations d'arachide du Sénégal vers les huileries bordelaises, continûment subventionnées au XXe siècle par le gouvernement français (la toute première huilerie sénégalaise ne date que de la fin des années 1930), ne s'écroulèrent qu'après l'indépendance.

Dès le début du XIXe siècle, les oléagineux tropicaux faisaient partie des matières premières indispensables à l'industrialisation métropolitaine. Toutes les firmes nationales en avaient directement ou indirectement besoin, aussi bien pour huiler leurs machines que pour éclairer leurs ateliers. L'industrie de la bougie (préférable aux chandelles à l'huile d'olive ou à la cire d'abeille) date du milieu du XIXe siècle et ne fut concurrencée que partiellement par le gaz d'éclairage issu de la distillation du charbon. Celui-ci démarra surtout en France sous la monarchie de Juillet, en priorité pour l'éclairage public et l'industrie, car il était alors considéré comme dangereux ou nauséabond pour les domiciles privés. Quant à l'électricité, elle ne se généralisa qu'au tournant du XXe siècle. Les besoins en éclairage, devenus impératifs avec l'introduction du travail continu industriel (les « trois huit »), s'accrurent énormément. De même, l'industrie du savon dit « de Marseille » doit tout aux colonies. Ce produit résulte d'une découverte française reposant sur la technique de blanchiment à base d'oléagineux tropicaux du savon noir primitivement fabriqué par les Britanniques et à ce titre snobé par la clientèle française, qui lui trouvait une allure peu ragoûtante. Mais ce sont des fabricants de savon britanniques, les frères Lever, qui créèrent à leur tour une firme dans les années 1880 et entreprirent de mettre en place une concentration verticale de leur production, depuis la matière première jusqu'au produit de grande distribution. Ils commencèrent par acheter au début du XXe siècle des terres au Congo belge pour y établir des palmeraies et aboutirent en 1928 à la constitution de la firme multinationale Unilever en unissant capitaux britanniques et néerlandais.

L'accroissement des échanges

Si la traite négrière atlantique fut interdite officiellement en 1815, elle se poursuivit activement de façon clandestine jusqu'en 1848 au moins (date de l'abolition de l'esclavage, et donc du marché des esclaves dans les colonies françaises), et au-delà sous la forme de travailleurs prétendument « sous contrat » - Régis fut impliqué dans un scandale international à ce sujet. Le déclin du trafic ne mit pas fin, au contraire, au commerce avec l'Afrique car l'importation de nombreuses matières premières indispensables aux industries métropolitaines intensifia les échanges, qui décuplèrent dans la première moitié du XIXe siècle. Ils se maintinrent ensuite à un niveau très élevé jusqu'à ce que des accords internationaux y missent fin ou que les matières premières naturelles fussent progressivement supplantées au XXe siècle par les industries chimiques et les dérivés du pétrole. Ainsi, les productions manufacturières métropolitaines conçues grâce aux matières premières venues des colonies, ou à destination du marché colonial, ne firent que s'amplifier. À l'origine, le commerce d'import-export utilisait largement, pour acheter ses matières premières coloniales, les cotonnades indiennes importées de Grande-Bretagne (à noter aussi l'importance ancienne mais toujours croissante du coton pour les mèches des chandelles et bougies). Au fur et à mesure de la modernisation industrielle, tout le monde se mit au diapason de ce système commercial.

En outre, la fin des guerres napoléoniennes, puis les progrès incessants de l'armement européen, firent que les stocks d'armes de rebut s'amoncelèrent sur le vieux continent tout au long du XIXe siècle. Une industrie spécialisée vit le jour grâce à cela, notamment dans les bassins sidérurgiques de Belgique et de France, transformant ces armes en « fusils de traite » largement exportés vers l'Afrique : la demande s'y faisait de plus en plus forte, cet armement contribuant là-bas à modifier les compétitions internes de pouvoir ; ce n'est qu'en 1911 que les puissances européennes se mirent définitivement d'accord pour interdire d'exporter des armes dans un continent que l'on entreprenait dans le même temps de conquérir et de « pacifier[1] ».

Les industries textiles métropolitaines furent aussi les grandes bénéficiaires du marché africain, indochinois ou malgache. Les firmes avaient déjà, du temps de la traite négrière, l'habitude d'écouler sur le marché précolonial les textiles de rebut dont la clientèle métropolitaine ne voulait pas. Mais les

1. Voir Catherine Coquery-Vidrovitch, *L'Afrique et les Africains au XIXe siècle*, Paris, Armand Colin, 1999.

développements industriels de la teinturerie donnèrent une impulsion formidable à la quête des colorants naturels tropicaux : furent de plus en plus demandés les « bois de teinture » rouge ou jaune très appréciés de la forêt équatoriale africaine et les plantes tinctoriales, indigo pour le bleu ou noix de kola pour l'ocre. L'industrie chimique ne les supplanta qu'au XXe siècle. Le dernier produit qui fit la fortune des négociants spécialisés, dont dépendait alors la totalité de l'industrie automobile, fut le caoutchouc naturel, issu de lianes à latex avant de provenir des plantations d'hévéas qui ne furent lancées qu'à partir des années 1911 - là encore par les Britanniques en Malaisie. Côté français, toutes les colonies furent mises à contribution pour produire du latex, et en particulier l'Afrique équatoriale où, jusqu'en 1935, la Compagnie forestière du haut Oubangui en détenait le monopole de commercialisation - celle-là même qui avait provoqué en 1928 l'indignation d'André Gide témoignant dans son *Voyage au Congo* des abus sanguinaires de l'exploitation et qui fut évoquée par Louis-Ferdinand Céline dans son *Voyage au bout de la nuit* sous le nom de Compagnie pordurière.

Un commerce rentable et portuaire

On ferait donc erreur en pensant que seules quelques firmes spécialisées entretenaient avec les colonies des liens privilégiés. Certes, notamment en Afrique, le commerce colonial d'import-export fut quasi monopolisé, dès la fin du XIXe siècle, par deux consortiums regroupant d'anciennes compagnies locales : la Compagnie française d'Afrique occidentale (CFAO) et la Société commerciale de l'Ouest africain (SCOA), auxquelles on peut adjoindre le Niger français, branche française des intérêts britanniques sur le fleuve. Ces sociétés n'ont disparu, sous cette forme du moins, que dans la seconde moitié du XXe siècle. Elles ont été accompagnées, jusqu'à la veille de la Seconde Guerre mondiale, d'une myriade de firmes plus petites ou plus localisées, comme par exemple les maisons Vézia, Daumas, etc., fondées vers la fin du XIXe siècle au Sénégal, au Gabon, au Dahomey ou ailleurs, dont les sièges sociaux se trouvaient de façon privilégiée à Bordeaux ou à Marseille. Ces sociétés étaient souvent doublées d'une activité d'armateurs qui se faisaient fort de transporter non seulement le fret, mais aussi la population de coloniaux, fonctionnaires, missionnaires et hommes d'affaires qui rejoignaient périodiquement leur poste et avaient généralement droit tous les deux ou trois ans à un congé en métropole, souvent avec leur famille. Les voyages réguliers assurés par les Chargeurs réunis ou la compagnie Paquet étaient réputés et faisaient rêver les audacieux en mal

« Exposition coloniale, agricole et industrielle, Strasbourg », affiche de P. Commarand, 1924.

d'aventure... Les sociétés de géographie n'étaient pas en reste, qui se chargeaient d'attirer et d'aider les jeunes talents, de même que la Société maritime et coloniale, qui attribua jusqu'aux années 1950 un prix de géographie dans les classes de baccalauréat de nombreux lycées de France.

Ces ports ont donc vécu au rythme du commerce colonial, comme l'ont fait avant et avec eux d'autres villes comme Nantes ou La Rochelle qui se sont enrichies dans le commerce négrier. Le souvenir, pourtant encore récent, du commerce colonial est aujourd'hui évacué au nom de celui de la traite négrière sur laquelle certaines de ces villes, et en particulier Nantes, ont eu à cœur de faire un travail de mémoire. Mais il suffit de passer sur les anciens quais ou dans certaines rues de Bordeaux pour y reconnaître la marque, autant que de la traite des Noirs, des vastes entrepôts et des demeures opulentes du XIXe siècle colonial. Autre lieu de mémoire coloniale évident : le grand escalier (104 marches) qui, construit de 1921 à 1927, relie au centre de Marseille la gare Saint-Charles, elle-même inaugurée en 1848, tout entier consacré à l'Asie. Il est encadré de deux fameuses statues incarnant les grands continents colonisés, leurs noms toujours gravés dans la pierre : Colonies d'Afrique, Colonies d'Asie[2].

Une économie tournée vers le colonial

Le mythe colonial, né bien avant l'impérialisme du même nom qui émergea dans les années 1880-1890, était donc enraciné et bien présent dans le domaine économique et dans la société française. C'est au nom de la prospérité coloniale en devenir que l'ouvrage de Paul Leroy-Beaulieu intitulé *De la colonisation chez les peuples modernes* devint le « bréviaire » des expansionnistes coloniaux. Le livre n'avait guère eu d'écho lors de sa première publication en 1874. Cependant, à compter de sa deuxième édition enrichie en deux volumes parue en 1881, il fut remanié et republié de nombreuses fois et connut alors, jusqu'aux années 1920, un succès qui ne se démentit pas en dépit des résultats parfois incertains des entreprises coloniales.

Certes, il a été naguère avancé, sur le cas de l'Afrique noire, que ni les parlementaires français ni les milieux d'affaires, à l'exception de quelques explorateurs illuminés comme Savorgnan de Brazza, ne croyaient à la fin

2. La réalisation du projet - qui datait de 1911 - fut repoussée en raison de la guerre.

du XIXe siècle en l'avenir de l'empire[3]. Mais l'historien économiste Jacques Marseille a démontré depuis lors qu'effectivement, dès cette époque, l'économie française vivait au rythme de son empire[4]. Dans les années qui nous intéressent, entre 1870 et 1930, le domaine africain et malgache de même que les pays du Maghreb ne parurent guère remplir leur office de pays de cocagne. Il n'en fut pas de même de la péninsule indochinoise, qui se révéla une très bonne affaire malgré les réticences de l'opinion au démarrage : on sait que le ministère Jules Ferry tomba en 1885 précisément à cause de l'expédition du Tonkin. Or la lignite, le caoutchouc et le riz d'Indochine jouèrent pleinement leur office, et les revenus de la colonie permirent même à l'État français de faire assumer les dépenses de la conquête par le budget du territoire, principalement alimenté par les revenus douaniers approvisionnés par son commerce avec la métropole[5]. C'est entre les deux guerres que le Maghreb allait à son tour remplir les caisses de l'État, et surtout des colons et des industriels intéressés, grâce aux vins et au blé d'Algérie, et surtout aux phosphates du Maroc. C'est seulement à partir des années 1950, avec la perte de l'Indochine puis la guerre d'Algérie, que l'Afrique noire à son tour allait soutenir l'économie française.

Mais, comme l'a montré Jacques Marseille, ce soutien fut de bout en bout un leurre. Car, comme on l'a suggéré plus haut, l'économie coloniale, toujours prônée par les gouvernements successifs, eut pour effet majeur de protéger l'économie française de façon malthusienne. L'Empire français, à la différence de l'Empire britannique fondé sur le libre-échange, était davantage considéré comme une réserve exploitable à terme, quand la France en aurait besoin, ce qui devint effectivement le cas au moment de la Première Guerre mondiale. À ce moment, et surtout à l'occasion de la conférence coloniale organisée en 1917 dans le cadre de l'effort de guerre, le gouvernement exigea des colonies une production accrue à la fois en biens et en hommes. Aussi quasiment toutes les productions coloniales (coton, lignite, oléagineux, caoutchouc, etc.) furent-elles qualifiées de « stratégiques », et près de 200 000 hommes furent recrutés en Afrique occidentale et équato-

3. Henri Brunschwig, *Mythes et réalités de l'impérialisme colonial français, 1871-1914*, Paris, Armand Colin, 1961.

4. Jacques Marseille, *Empire colonial et Capitalisme français : histoire d'un divorce*, Paris, Albin Michel, 1984.

5. Pierre Brocheux et Daniel Hemery, *Indochine, la colonisation ambiguë, 1858-1954*, Paris, La Découverte, 1995, rééd. rév. 2001.

riale pour les champs de bataille et presque 300 000 en Afrique du Nord, dont un certain nombre finirent dans les tranchées de la Grande Guerre[6].

Celle-ci fut un tournant qui donna le signal des débuts d'une immigration du travail en France entre les deux guerres. En attendant, l'absence de compétitivité internationale reposait sur l'idée héritée de l'Ancien Régime d'un « exclusif colonial », privilège métropolitain protégé par des tarifs douaniers élevés vis-à-vis de la concurrence étrangère. La loi de « préférence impériale » renforcée en 1928 dispensa le secteur privé de faire là-bas les efforts préalables d'investissements dans les infrastructures nécessaires.

En conséquence, les secteurs les plus favorables à l'expansion coloniale furent ceux de la sidérurgie et de l'industrie textile, c'est-à-dire les deux secteurs les plus fragiles et les plus rétrogrades de l'économie française. La sidérurgie jouissait ainsi d'un marché protégé. Elle fut favorisée par un marché colonial toujours prêt à absorber voies ferrées, infrastructures portuaires et routières, pour la plupart générées par le ministère des Colonies dans le cadre de grands travaux dits d'« intérêt général » soutenus par des emprunts garantis par l'État ; c'est ainsi que le pont Faidherbe reliant à la côte l'île de Saint-Louis du Sénégal fut construit avec les « restes » de la tour Eiffel. Ce fut pire encore pour l'industrie textile et surtout cotonnière française car un marché colonial captif assurait, à l'abri de la compétitivité internationale, de gros bénéfices sans inciter à l'innovation, malgré la surproduction mondiale chronique en coton. Les firmes commerciales françaises ne s'y trompèrent pas, qui entreprirent précocement de démarcher le marché colonial en faisant passer les placards publicitaires les plus variés dans les *Journaux officiels* des colonies : fusils et cartouches, horlogerie, Fly-Tox (1933-1934), lait stérilisé, et même la 6 CV Renault, qui, « conduite par le lieutenant Estienne, est allée de Paris au Tchad en trente-six jours, [parcourant] 18 000 kilomètres dans le désert et la brousse, soit une moyenne de 500 kilomètres par jour ». Même genre de publicité en 1933 pour la « familiale sept places Citroën 10 » proposée à Conakry (Guinée) par la SCOA.

Ainsi, en définitive, ce marché colonial, finalement porté aux nues lors de l'Exposition coloniale internationale de 1931 à Vincennes, aurait fait sur le plan macro-économique plus de mal que de bien à l'économie métropolitaine dans son ensemble.

---

6. Marc Michel, *L'Appel à l'Afrique : contributions et réactions à l'effort de guerre en A-OF, 1914-1919*, Paris, Publications de la Sorbonne, 1982, et l'article d'Éric Deroo dans cet ouvrage, Mourir : l'appel à l'empire, partie II, « Fixation d'une appartenance ».

« Feutres Tirard », publicité, dessin de G. Cazenove, 1931.

Publicité et produits d'empire au quotidien

Que l'économie française ait vécu en symbiose avec l'empire, nul doute là-dessus. Mais qu'en pensaient les citoyens ? Eurent-ils conscience de l'importance du marché colonial pour leur vie quotidienne ? Car une bonne partie de leur savon, donc de leur hygiène, ou des moments doux de leur alimentation (du sucre au rhum, du café au chocolat) en dépendait étroitement. La margarine, pour donner un autre exemple, fut découverte en 1869 à la demande de l'empereur Napoléon III ; celui-ci désirait disposer pour sa marine d'un corps gras naturel, bon marché et de bonne conservation. D'abord fabriquée avec du lait de vache, elle passa rapidement aux oléagineux tropicaux. Même les pâtes étaient redevables des colonies : le jeune Carret, qui créa sa première fabrique en 1855, alla sélectionner en Afrique du Nord (et en Russie) les blés durs de qualité nécessaires à leur fabrication ; il créa en 1860 la marque pour laquelle il s'associa à son cousin Rivoire[7]. Quant aux industries du luxe, elles firent à la Belle Époque largement usage de produits mis à la mode par les colonies : plumes d'autruche pour orner les chapeaux des dames, ivoire pour les bijoux, les jeux d'échecs et les objets d'art, peaux de crocodile pour le travail du cuir, etc.

Pendant longtemps, néanmoins, il fut de bon ton de considérer les gens de couleur (qu'ils fussent jaunes ou noirs) comme des inférieurs congénitaux ; c'était le credo scientifique instauré par les efforts conjoints des naturalistes, des médecins et des anthropologues physiciens depuis la seconde moitié du XIXe siècle[8]. « Vendre colonial » n'était donc pas noble, raison probable pour laquelle le public ne fut guère informé. C'est tout à fait frappant sur les boîtes en tôle peinte communément utilisées pour le café ou le chocolat : l'allusion tropicale ou coloniale y apparaît de façon quasi exceptionnelle jusqu'à une date relativement tardive. Seule l'Asie a droit de cité : le « thé de Chine » présente une image glorifiant ses origines dès 1894, reprise en carte postale en 1924. On trouve aussi un « chocolat Zanzibar » en 1912, dont la boîte présente un couple blanc élégant protégé d'une ombrelle. Mais la plupart des firmes (Suchard, Poulain, Félix Potin), évitent toute allusion aux tropiques ; le cacao Van Houten (c'est Van Houten qui, en 1828, a découvert le procédé d'extraction du beurre de cacao) exhibe tout au plus en 1894 une publicité présentant une ronde endiablée à l'espa-

7. Freddy Ghozland, *Un siècle de réclames alimentaires*, Paris, Milan, 1999.
8. Voir à ce sujet Catherine Coquery-Vidrovitch, « Le postulat de la supériorité blanche et de l'infériorité noire », in Marc Ferro (dir.), *Le Livre noir du colonialisme*, Paris, Robert Laffont, 2002.

gnole, avec danseuses andalouses et joueur de guitare…, mais le cacao Droste est présenté par une bonne sœur à cornette bien blanche, et une boîte de la maison d'Amsterdam Benschorp de 1934 proclame même son cacao « pur hollandais ». Quant au chocolat au lait, il fleurit au milieu des vaches (Dauphinet, Cémoi) ou sur fond de montagnes enneigées (« Galapeter, le premier chocolat au lait du monde »).

Le revirement a lieu à la fin des années 1920. C'est alors, en pleine euphorie impériale, que le colonial se vend bien. Le thé de la Compagnie coloniale s'affiche dès 1924 de même que le thé de l'Éléphant. Les boîtes Van Houten et Suchard continuent d'arborer des serveuses blanches, mais Nescao (Nestlé) ose en 1928 représenter sur sa boîte une silhouette élégante entièrement noire sur fond blanc, offrant deux tasses fumantes sur un plateau, mais rien ne dit encore qu'il s'agit d'une femme noire ; cela sera chose faite en 1940, où la jeune femme se mue en soubrette noire à tablier blanc. On trouve aussi un négrillon offrant des barres du chocolat Émile Meunier et une affiche sur « le roi des cafés, le malgache [qui] se déguste ici[9] ».

On remarque la popularité précoce du produit Banania, créé en 1912 par un pharmacien de Courbevoie, qui va s'identifier au tirailleur sénégalais de la Première Guerre mondiale quelques années plus tard. La légende veut qu'en 1917 un tirailleur blessé au front ait été évacué vers l'arrière et que, pour subsister, il ait travaillé chez le pharmacien, qui aurait ainsi eu l'idée d'utiliser à la fois son allure et son langage, avec la formule devenue populaire : « Y'a bon Banania. » À ce propos, il faut savoir que la langue « petit nègre » raillée et popularisée entre les deux guerres (comme dans *Tintin au Congo* d'Hergé), fut inventée et enseignée, sous le nom de « français tirailleur », au temps de la Première Guerre mondiale par l'armée, qui en confectionna des fascicules pour faciliter la communication avec les soldats venus de toute l'Afrique occidentale - et non pas du seul Sénégal. On retrouve le visage hilare du tirailleur à la chéchia rouge jusqu'à nos jours. Le style a évolué, stylisé dans les années 1950-1980, quand il devint « politiquement incorrect » de se moquer du « bon nègre ». Le personnage en devint alors à peine reconnaissable. Mais, nostalgie coloniale aidant, il est revenu ces temps-ci en affiche sur les murs du métro de Paris, même si le slogan qui l'accompagnait autrefois a disparu. L'image du Noir se popularisa aussi dans un commerce moins noble, notamment pour des marques de cirage : un grand Noir enturbanné vantait vers 1935 le « cirage Nubian, produit sans brosser ». Le savon de Marseille « extra pur » exhibe son chat tigré européen,

9. D'après les images collationnées par F. Ghozland, *Un siècle de réclames alimentaires, op. cit.*

tandis que le savon noir « La Hève extra dit chocolat, garanti 65 % huile » (on ne dit pas laquelle) affiche en 1930 un clown blanc, décrassant à la brosse un Monsieur Loyal tout noir.

La consommation coloniale française

La société française consommait donc colonial dans tous les domaines, que celui-ci relève de la banque ou de la vie quotidienne. Des centaines de firmes coloniales devinrent cotées en Bourse (elle ont été répertoriées de 1890 à 1960 par Jacques Marseille). Beaucoup d'autres se constituèrent aussi en sociétés par actions. Ce fut par exemple le cas des 40 compagnies concessionnaires concédées par l'État pour trente ans, en 1898-1899, en Afrique équatoriale [10]. Ces entreprises enjoignirent souvent à l'ensemble de leur personnel, quel que soit leur niveau, d'être les premiers à souscrire (on retrouve dans les archives les fac-similés de ces titres). Surtout après l'effondrement des emprunts russes en 1917, les petits porteurs se replièrent volontiers sur ces affaires réputées sûres puisque garanties françaises.

De l'importance des affaires coloniales, les efforts fournis par l'administration ou les gouvernants contribuèrent à convaincre le public. Les expositions coloniales se succédèrent durant toute la période, jusqu'à l'apogée de l'Exposition coloniale internationale de 1931. Ce furent chaque fois de grandes foires coloniales. Le règlement général de l'Exposition de 1931 est explicite à cet égard. Elle concerne au premier chef les « produits agricoles, industriels et artistiques provenant de l'Algérie, des colonies françaises, des pays de protectorat et des pays sous mandat français »... Nombre des objets alors exposés furent réutilisés des expositions précédentes, en particulier de celle de Marseille (1922), « évitant ainsi [car les intérêts d'un commerce au plus juste n'étaient pas oubliés] aux budgets locaux des frais considérables d'achat, de fabrication et d'expédition [11] ». Le ton avait été donné dès 1928 par le gouverneur Cayla au XXVe Congrès de la Fédération des industriels et commerçants français : « Avec leurs jeunes hommes, nos colonies nous ont envoyé en abondance les produits de leur sol ; pour l'alimentation des troupes et de la population : des céréales, des vins, du riz, des viandes fri-

---

10. Catherine Coquery-Vidrovitch, *Le Congo au temps des grandes compagnies concessionnaires, 1898-1930*, Paris/La Haye, 1972, rééd. EHESS, 2001.

11. À ce sujet, voir gouverneur général Olivier (dir.), *Rapport général. Exposition coloniale internationale de Paris, 1931*, notamment t. V, 2e partie, « Les sections coloniales françaises », Paris, Imprimerie nationale, 1935, p. 745.

gorifiées ou conservées, des produits oléagineux, du rhum, du sucre et du cacao ; pour le ravitaillement de nos usines : les matières grasses de l'Afrique ; les produits de la côte des Somalis et le graphite que Madagascar nous a fourni [...] pour la fabrication des creusets dans lesquels nous avons fondu nos canons. Il a fallu la guerre pour révéler à la plupart des Français que le sol malgache leur offrait à ciel ouvert un minerai qu'on était contraint, dans d'autres pays, d'aller chercher à grande profondeur. » Et Lyautey, commissaire général de l'exposition à venir, de conclure dans la même séance : « Je ne saurais trop affirmer quelle place efficace a tenue depuis vingt-cinq ans dans ma carrière la collaboration avec les industriels et les commerçants [...]. S'il est un milieu où Gallieni d'abord, moi-même ensuite [...] avons pu trouver une intelligence immédiate de tous les problèmes, des initiatives, du rayonnement, de l'activité rapide sous toutes ses formes, c'est bien chez vous, industriels et commerçants : c'est dans votre milieu, beaucoup plus, par exemple, que dans les milieux administratifs et militaires[12]. »

Cette belle harmonie entre milieux d'affaires et expansionnistes coloniaux n'allait pas résister à la Seconde Guerre mondiale. Elle œuvra néanmoins suffisamment auparavant pour construire dans la mémoire française une culture coloniale aussi tenace que mythifiée où la place du mythe économique était dominant.

12. Exposition coloniale internationale de 1931, Comité régional de documentation et d'information de l'Est, chambre de commerce de Nancy.

« Exposition coloniale, Paris, 1931. Le tour du monde en un jour », affiche de Desmeures, 1931.

Partie III
APOGÉE D'UN DESSEIN (1925-1931)

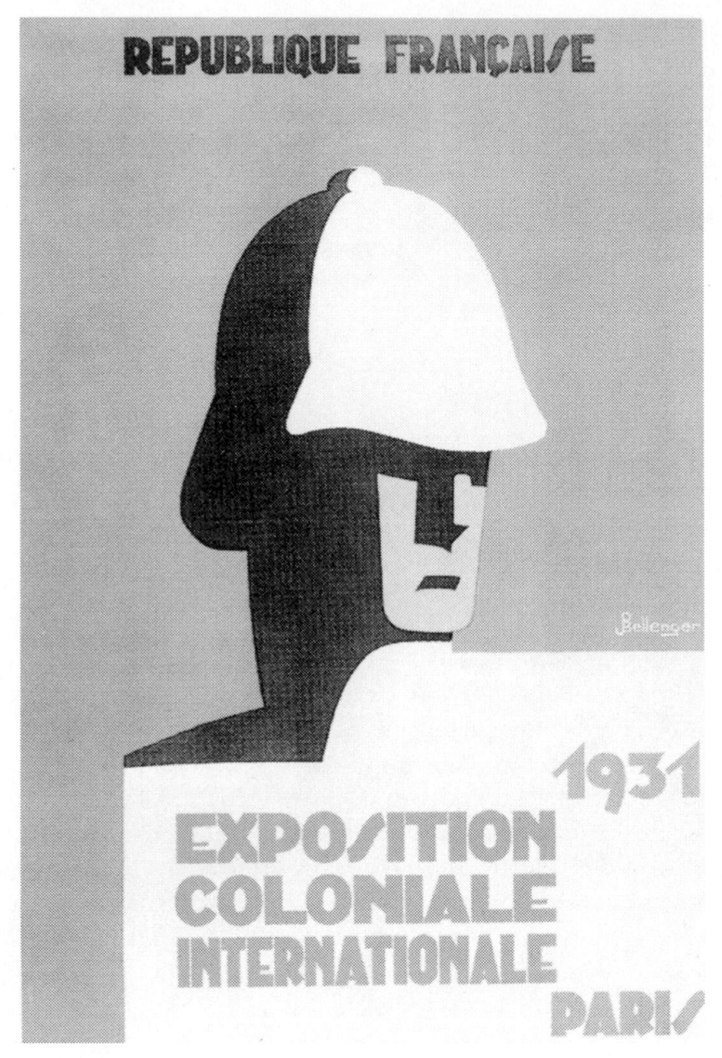

« Exposition coloniale internationale, Paris, 1931 »,
affiche de Bellenger, 1931.

LE BAIN COLONIAL : AUX SOURCES DE LA CULTURE COLONIALE POPULAIRE

Par Nicolas BANCEL

La culture coloniale populaire ne débute pas avec l'entre-deux-guerres [1], mais cette période va en établir les contours quasi définitifs et la verra largement s'insinuer dans l'opinion. On ne peut ici détailler tous les *supports* de la diffusion des représentations coloniales [2] - journaux illustrés, cartes postales, illustrations d'ouvrages, spectacles, cinéma... [3] -, mais on peut affirmer qu'à travers tous ces supports se diffusent des schèmes de représentations comparables et qu'en permanence les différentes *formes* de cette culture populaire, puisant aux mêmes sources, se recoupent, se nourrissent d'interactions qui lui confèrent une cohérence [4]. On prendra donc arbitrairement, dans le cadre de cette contribution, trois domaines où s'incarne la diffusion populaire de l'idéologie et des représentations coloniales : les objets du quotidien, le cinéma et les spectacles de music-hall.

---

1. Voir la première partie de cet ouvrage.
2. On consultera, dans le présent ouvrage, la contribution de Pascal Blanchard, « L'union nationale : la "rencontre" des droites et des gauches à travers la presse et autour de l'exposition de Vincenne »s.
3. Voir Nicolas Bancel, Pascal Blanchard et Laurent Gervereau, *Images et Colonies*, Paris, ACHAC/BDIC, 1993.
4. On regrettera le faible investissement de la recherche historique dans ce domaine, tributaire encore aujourd'hui de la séparation entre *histoire coloniale* et *histoire nationale*, rendant difficile l'approche des effets de la colonisation en métropole. On consultera sur cette question Nicolas Bancel, Pascal Blanchard, « Les pièges de la mémoire coloniale », in *Les Cahiers français*, La Documentation française, n° 303, 2001, p. 75-83.

Jeu de l'oie et idéologie

Les objets du quotidien restent les enfants pauvres des analyses historiques. Seuls des sémiologues ou des sociologues se sont réellement penchés sur les significations sociales et culturelles de ces productions. Ainsi, de récents travaux ont montré, après les analyses de Roland Barthes, le rôle de la « vie sociale des objets » dans la formation de l'imaginaire occidental. La multiplication des objets manufacturés à l'ère de la société industrielle puis de la société de consommation, leur circulation, font de ces objets un instrument privilégié de diffusion de messages iconographiques. Ils touchent quotidiennement, le plus souvent dans un cadre familial, l'ensemble de la population. L'exemple des jeux et des jouets est à cet égard significatif. Objets apparemment anodins, destinés aux plus jeunes, ils ne sollicitent guère l'attention des chercheurs. Pourtant, des centaines de jeux et jouets coloniaux sont diffusés dans l'entre-deux-guerres. Sur le mode ludique de la découverte et de la conquête des espaces coloniaux, ils diffusent des messages politiquement très clairs sur l'empire et ses populations.

Un jeu de l'oie propose ainsi un parcours dans les colonies où sont mises en scène toutes les catégories de l'idéologie coloniale : « mission civilisatrice » de l'homme blanc envers des populations reconnaissantes, nécessaire alliance de la République et de l'Église dans l'« œuvre sanitaire », exemplification du conquérant courageux, lutte victorieuse contre un milieu souvent hostile, fixation des espaces coloniaux comme parties intégrantes de la nation. L'appréhension de l'espace montre le cheminement qui s'est opéré depuis la conquête : espaces encore sauvages - où l'aventure est possible -, mais qu'on montre ici progressivement civilisés, quadrillés par les militaires, les missionnaires et les fonctionnaires de la Plus Grande France, les colonies sont soumises à l'hégémonie de la métropole qui, par un volontarisme moderniste, les fait entrer dans l'histoire.

Les jeux servent en outre à appréhender les populations coloniales, avec, par exemple, les centaines de vignettes à collectionner proposées par de grandes marques (Banania, chocolats Kolher, Suchard, Meunier...) qui établissent une taxinomie des populations coloniales, du Kanak au Kabyle. Cette passion de l'Ailleurs, d'un exotisme toujours renouvelé, permet de conquérir les plus jeunes aux idéaux différencialistes, de contribuer à la « racialisation des esprits » grâce à l'amour de la collection. Chaque population est en effet décrite selon ses caractéristiques somatiques et cognitives, illustrant naïvement la hiérarchie des « races ». Mais on doit noter l'ambivalence du discours car, si la supériorité raciale européenne est assumée, coexiste avec cet axiome le mythe d'une métropole émancipatrice, amenant progressivement (dans un futur très hypothétique) ces peuples vers les bienfaits de la civilisation des Lumières et vers l'égalité. Ces deux schèmes se répondent en permanence, de manière quasi dialectique, illustrant le double discours de la culture européenne sur l'Autre et l'Ailleurs. Difficile de mesurer objectivement la portée culturelle de ces centaines de jeux et jouets mais, étant donné leur masse, leur circulation, leur pouvoir de séduction ludique, leur transmission de génération en génération, il est clair qu'ils établissent un maillage souterrain des consciences, d'autant plus efficacement que le discours prend l'apparence de l'innocence et de la neutralité.

Les cartes postales « Scènes et Types »

Objets de correspondance, objets intimes aussi, souvent précieusement conservées dans des albums, les cartes postales expédiées par les coloniaux à leur famille en métropole sont, sans conteste, un important vecteur de la diffusion des représentations et de l'idéologie coloniales. Quel que soit le territoire concerné, on retrouve les thèmes récurrents de l'iconographie coloniale, dans des proportions variables : milieu géographique, paysages urbains ou ruraux, équipements et grands travaux, transports terrestres, maritimes et fluviaux, « types humains », scènes de la vie quotidienne, manifestations culturelles, fêtes civiles ou religieuses. Ici encore se trouvent mises en scène les principales catégories de l'idéologie et de l'imaginaire coloniaux.

Les cartes postales « Scènes et Types », diffusées depuis les années 1890, réitèrent la taxinomie raciale des populations coloniales. Objets parfois de collection, les cartes postales sont avant tout des moyens de correspondance, souvent entre un être cher parti aux colonies et un parent ou un ami resté en métropole. Les cartes postales bénéficient donc d'abord d'un fort investissement affectif ; leur message passe de toute évidence au second plan. Et, là encore, c'est précisément parce que les cartes postales ne sont pas *a priori* des vecteurs de l'idéologie et de l'imaginaire coloniaux qu'elles permettent une forte perméabilité des consciences des acteurs aux messages qu'elles véhiculent. Représentations des hommes, elles sont aussi une appréhension des espaces coloniaux. Entre les deux guerres, l'« œuvre civilisatrice » de la France sous des modes et des formes illustratifs divers va être un des thèmes récurrents de ces images. Par l'image, la construction de routes, de dispensaires, d'écoles, la modernisation de l'agriculture, s'énonce enfin la vision d'un espace désormais quadrillé, contrôlé, normé sous l'influence de la puissance tutélaire, un espace qui, progressivement, dans les années 1920, s'occidentalise. Projection de la métropole sur les colonies, démonstration de puissance et intégration du sentiment de la puissance constituent la matière de ces représentations. En tant que telles, elles renforcent indiscutablement un européocentrisme structuré sur les deux piliers de la conscience de la supériorité de la civilisation occidentale et de sa supériorité raciale.

L'écran colonial

Le cinéma devient, dès les années 1925-1930, un puissant moyen de diffusion de l'idéologie et de l'imaginaire coloniaux. Quelques films de fiction - notamment ceux réalisés par Camille de Morlhon en 1911-1912 - témoignent cependant de la précocité du phénomène. En 1921, la sortie du film de Jacques Feyder *L'Atlantide* inaugure une production très riche sur le thème colonial. À partir de cette date, les films coloniaux vont se succéder[5]. Les populations coloniales sont alors intégrées à des intrigues dont les véritables vedettes sont avant tout des Européens, dans le cadre d'une société coloniale jamais remise en cause dans la légitimité de sa domination, bien au contraire. Comme dans les autres productions culturelles, les figures de l'Autre dans la production cinématographique se déclinent en fonction de l'origine des protagonistes (Africains, Maghrébins, Indochinois), qui détermine des caractéristiques particulières à chaque personnage. Chaque figure est elle-même subdivisée en plusieurs types. Le Maghrébin est soit un rebelle imprévisible, soit un serviteur reconnaissant, ou encore un indigène aveuglé par sa religion et sa culture « médiévale ». L'Africain est généralement un domestique (référence soit à son statut social, soit à son passé d'ancien esclave), un soldat ou un sauvage (*Samba*, 1929). Le cinéma réitère donc les types raciaux à sa manière, en les intégrant dans une narration. Le miroir cinématographique se matérialise ainsi par la vision rêvée d'un espace colonial à l'image de la propagande officielle : « mission civilisatrice », lutte de la modernité contre l'archaïsme, paternalisme et bons sentiments envers les indigènes dociles qui ont compris la grandeur de la civilisation européenne. La projection des stéréotypes occidentaux sur les sociétés colonisées et leurs

5. Voir dans le présent ouvrage l'article d'Olivier Barlet et de Pascal Blanchard sur le cinéma colonial.

populations permet, au-delà de l'exotisme, de révéler l'idée que se fait d'elle-même la société française de son œuvre coloniale et de situer la place de l'indigène dans celle-ci. Comme pour les autres productions culturelles populaires (et le cinéma devient un média de masse dès le milieu des années 1920), on doit ici encore souligner le caractère apparemment anodin - on se rend avant tout au cinéma pour se distraire - du mode de diffusion de l'idéologie et de l'imaginaire coloniaux. Inféodés par rapport au nœud de l'intrigue, les schèmes coloniaux se déploient souterrainement dans les consciences, s'ancrent en silence dans les mentalités.

Tous en scène

Il en est de même dans les spectacles de théâtre ou de cabaret[6]. Dans la lignée des spectacles de cabaret proposant, au tournant du siècle, exhibitions d'« exotiques » et scènes jouées de l'épopée coloniale (la capture de Samory continue de fasciner les foules), les cabarets parisiens proposent dans l'entre-deux-guerres des tableaux vivants où s'exposent lutteurs noirs, danseuses arabes, ballerines cambodgiennes, etc. On retrouve bien entendu dans ces spectacles la taxinomie des populations coloniales décelée dans les autres supports évoqués. Mais, dans le cas du cabaret, les corps exotiques sont au premier plan. Mélange de fascination pour le « primitif », de voyage dans d'improbables ailleurs, de passion pour l'exotisme, le spectacle de cabaret érotise les corps indigènes. Dans une métropole corsetée par une morale puritaine, seuls les corps colonisés peuvent s'exhiber presque totalement nus - sous couvert de vérité ethnographique -, et la libido occidentale de trouver un exutoire légitime à ses pulsions. Ainsi, les fantasmes de la puissance sexuelle des Africains (hommes ou femmes : on se souvient de Joséphine Baker sortant de son show à quatre pattes, évoquant le rapprochement avec l'animal mais aussi une posture sexuelle...) ou de la sensualité de l'Arabe contrebalancent la rigidité des codes familiaux et sexuels qui se sont imposés au cours du XIXe siècle en métropole.

Ces quelques exemples de productions culturelles populaires - que l'on pourrait évidemment multiplier - démontrent que, dans la « culture de masse » qui se façonne dès la fin du XIXe siècle, les schèmes coloniaux tien-

6. On pourra consulter Sylvie Chalaye, « Théâtres et cabarets : le "nègre" spectacle », in Nicolas Bancel, Pascal Blanchard, Gilles Boëtsch, Éric Deroo et Sandrine Lemaire, *Zoos humains, de la Vénus hottentote aux* reality shows, Paris, La Découverte, 2002.

nent une place manifestement importante, et jusqu'alors assez négligée. On le voit, pour la plupart d'entre eux, les messages véhiculés le sont de manière le plus souvent implicite non politique. S'élabore ainsi un métadiscours, ou plutôt un discours métapolitique sur les colonies et les indigènes. Traversant notre culture de part en part, transcendant les clivages de classe, maillant tout le corps social, il établit une trame de fond de la perception des colonisés. C'est probablement sur ces formes apparemment anodines de la culture que se perpétuent le plus efficacement idéologie et imaginaire coloniaux.

On ne saurait pourtant négliger les effets de la propagande coloniale. Impliqué dès avant la Première Guerre mondiale, l'État va en effet réellement et directement prendre en charge la propagande coloniale au début des années 1920. Le contexte politique s'est profondément transformé et favorise l'épanouissement d'un apogée colonial : l'« œuvre coloniale » de la France est à présent admise et respectée par la quasi-totalité de l'échiquier politique. La IIIe République, quels que soient les gouvernements, va instrumentaliser l'idée coloniale comme un vecteur d'unité nationale. Car c'est bien à la construction d'une utopie que travaille la propagande coloniale, première propagande, à notre connaissance, de l'État français moderne.

Une mise en mots et en images

Concernant les images, les deux mots d'ordre de l'Agence[7] peuvent se résumer à *contrôler* et *diffuser*. Contrôler tout d'abord la production des photographies (mais aussi des films) sur l'empire en doublant la censure du ministère de l'Intérieur par celle propre au ministère des Colonies. De fait, quasiment aucune photographie de nature à contredire le discours de la propagande officielle ne sera produite et diffusée durant l'entre-deux-guerres[8], de même qu'aucun film « subversif » ne sera réalisé durant cette période[9].

En l'occurrence, la censure et le contrôle ne peuvent tout expliquer. Il semble raisonnable de penser que le « consensus colonial » qui se déploie

7. Sur le rôle de l'Agence, on se reportera à la contribution de Sandrine Lemaire dans le présent ouvrage, Propager : l'Agence générale des colonies.

8. Exception notable de la très faible production photographique utilisée dans la presse nationaliste tel *Le Cri du nègre* et dans les quotidiens inscrits dans la sphère politique du PCF.

9. Sur ce point, on se reportera dans le présent ouvrage à l'article d'Olivier Barlet et de Pascal Blanchard, Rêver : l'impossible tentation du cinéma colonial.

Exposition coloniale internationale, Paris, 1931, couverture du guide de l'exposition, anonyme.

entre les deux guerres - consensus d'ordre politique mais aussi culturel, comme on l'a vu - permet de comprendre la quasi-absence d'une contestation organisée (si l'on excepte les critiques du Parti communiste, qui ne remettent cependant pas en cause l'« arriération » des territoires coloniaux, critiques qui par ailleurs cesseront en 1937) qui aurait pu déboucher sur une « contre-propagande » audible. De fait, la propagande officielle a le champ libre, miroir sans reflet. Deuxième explication : les photographies proposées par l'Agence sont gratuites ; seule la légende, rédigée par les fonctionnaires de l'Agence, doit être publiée en même temps que la photographie. Quoi de plus simple pour les responsables des périodiques que de puiser dans la manne généreusement dotée de cette « agence de presse » ? Ainsi, près de 60 à 75 % (selon les années) des photographies coloniales publiées dans la presse française durant l'entre-deux-guerres émanent de l'Agence et de ses relais périphériques. Le contrôle des images implique ici leur diffusion, non seulement dans des périodiques et documents de l'Agence, mais aussi dans l'ensemble de la presse hexagonale. Or les séries photographiques de l'Agence renvoient explicitement aux thèmes essentiels de la propagande coloniale : progrès économiques (« ponts », « routes », « bâtiments administratifs », « modernisation agricole », etc.), sociaux (« dispensaires », « hôpitaux », « écoles », « hygiène », etc.), mis en regard avec d'autres séries concernant les espaces et populations coloniales (« tribus », « villages », « paysages », etc.). Cette mise en regard répond à une démonstration récurrente, voire obsessionnelle : faire valoir les apports de la métropole en les confrontant aux archaïsmes des populations locales, selon le mode « avant/après ». Odes à la mansuétude et à la générosité de la nation tutélaire, ces photographies témoignent également de la fascination pour la technicisation des espaces. De même, de nombreuses séries mettent en scène colonisateurs et colonisés, manifestement unis dans une tâche prométhéenne, sous la direction exclusive du Blanc.

On peut aujourd'hui être surpris par le manichéisme de ces images, mais force est de reconnaître leur efficience dans les mentalités collectives. Et ce sans doute pour deux raisons. D'une part parce qu'elles produisent en métropole une réassurance permanente sur la puissance nationale et le rôle de « direction des peuples de couleur » choisi par la France. D'autre part parce qu'elles manifestent la réalisation concrète d'une utopie qui est également celle de la métropole. Inutile de s'étendre ici sur les effets socialement déstructurants des grands bouleversements de l'entre-deux-guerres - deuxième révolution industrielle, instabilité politique du prolétariat, crise économique massive des années 1933-1937, effets déstabilisants de la deuxième révolution technologique : les éléments d'inquiétude, particulièrement dans les années 1930, ne manquent pas. L'utopie coloniale, montrant des populations pacifiées, acceptant sans barguigner la hiérarchie socio-raciale imposée par le colonisateur, dans des espaces coloniaux où tout, sans cesse, semble s'améliorer, provoque le rêve éveillé que cette harmonie, introuvable en métropole, serve de modèle à cette dernière. Les colonies, c'est l'idéal désirable d'une société aboutie, équilibrée, pacifiée.

La mise en scène coloniale

La propagande coloniale se manifeste aussi dans l'organisation ou la coorganisation des expositions coloniales. La plus impressionnante est sans conteste l'Exposition coloniale internationale de 1931 - dont le commissaire général n'est autre que le maréchal Lyautey -, mais cet événement majeur ne doit pas faire oublier que dès le début des années 1920 des dizaines d'expositions sont organisées annuellement dans des villes de province. L'exposition de 1931 marque l'apogée de l'idée impériale en France[10] au niveau de sa large diffusion dans la société. Promue par une intense propagande - à l'échelle métropolitaine, mais aussi européenne - utilisant tous les moyens d'information, l'exposition est l'événement culturel et politique phare de la décennie et reste depuis la plus grande exposition organisée en France. Sur plusieurs dizaines d'hectares s'étalent les fastes de l'empire : temple d'Angkor reconstitué à l'échelle, mosquée de Djenné ou gigantesque « village noir » jouxtent les pavillons de toutes les colonies. Des dizaines de spectacles animés par des milliers de figurants « indigènes » proposent des reconstitutions grandioses, des danses de tous les peuples de l'empire, des jeux nocturnes de lumière et d'eau, etc.

Le message politique est limpide : la France, nation tutélaire, promeut le progrès social, économique et technique dans tous les territoires de l'empire, tout en respectant les traditions de ses protégés, traditions qui sont, dans l'enceinte de l'exposition, largement en voie de folklorisation. Tout l'arsenal des arguments de l'Agence - construction d'infrastructures, dispensaires, écoles, etc. - est abondamment utilisé dans chaque pavillon pour apporter la preuve de l'action positive de la métropole. Cependant, l'attractivité sociale de l'exposition ne se joue pas sur ce terrain mais sur

10. Pour plus de détails, voir Catherine Hodeir et Michel Pierre, *L'Exposition coloniale*, Bruxelles, Complexe, 1991, et dans le présent ouvrage l'article de Steve Ungar.

celui du rêve. Les millions de visiteurs sont certes convaincus de la puissance impériale de la nation, mais ils restent d'abord émerveillés par les fastes de l'exposition, la diversité des peuples placés sous la « protection » de la métropole, la variété des spectacles proposés. Sans entrer dans les détails, notons qu'elle est le premier parc d'attractions en France : on comprend que, là encore, l'idéologie coloniale prend le détour du jeu, du rêve, de la pure distraction. On ne devient généralement pas colonialiste convaincu par des arguments politiques [11], mais d'abord en fréquentant les expositions coloniales, en s'imprégnant d'un imaginaire qui circule *à l'état libre* au-dedans et au-dehors de l'exposition de 1931.

Une forme de mobilisation coloniale

Pour poursuivre l'analyse des formes non politiques par lesquelles se construit l'imaginaire colonial, on ne prendra ici qu'un exemple de mobilisation coloniale, celle des différentes déclinaisons du scoutisme. Le programme « Pédagogies de l'aventure, modèles éducatifs et idéologie de la conquête du monde » a mis en évidence les fondements coloniaux de la constitution de la pédagogie scoute [12]. Ici, c'est par la mise en mouvement du corps que s'établit souterrainement le rapport au colonial. Prenant exemple sur des pédagogies corporelles de peuples « indigènes », tels les Sarakolés, Baden-Powell construit un monde original, brouillant les frontières entre homme et animal, entre « sauvages » - qui restent bien évidemment à coloniser mais dont on admire les vertus physiques - et civilisés, entre rêve et réalité, plongeant les enfants dans des aventures inédites dans lesquelles se dessine un nouveau rapport à l'espace. Celui-ci est structuré sur la double idée de conquête et de défense de la frontière. Conquête ludique, sans conséquence apparente, mais qui contribue à une construction psychique originale par laquelle on cherche à former une jeune élite aux rudesses de la vie coloniale et à la défense des marches de l'empire. C'est par le jeu et l'apprentissage du « cran » qu'il sera possible de régénérer la métropole et de lui conserver son empire. L'extraordinaire innovation pédagogique du scoutisme s'inscrit pleinement dans le projet colonial. C'est

11. Comme le montre une enquête réalisée auprès de témoins, dans le cadre du programme « Pédagogies de l'aventure, modèles éducatifs et idéologie de la conquête du monde » a organisé par l'université Paris-XI sous la direction de Christian Pociello, Daniel Denis et Nicolas Bancel.
12. On lira Christian Pociello et Daniel Denis, *À l'école de l'aventure*, Voiron, PUS, 1999.

parfaitement explicite chez Baden-Powell en Angleterre, et ce le sera également pour les responsables français à l'origine de l'introduction de la pratique en France. Ici, c'est par la mise en mouvement du corps que se trame l'incorporation des valeurs coloniales. Autre métadiscours donc, et qu'on aurait tort de négliger, car il participe pleinement à la construction de cette culture coloniale qui constitue l'un des traits dominants de l'entre-deux-guerres.

On le voit, l'imaginaire colonial se constitue et traverse des formes culturelles très hétérogènes, sa très large diffusion étant permise par l'avènement de la culture de masse. Ses effets sont autoentretenus, d'une part parce que les principaux schèmes qui configurent cet imaginaire (hiérarchisation du monde et des peuples, glorification de la culture européenne et des Lumières) d'une forme culturelle à une autre (les expositions coloniales, les cartes postales, etc.) se répondent et se renforcent mutuellement, sans réel changement de contenu, d'autre part parce que ces formes sont principalement non politiques. On pourrait dire que c'est avant tout « innocemment » que se diffuse l'imaginaire colonial, au-delà des efforts politiques, bien réels ceux-là, menés par l'Agence des colonies. Cette configuration originale peut expliquer en partie le consensus colonial de l'entre-deux-guerres[13] et la difficulté à le remettre en cause. Sans doute parce que la culture coloniale est à la fois omniprésente et insaisissable, qu'elle se trame d'abord dans le divertissement, le rêve ou le mouvement. Cela peut probablement éclairer notre propre embarras à déconstruire aujourd'hui cette culture polymorphe, qui se déploie là où on ne l'attend pas toujours, utilisant des modes de transmission inédits sur lesquels se construisent les mentalités et les psychismes collectifs.

13. Rappelons pour mémoire que alors que l'Exposition de 1931 accueille 8 millions de visiteurs, la contre-exposition organisée par les surréalistes et la CGT atteint péniblement les 5 000 visiteurs, exemple le plus évident de la difficulté à remettre en question la légitimité impériale dans les années 1930.

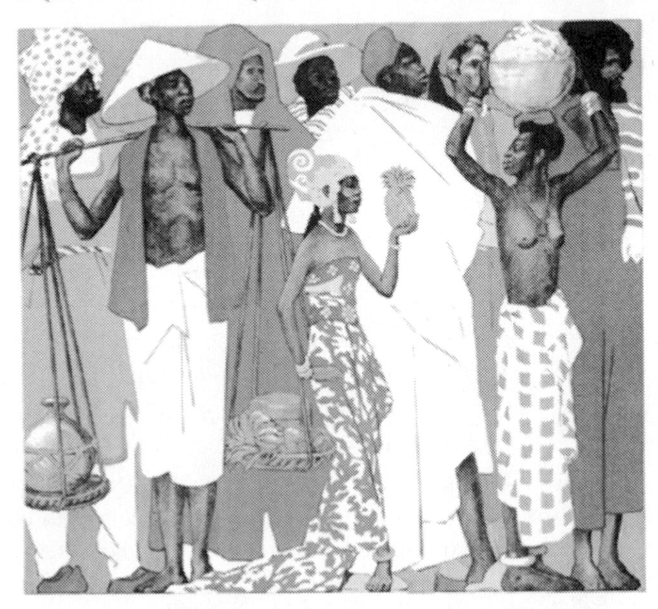

« Exposition coloniale internationale, Paris, 1931 », affiche de Jules de la Nézière, 1928.

COLONISER, ÉDUQUER, GUIDER : UN DEVOIR RÉPUBLICAIN

Par Françoise VERGÈS

Il apparaît aujourd'hui facile de se gausser de la propagande coloniale. À nous qui sommes nourris de discours intégrationniste, dont la conscience et l'éducation ont été marquées par le rejet du discours racial, il nous semble que les images, les représentations, le discours, tout le *système de signes* élaboré pendant l'empire colonial peut être rejeté sans problème. Seuls des nostalgiques du passé colonial - et ceux-là sont aisément ridiculisés ou stigmatisés - continuent à utiliser les termes d'un vocabulaire où la nostalgie se mêle au ressentiment, le regret à la rancœur.

Mais c'est s'aveugler que de croire que le discours colonial n'a pas profondément pénétré la société et la culture françaises. Nous savons que la mémoire des groupes et des individus ne s'organise pas de façon linéaire ; elle ne respecte pas strictement la chronologie des faits, elle leur assigne un sens plus touffu, plus dense de signes. L'histoire n'est plus cet objet mis à distance pour mieux l'interpréter, lui assigner un sens. Elle est intimement liée au vécu de groupes et d'individus dont les destins s'entrecroisent, dont les mémoires se superposent, se confrontent les unes aux autres. Le passé fait retour et devient l'enjeu de polémiques à l'occasion de dévoilements d'événements traumatiques. Ainsi, la guerre d'Algérie et ses violences ont fait irruption sur les scènes politique, juridique et historique, dérangeant l'ordonnance d'un récit qui se voulait hégémonique - et c'est tant mieux. Cependant, on peut se demander jusqu'à quel point l'insistance sur cette guerre masque la réalité du fait colonial même, fait oublier sa violence, marginalise le désir de faire de ce territoire « justement considéré comme une extension de la France » une terre destinée « à se peupler d'Européens[1] ».

Que reste-t-il des colonies ?

Les images de l'empire, dont enfants et adultes furent nourris pendant des années, auraient-elles disparu, effacées miraculeusement par un décret ? Peut-on croire que la notion de « mission civilisatrice » est morte un soir de mars 1962 quand prend fin la dernière guerre coloniale de la France ? Peut-on sérieusement imaginer que le discours et les représentations de la mission civilisatrice n'aient plus aucun effet sur nos mentalités, nos manières d'appréhender le monde ? Il s'agit donc de comprendre, et c'est la difficulté, comment, souvent de manière indirecte, sans un rapport immédiat à la colonisation, la thématique coloniale a modelé les affects, les mentalités. Il s'agit de comprendre pourquoi cette thématique a été adoptée naturellement, « banalisant » la colonisation, poussant aux marges de l'histoire, dans le tréfonds des consciences, les crimes coloniaux. Mais, surtout, il s'agit de repérer comment le discours de mission civilisatrice continue à influencer notre présent. Quand le passé se manifeste au cœur du présent, il faut pouvoir en restituer la trame dans son épaisseur et sa complexité. Pas de jugement moraliste, mais pas non plus d'indulgence où responsabilités morale et politique se délitent dans un « à chacun sa vérité »...

Revenir sur la notion de « mission civilisatrice » qui fut au cœur de la pensée coloniale n'est donc pas pur exercice d'histoire. Songeons à Victor Hugo, figure républicaine par excellence, héros des idéaux révolutionnaires contre l'usurpateur Napoléon III, qui s'écrie en 1841 à propos de la conquête de l'Algérie : « C'est la civilisation qui marche sur la barbarie. C'est un peuple éclairé qui va trouver un peuple dans la nuit. Nous sommes les Grecs du monde ; c'est à nous d'illuminer le monde[2]. » Ce cri est à la mesure de l'ambiguïté du discours colonial républicain : civilisation contre barbarie, Lumières contre obscurité. La générosité de la France lui donne mission. La République donne à ses fidèles mission d'accomplir un devoir : celui de propager la bonne parole. La mission civilisatrice a diverses facettes : elle se veut cause humanitaire, idéologie de l'assimilation, justification de l'interven-

1. Catalogue de la France à l'Exposition universelle de Vienne, 1873.
2. Victor Hugo, *Choses vues*, 1841, in Liana Levi, *La France colonisatrice*, Paris, 1983, p. 49.

tion coloniale. C'est au nom des principes républicains mêmes que la conquête coloniale doit se faire.

République et nostalgie

Certes, on ne peut parler d'une logique de continuité entre la France coloniale et celle d'aujourd'hui. Mais les traces, les échos de l'épopée coloniale, n'en sont pas moins présents. La nostalgie n'est pas désir de reconquête. Il serait illusoire de penser qu'elle ne s'exprime que dans les vitupérations de vieux coloniaux et de racistes aigris. Elle peut prendre d'autres formes que le regret d'une grandeur perdue : dans la vision du rôle que se donne la France dans les rapports Nord-Sud, dans ses relations aux territoires et départements d'outre-mer, dans la conviction que la République n'a pas commis de crimes, que ces derniers sont dus à des individus. La République est innocente, elle ne peut être mise en procès. Toute assimilation entre République et crime doit être rejetée car elle fait le jeu des ennemis de la République. Quiconque met en cause la République attaquerait les principes mêmes de la nation, fille de la Révolution française. C'est justement à cette équation qu'il faut résister. Interroger certains des fondements de la République ne peut que l'aider à se séparer d'un héritage qui la plombe. Décoloniser la République en quelque sorte, faire le tri entre ce qui doit être gardé, préservé, sauvé. Réaffirmer l'héritage mais aussi réinterpréter, critiquer, déplacer. Pas de legs sans responsabilité, et cette responsabilité nous oblige à recevoir, mais aussi à choisir, à exclure, à préférer.

Depuis plusieurs années, les historiens ont montré que la fabrication de l'espace intérieur français a été une entreprise de colonisation, de civilisation[3] qui préfigure l'entreprise de colonisation et de civilisation outremer. Ces deux entreprises sont comparables, mais elles ne sont pas semblables. Ainsi, le racisme s'impose, se fortifie, s'exacerbe avec la colonisation. Tout un attirail intellectuel et juridique mis en place par la République s'élabore et nourrit la communauté nationale française. On n'assiste pas à une propagande constante et suivie, mais pour autant la colonie est là, dans la nation française. L'empire aide la France à se redéfinir, et cette redéfinition ne s'accomplit pas toujours dans des sentiments pro-impériaux mais aussi contre l'empire (position d'extrême gauche ou de droite). Point

---

3. Eugen Weber, *La Fin des terroirs*, Paris, Fayard, 1983, et Marc-Henri Piaut, « L'Hexagone, une conquête coloniale ? », in *Ethnologie française*, 1988, XVIII, 2, p. 148-152.

n'est besoin d'aller aux colonies, ni même d'être en contact avec les colonisés, pour que les mentalités soient affectées. « Le fantôme de l'ancien colonisé hante, sans qu'ils s'en doutent, les rapports entre les Blancs qui n'ont jamais quitté l'Europe », écrit Octave Mannoni en 1969. Le passé colonial colle au présent (est-ce vraiment déjà du passé ?), et c'est donc interroger la République en tant que République qu'interroger l'entreprise coloniale, machine à fabriquer des races, des stéréotypes, des réflexes culturels et politiques. En résumé, deux formes de colonisation existent : celle, hors de France, qui trouve sa légitimation dans le racisme ; une autre fonctionnant sur une dynamique métropole/colonie (plutôt que sur deux entités séparées), sur des espaces de rencontre, de collusion, de complicité entre République et empire, qui « colonisera » les mentalités. Ce retour de la colonisation dans la République a modelé notre présent.

La surprise face à la résurgence de stéréotypes que l'on croyait disparus est plus le signe d'un refus de comprendre à quel point ils font partie de la culture que celui d'une réelle incompréhension[4]. C'est bien parce que l'école ne parle pas des crimes coloniaux commis au nom de la République que des jeunes filles et jeunes gens sont aujourd'hui sincèrement choqués d'entendre des discours racistes. La condamnation morale de ces discours et de ces représentations ne suffit pas. Elle ne cherche pas à déconstruire ce qui les fonde. Cela demande un vrai travail. Travail de réflexion sur l'histoire croisée de la République coloniale et de la République.

L'apostolat républicain colonial

Dès 1895, la mission civilisatrice devient l'idéologie officielle de l'empire colonial français. L'action des sociétés de géographie est déterminante dans le processus de colonisation. Ce sont elles en effet qui vont donner le « goût » des colonies aux Français, justifiant par l'intérêt scientifique la conquête de territoires. Il faut découvrir, apprendre, connaître, classifier. Or les indigènes n'en sont pas *capables*. Ils n'ont ni la pulsion de savoir ni les moyens de comprendre. Pour eux, le monde est peuplé d'esprits ; l'observation des phénomènes naturels n'est pas source de progrès mais de frayeur. Seul l'Européen dispose des moyens intellectuels et techniques de faire émerger du sens. Il est entendu que c'est dans le but d'améliorer le sort

4. Voir Michael Herzfeld, « La pratique des stéréotypes », in *L'Homme*, n° 121, janvier-mars 1992, XXXII (1), p. 67-77.

La Plus Grande France, Exposition coloniale internationale, 1931, couverture de dépliant, commissariat du ministère des Colonies, Palais permanent.

de l'humanité tout entière que cette entreprise doit s'accomplir. Pénétrer dans les continents africain et asiatique relève donc d'un devoir, devoir de citoyen français et de citoyen du monde. La IIIe République va porter cet idéal, le perfectionner, en faire une des sources de l'identité nationale. En des temps où la légitimité du régime républicain est encore menacée par des forces conservatrices qui puisent leurs arguments dans une rhétorique Ancien Régime, en des temps où la République doit montrer sa grandeur pour effacer la honte de Sedan et oublier les conflits de la Commune, la propagande coloniale peut unifier la nation. Pour cela, la mission civilisatrice doit témoigner de la supériorité du message colonial républicain. Là est le contraste avec l'idéologie coloniale anglaise, où supériorité raciale et droit à un empire colonial ne sont même pas à justifier[5]. La IIIe République doit au contraire forcer le trait, insister sur les principes moraux qui l'animent, démontrer qu'il s'agit de générosité et non de goût pour la domination et la rapine, de guider les « peuples dans la nuit » plutôt que de les asservir. Travail forcé, indigénat, zoos humains, instrumentalisation de l'idée des races, sont justifiés par l'œuvre de civilisation.

Ce qui est difficile à saisir, mais c'est ce qui est le plus révélateur peut-être du discours républicain colonial, c'est que coexistent des intentions qui semblent si opposées : glorification des idéaux républicains héritiers de la Révolution française et dénigrement de l'étranger, croyance dans la supériorité raciale. La contradiction n'est qu'apparente, et, comme le démontre Tzvetan Todorov, une fois que « les autres - Africains, Algériens, Vietnamiens - ont été réduits au rôle d'objets, il est après tout secondaire de savoir si on aime ces objets ou si on les déteste ; l'essentiel c'est qu'ils ne sont pas des êtres humains à part entière[6] ».

C'est ce double aspect du discours républicain colonial qui fait difficulté, car il faut rendre visible cet espace où République et colonies se parlent, se rejoignent, se soutiennent, sans pour autant tracer de fortes continuités causales. C'est un espace de porosité des champs, aux frontières perméables. La République coloniale puise ses représentations dans la glorification de la race et les honneurs monarchiques. La République qui se veut égalitaire et émancipatrice emprunte à ces représentations images et vocabulaire. L'héritage républicain de 1789 impose aux Français l'obligation de sauver les opprimés et de protéger les droits de l'homme partout où ils

5. Alice B. Conklin, *Mission to Civilize. The Republican Idea of Empire in France and West Africa, 1895-1930*, Stanford, Stanford University Press, 1997.

6. Tzvetan Todorov, *Nous et les Autres*, Paris, Seuil, 1989.

sont menacés. Cet héritage est reçu sans que soit faite aucune analyse de ce qu'il contient d'ambiguïtés, d'équivoques. Ainsi, les opposants à l'esclavage, tous fervents républicains, vont, une fois décrétée l'abolition de l'esclavage dans les colonies françaises (1848), soutenir la conquête coloniale. Émancipation et colonisation. Régénération de la nation française par l'accomplissement de la mission civilisatrice aux colonies. L'amour de la patrie et le culte de l'empire[7]. Assimiler pour combler la distance (sans pour autant viser l'égalité) entre Français et colonisés. C'est ainsi que se forge le vocabulaire colonial.

Certes, il y a débat autour de la pratique, mais le but reste l'accomplissement de la mission civilisatrice[8]. Les républicains peuvent ainsi prendre des mesures qui apparaissent opposées : le même gouvernement provisoire de la République décrète l'abolition de l'esclavage dans les colonies françaises le 27 avril 1848 *et* proclame que l'Algérie est désormais constitutionnellement partie intégrante de la France. Entre 1842 et 1848, l'Institut de l'Afrique, où siègent des abolitionnistes, prône contradictoirement la colonisation du continent *et* l'abolition de l'esclavage et de la traite. Le grand abolitionniste et républicain Victor Schoelcher propose en mai 1846 à la Société française pour l'abolition de l'esclavage, dont il est l'un des fondateurs, de lancer une pétition en faveur de la libération des esclaves en Algérie, alors même que la France a entrepris la conquête coloniale de ce pays.

La conquête de Madagascar offre une autre scène sur laquelle la France républicaine joue le rôle du sauveur. L'entreprise d'abolir l'esclavage à Madagascar prend l'envergure d'une mission sacrée, présentée comme l'enjeu de la lutte entre aristocrates (la monarchie Imerina) et le peuple (les tribus de la côte). La presse française se fait l'écho de l'horreur des razzias et des souffrances de victimes arrachées à leur famille, à leur village. Les reines malgaches sont décrites comme des furies, des Marie-Antoinette asservissant leur peuple. Le général Gallieni est chargé de soumettre les Malgaches. Le 6 août 1896, la France déclare Madagascar colonie française. L'abolition de l'esclavage est annoncée le 28 septembre. Gallieni reçoit en 1897 de la Société antiesclavagiste de Paris une médaille d'honneur pour son « acte d'humanité ». Deux mois après l'abolition de l'esclavage, le même Gallieni déclare l'obligation pour tout Malgache de sexe masculin de fournir à l'administration cinquante journées de neuf heures de travail dans l'année. En

7. Selon les mots d'Arthur Giraud, principal théoricien de la législation coloniale.
8. Sur les débats, voir *Histoire de la France coloniale*, t. II : *L'Apogée, 1871-1931*, Paris, Agora, 1990.

1903, soit à peine six ans plus tard, le taux de mortalité causé par le *fanompoana* est estimé à 20 %. Toute résistance est violemment écrasée au nom de la pacification. Face à la canonnière et aux fusils français, les armes des Malgaches sont dérisoires.

La littérature condamnant l'esclavage devient une littérature populaire. Elle répond à la curiosité du public sur les mœurs et coutumes des « barbares », au désir d'exotisme et d'aventure où le Blanc joue un rôle positif. L'empire offre au romancier un espace où sexe, orientalisme, exotisme, raffinements et perversions dressent le tableau d'un monde qui serait l'envers de l'Europe et qui ne cesse de fasciner. Ainsi se construit l'épopée coloniale, des Tintin qui au cœur des ténèbres forcent l'admiration des *natives* qui rappellent à leurs enfants : « Si toi pas sage, toi y en seras jamais comme Tintin ! »

Colonisation, race et domination

La mission civilisatrice participe de l'élaboration de l'identité nationale française. Elle correspond à ce que les élites républicaines appellent le tempérament français, enfant de la Révolution française, enfant elle-même de Rome. Jules Michelet voit dans le peuple français un peuple élu, dans la France une nation unique et exceptionnelle car, « en pleine nuit, elle voit quand nulle autre ne voit plus[9] ». La France apporte son secours aux peuples abandonnés. C'est faire preuve de civilisation et de générosité que de coloniser. Pour les théoriciens de la colonisation - J.-M. de Lanessan, Arthur Giraut, Jules Ferry, parmi d'autres -, l'histoire de l'humanité se confond avec la colonisation. Migrations, échanges, rêves de découverte, curiosité scientifique, sont les signes de la supériorité d'une race. Ce n'est pas tant une histoire des échanges et des migrations qui se fait (car alors elle remettrait en question la supériorité de l'Europe au regard des échanges entre Asie et Afrique, entre Asie et monde musulman par exemple, qui ne sont en rien liés à la colonisation européenne qui cherchera à les arrêter ou à les contrôler), mais une démonstration de la légitimité de la colonisation. « La race européenne, anthropologiquement et sans contestation possible la plus perfectionnée de toutes les races humaines, s'est déjà répandue sur tous les points du globe sans exception », clame de Lanessan[10].

9. Jules Michelet, *Le Peuple* (1846), Paris, Flammarion, 1974, p. 227.
10. J.-M. de Lanessan, *Principes de colonisation*, 1897, p. 16.

Aucune condamnation morale n'est possible puisque les peuples européens suivent un mouvement *naturel*. Bien au contraire, ils acquièrent une plus grande supériorité car de ce mouvement spontané ils font une mission civilisatrice. La colonisation est *idéal humanitaire*. Droit de coloniser et devoir d'éduquer vont de pair[11].

Comment expliquer cependant la résistance des natifs ? L'anthropologie, la psychologie coloniale, la géographie, donnent des explications. Érudits et experts des colonies dressent des tableaux où ils comparent les colonisés aux Européens et les colonisés entre eux. Au sommet, le Français, et, suivant une hiérarchie bien établie, Asiatiques, Arabes et Noirs (n'oublions pas les différences entre hommes et femmes). La physionomie, les coutumes, les croyances, sont observées, interprétées, pour dresser le tableau de « toutes les races ». La conclusion en est simple : la diversité des « races » entre elles, et à l'intérieur d'elles, démontre la supériorité de l'Européen. Tout est réinterprété à l'aune de cette loi. Ainsi, la résistance armée des populations d'Algérie est le signe de la « barbarie arabe ». Mais tout autant la faiblesse militaire des Kanaks (devant des technologies militaires bien plus avancées) est interprétée comme signe de leur infériorité[12]. Le refus de se soumettre au travail forcé est le signe de la paresse naturelle des Africains. La science coloniale renforce la croyance en la supériorité européenne. Elle n'en est ni le produit ni la cause, elle l'accompagne. Sens savant et sens commun se rejoignent pour construire un discours assez homogène sur les non-Européens. Coercition, répression, sont *nécessaires*, car le colonisé est un enfant, soumis aux tentations, ignorant et incapable. Il doit être éduqué et guidé d'une main ferme, mais aimante[13]. L'amour est un élément indispensable à la mission civilisatrice. D'une part, la conviction que l'idéal colonial républicain suffit à produire un citoyen d'autre part, la conviction que cet Autre ne possède pas les qualités nécessaires pour atteindre cet idéal. L'ambiguïté hante le discours républicain. Le contenu de la mission civilisatrice n'est pas que raciste. Le racisme avance masqué, accompagnant le discours d'émancipation puis le discours scientiste. Racisme et valeurs de progrès tissent la trame du discours républicain colonial. Nos attitudes en ont été marquées, et cette culture coloniale a produit des effets beaucoup plus profonds qu'on ne l'imagine au sein de la société française.

---

11. Jules Ferry, « Discours à la Chambre », 1885, t. V, p. 210-211.

12. Alban Bensa, « Colonialisme, racisme et ethnologie en Nouvelle-Calédonie », in *Ethnologie française*, 1988, XVIII, 2, p. 188-197.

13. Voir le très beau numéro de *Communications* dirigé par François Flahault et Jean-Marie Schæffer, « L'idéal éducatif », n° 72, 2002.

« Exposition coloniale internationale, Paris, 1931 », pavillon de l'Indochine, affiche de Serré.

LA FRANCE IMPÉRIALE EXPOSÉE EN 1931 : UNE APOTHÉOSE

Par Steve UNGAR

En métropole, la perception des territoires d'outre-mer occupés par des militaires, des colons et des administrateurs français se fonde, dès le début de la IIIe République et jusqu'en 1931, sur une idée reçue selon laquelle ces territoires et leurs habitants font partie d'une entité impériale : la Plus Grande France[1]. Cette perception repose également sur un ensemble de projets ayant pour but la mise en valeur des bénéfices matériels que les territoires d'outre-mer apporteraient à la vie quotidienne des Français. Si à l'époque la colonisation se présente souvent comme le couronnement de la République, la mise en valeur des colonies présentée à un public de masse couronne la colonisation dans la mesure où l'exposition publique lie la diffusion des biens et l'entretien des visions impériales. L'exposition reste également une fin en soi et vend l'idée d'un ordre impérial par des expressions idéalisées des cultures « indigènes » exhibées, résumées par des artefacts, les beaux-arts et surtout l'architecture[2].

Les leçons et les apprentissages de la France impériale

Jusqu'en 1900, les sections coloniales des expositions universelles ont montré la différence sous forme de ressources naturelles et humaines, de

1. Raoul Girardet, *L'Idée coloniale en France de 1871 à 1962*, Paris, Hachette, 1990.
2. Zeynep Çelnik, *Displaying the Orient : The Architecture of Islam at Nineteenth-Century World's Fairs*, Berkeley, University of California Press, 1992, p. 11.

rencontres spectaculaires avec l'altérité marquée d'un exotisme essentiel. Ces rencontres ont lieu dans des zones de contact où des peuples séparés par la géographie comme par l'histoire établissent des rapports comportant des conditions de coercition, d'inégalité radicale et de conflit intraitable[3]. Un tel espace de contact se réalise à Paris, entre mai et novembre 1931 au bois de Vincennes, à l'Exposition internationale coloniale où plus de 8 millions de visiteurs individuels font « le tour du monde en un jour », quitte même à revenir plusieurs fois, en visitant les pavillons et édifices construits expressément pour l'occasion[4]. L'architecture et la configuration spatiale font de l'exposition une mise en scène spectaculaire qui cherche à promouvoir une politique d'expansion coloniale par un dispositif d'imaginaire exotique.

Pourquoi aller à Vincennes en 1931 et quelles sont les attentes lorsqu'on se rend à l'exposition ? Au début des années 1930, les partisans de l'expansion coloniale continuent de promouvoir leur cause au nom d'une « mission civilisatrice ». L'adresse au visiteur dans le *Guide officiel* affirme d'ailleurs que l'époque héroïque de la colonisation est passée et que les colons français peuvent faire commerce d'idées et de matières avec des gens aisés, libres et heureux. L'auteur, André Demaison, se lance dans un discours moralisateur qui s'éloigne des réalités politiques et économiques entourant la présence française dans les territoires d'outre-mer : « Un conseil : en face de toute manifestation étrangère ou indigène, ne riez pas des choses ou des hommes que vous ne comprenez pas au premier abord. Le rire gouailleur de certains Français nous a fait plus d'ennemis à l'extérieur que de cruelles défaites ou des traités onéreux. Les idées des autres hommes sont souvent les vôtres, mais exprimées d'une façon différente. Pensez-y. Que la joie la plus élevée et la plus française vous anime, cher visiteur, et qu'elle vous suive après ces visites. Pour entrer, je ne saurais vous donner un meilleur mot de passe que celui du maréchal Lyautey, le grand Français aux conceptions humaines si hautes : "Il faudra que l'on trouve dans cette exposition avec les leçons du passé, l'enseignement du présent et surtout les

3. Mary Louise Pratt, *Imperial Eyes : Travel Writing and Transculturation*, New York, Routledge, 1992, p. 1-11.
4. Charles-Robert Ageron, « L'Exposition coloniale de 1931 : mythe républicain ou mythe national ? », in P. Nora (dir.), *Les Lieux de mémoire*, t. I : *La République*, Paris, Gallimard, 1984. Puisque le nombre de billets d'entrée varie selon le jour de la semaine, le chiffre de 33 millions semble désigner moins la somme globale de visiteurs que celle des billets d'entrée vendus ou offerts. Voir aussi Catherine Hodeir et Michel Pierre, *L'Exposition coloniale*, Bruxelles, Complexe, 1991.

enseignements pour demain. Il faudra qu'on sorte de l'exposition, résolu à faire toujours mieux, toujours plus grand, plus large, plus souple."[5] » Demaison mobilise une rhétorique de missionnaire pour faire persister l'idée coloniale, genre paternaliste et pieux. Les paroles de Lyautey reprises ici renvoient à un article de la même époque où l'ancien pacificateur du Maroc affirme que coloniser, ce n'est pas seulement construire des quais, des usines et des voies ferrées, mais aussi « gagner à la douceur les cœurs farouches de la savane ou du désert[6] ».

La vision d'un colonialisme éclairé soutenu par Demaison, comme par Lyautey, domine les efforts fournis à Vincennes pour mettre en valeur les ressources naturelles des territoires occupés tout en exploitant un exotisme évolué. La reconnaissance de cet exotisme et de sa force affective remonte aux conceptions initiales de l'exposition dès le début du siècle. Ni Demaison ni Lyautey ne font mention de l'exotisme en 1931, de même qu'Olivier ne l'invoque que rétrospectivement. Émouvoir pour promouvoir : la configuration spatiale de l'exposition laisse voir les paradoxes de cette ambition politique et les moyens affectifs mobilisés pour la réaliser.

Visitez la Plus Grande France

Le site de l'exposition se divise en quatre sections : la France métropolitaine, les territoires d'outre-mer, les pavillons nationaux et le musée permanent des colonies. Il y a aussi une cité des informations, deux terrains de divertissements, des restaurants et des pavillons commerciaux. Ces derniers marquent la collaboration entre le commerce et l'empire, dont Demaison, Lyautey et Olivier ne font pas mention, bien que le lien soit perceptible dans nombre de documents et d'échantillons présentés. En suivant l'itinéraire conseillé par le *Guide officiel*, les visiteurs entrent à la porte de Picpus, par la nouvelle station de métro Porte-Dorée. On arrive donc à une porte d'honneur qui dirige les visiteurs vers l'entrée. Représentée dans un tableau réalisé par l'architecte Henri Bazin, cette porte montre des visiteurs en tuniques semblables à celles portées par les peuples du Maghreb et de l'Afrique subsaharienne. Le ciel bleu et sans nuages fait contraste avec

5. André Demaison, « Adresse au visiteur », *Guide officiel de l'exposition coloniale internationale*, Paris, Mayeux, 1931.
6. Hubert Lyautey, « Le sens d'un grand effort », in *L'Illustration*, 23 mai 1931.

le temps pluvieux et gris du printemps parisien de l'année 1931. On y remarque la présence d'un palmier comme ceux que l'on a importés et plantés lors de l'exposition. L'effet global mêlant tuniques, ciel bleu et palmiers dérange parce que le spectateur a du mal à ne pas y reconnaître le paradoxe d'indigènes des territoires d'outre-mer venant visiter une grande exposition de leurs pays d'origine alors que les visiteurs de l'exposition sont surtout français ou européens. En fait, il s'agit d'« employés » et non de visiteurs, cette lecture induisant qu'ils ont l'habitude de porter leurs vêtements traditionnels, « indigènes », à Paris. À la fois idéalisé et humiliant, le tableau de Bazin alimente les stéréotypes portant sur l'altérité, liés à l'affirmation d'une identité française pour laquelle la présence de figures et de cadres « exotiques » est obligatoire. Herman Lebovics remarque avec justesse que tout dans le tableau est regroupé : « La barrière entre ici et ailleurs, entre la France métropolitaine et les colonies, est effacée ; c'est une représentation pittoresque d'un empire français centralisé, diversifié sur le plan ethnique mais unifié sur le plan politique[7]. »

La vision de l'exposition est celle d'un espace à l'intérieur duquel les visiteurs - qu'ils soient français ou non - se trouvent à la fois instruits et divertis. Pour réaliser ce double but, il convient que la zone de contact, construite sur une échelle monumentale, transforme les visiteurs venant de l'extérieur en sujets éducables de la Plus Grande France. La tentative de différencier l'exposition et la capitale qui l'entoure rappelle les principes de ségrégation de l'urbanisme colonial du protectorat marocain sous Lyautey. Elle soulève ainsi la question de savoir dans quelle mesure les organisateurs de l'exposition cherchent à créer un microcosme fantasmagorique de l'empire colonial français fondé sur la différence exposée. Dans une telle perspective, l'exposition de Vincennes est un prototype du parc de loisirs, animé au nom de la République et d'une vision impériale française.

La tentative d'exposer l'espace de la différence découle aussi d'un savoir lié à une pratique de l'anthropologie qui édifie une distance entre celle ou celui qui observe et la temporalité de celles ou de ceux qui se trouvent observés[8]. Les expressions spatiales de cet écart sont doubles au bois de Vincennes. La porte d'honneur sert d'abord comme une zone de transition entre

---

7. Herman Lebovics, *La « Vraie France » : les enjeux de l'identité culturelle, 1900-1945*, Paris, Belin, 1995, p. 74.
8. Johannes Fabian, *Time and the Other : How Anthropology Makes Its Object*, New York, Columbia University Press, 1983, XI et p. 25-29.

la ville et l'exposition, à l'intérieur de laquelle la configuration des quatre sections regroupe les pavillons de la section coloniale au sud du lac Daumesnil, donc nettement séparés de la section métropolitaine, située au nord de la porte d'honneur. Finalement, la proximité de la section coloniale et du jardin zoologique se prête à un lien logique entre des figurants venant de sociétés dites « primitives » et des animaux « sauvages » gardés en cages[9].

Se dirigeant vers le lac Daumesnil, les visiteurs passent par la cité des informations avant d'arriver aux pavillons consacrés à Madagascar, à l'Union indochinoise (Laos, Annam, Cambodge, Tonkin et Cochinchine) et aux îles de Saint-Pierre-et-Miquelon (près de la côte est du Canada). Le chef-d'œuvre architectural de la section coloniale - et le clou « touristique » de l'exposition, celui qui va marquer l'esprit de tous - est une reproduction grandeur nature d'Angkor Vat qui occupe 5 000 mètres carrés et dont la tour centrale atteint 55 mètres. On trouve à l'intérieur du temple 80 dioramas dans des salles éclairées par un plafond voûté en blocs de verre translucides formant une fleur de lotus gigantesque. Il y a aussi des mannequins habillés de manière « authentique », des cartes, des maquettes d'édifices « indigènes » et un mur d'images illuminées comportant à peu près 1 000 diapositives. Une galerie supérieure contient 30 sculptures khmères rapportées du Cambodge par des membres de l'École française d'Extrême-Orient. Le directeur technique de la section coloniale, Robert Beauplan, avoue que, pour attirer des visiteurs et garder leur attention, il fallait mobiliser toutes les séductions du pittoresque et la magie irrésistible de l'art.

L'illusion fondatrice de cette séduction se voit dans le simulacre architectural évoquant un Cambodge qui n'existe plus, cela pour mieux montrer aux visiteurs comment la France aurait « sauvé » la culture cambodgienne traditionnelle. Un article de *L'Illustration* indique que ce geste salvateur n'est pas sans actualité politique : « En étendant donc le drapeau de la République sur ces débris-là, qui sont aujourd'hui le Cambodge, et en forçant les Siamois à restituer Angkor aux Cambodgiens opprimés et dépouillés, nous avons donc fait œuvre non pas d'impérialisme, mais d'affranchissement. Et les temples d'Angkor symbolisent beaucoup moins l'Indochine, une et indivisible (selon la puérile conception des politicailleurs soviétiques et des ignorants, leurs dupes), qu'une civilisation morte que les pires violences ont tuée et qui doit aujourd'hui à la France de revivre[10]. »

9. Voir *Zoos humains*, *op. cit.*, p. 367-373, et les deux romans de Didier Daeninckx, *Cannibale*, Paris, Gallimard, 1998, et *Le Retour d'Ataï*, Paris, Verdier, 2001.
10. Claude Farrère, « Angkor et l'Indochine », in *L'Illustration*, 24 mai 1931.

© ACHAC

Exposition coloniale de Paris, 1931, couverture de dépliant, agence économique des Colonies de l'AOF.

Angkor Vat renforce l'attrait esthétique qui fait d'un Cambodge pittoresque et décadent le lieu d'une renaissance formant une dette symbolique de la part des Cambodgiens envers la Plus Grande France. Une forme de pittoresque taillé sur l'architecture stylisée est aussi visible dans d'autres pavillons le long de la grande avenue des Colonies. Le pavillon principal de l'Afrique-Occidentale française (A-OF) est un palais de roi fortifié *(tata)* fabriqué en boue rouge. À l'intérieur de l'enceinte se trouve une maquette grandeur nature du village de Djenné, dont les ruelles contiennent des ateliers de bijoutiers, forgerons, tisserands et potiers. À côté de celui-ci se tient un second village qui héberge plus de 200 « indigènes » venant de Côte-d'Ivoire, du Soudan, du Dahomey et de la partie mandingue du Niger supérieur pas encore marquée par l'islam. Le *Guide officiel* affirme dès lors : « Que la jeunesse retienne tous ces noms d'hommes et de pays dont la résonance lui paraît aujourd'hui bizarre. Dans dix, vingt ou trente ans, lorsque ces quatorze millions d'hommes en marche et leur sol encore vierge seront unis par le rail à nos provinces d'Afrique du Nord, lorsque l'aviation jouera son plein rôle, ces appellations seront plus familières à nos oreilles que les noms provençaux ou gascons à celles des Parisiens du XVIIe siècle. »

Par ailleurs, la structure stylisée des pavillons du Maroc et de l'Algérie doit corriger les perceptions de désordre, de pauvreté et de retard liées aux cultures locales des deux territoires.

Le pavillon du Maroc est un palais blanc qui s'inspire du palais Maghzen de Dar el-Beïda à Marrakech. Sa forme est étonnante, mais peu typique de l'architecture urbaine au Maroc. À l'intérieur, les salles présentent des projets prolongeant les anciennes tentatives menées sous Lyautey de transformer le Maroc en un vaste atelier industriel, commercial et agricole - et cela notamment au moyen de photographies de champs cultivés qui rappellent la plaine de la Beauce entre Paris et Chartres.

Le pavillon de l'Algérie reprend la forme du sanctuaire du patron d'Alger, Sidi-Abderrahmane. Mais, comme dans d'autres pavillons de la section coloniale, les marques « authentiques » à l'extérieur s'opposent aux documents de l'intérieur qui transmettent l'image d'un pays et d'un peuple transformés par l'industrie et le commerce « à la française ». Les mots qui décrivent cette transformation sont à la fois lyriques et intéressés : « L'Algérie moderne, telle que la France a su la créer ou la recréer, c'est cela en effet : un immense vignoble, un pressoir géant, d'où s'échappe, comme une source naturelle, un véritable fleuve de vin, de quoi abreuver des millions de gosiers gargantuesques. Le vin, c'est l'avenir de l'Algérie, c'est le grand bienfait dont la France a doté ce pays du soleil, qui est aussi un pays de la soif[11]. » S'agit-il de propagande pure et dure ou plutôt d'un plaidoyer en faveur de l'expansion coloniale emprunté à un lyrisme de genre républicain ? L'ambiguïté entre propagande et plaidoyer reste essentielle à la force affective de la mise en valeur des colonies montrée à Vincennes sous forme d'espace idéalisé de la Plus Grande France.

Ce que les visiteurs de l'exposition du bois de Vincennes perçoivent sous forme d'exotisme et de pittoresque est une réponse esthétique face à une mise en scène théâtrale, selon l'expression de Sylviane Leprun, dont la vraisemblance devient un objet de curiosité en soi. Car, si personne ne confond la reproduction d'Angkor Vat avec le temple original au Cambodge, elle exerce sa propre force grâce à cette copie impressionnante d'une part et, d'autre part, parce que peu de visiteurs voyagent à l'étranger. Son attrait s'explique alors par les présupposés et les attitudes à l'égard de la différence exotique que ces visiteurs amènent avec eux à l'exposition. De plus, l'architecture de la section coloniale détourne la priorité logique assignée à l'original vis-à-vis de la copie.

L'exposition ne se limite donc pas à mimer le monde qui l'entoure. Elle y superpose une couche de significations fondées sur l'idée du « monde comme exposition » qui coïncide avec l'époque coloniale. Cette superposition se remarque notamment dans des récits de visiteurs non européens, surtout ceux venant du Moyen-Orient, aux expositions universelles : « L'exposition se lit dans ces récits comme incarnant le caractère étrange de l'Occident, un endroit où l'on se trouve constamment dans le rôle d'un spectateur dans un monde organisé surtout pour représenter [...] une certaine disposition entre l'individu et le monde que les Européens semblent considérer comme une expérience du réel[12]. »

Et l'Exposition devient réalité...

Cette idée du « monde comme exposition » révèle comment le retournement entre la réalité et la représentation réalisée à Vincennes s'inscrit

11. *Rapport général de l'Exposition*, t. V, cité dans Hodeir et Pierre, *op. cit.*, p. 51.
12. Timothy Mitchell, *Colonising Egypt*, New York, Cambridge University Press, 1988, p. 13.

dans le but général de promouvoir l'expansion coloniale devant un public de masse. Bien que les visiteurs ne soient pas dupes, ils réagissent devant le théâtre d'architecture et de figurants liant l'espace idéalisé de la Plus Grande France à une ethnologie plastique à la limite de l'imaginaire. Chaque visiteur est alors imprégné par cet imaginaire d'un monde reconstitué et présenté comme réel, véhiculé de manière grandiose lors de l'exposition.

Pour autant, la résistance constitue une autre marque de la force affective de ce qui se déroule au bois de Vincennes. Un tract ayant pour titre *Ne visitez pas l'Exposition coloniale* paraît en mai 1931, signé notamment par André Breton, Paul Éluard, Louis Aragon. Évoquant l'arrestation d'un étudiant indochinois par la police parisienne comme la dernière d'une série d'actions répressives, le tract revendique le boycott de cette exposition qui prétend justifier la violence au nom d'un ordre impérial. Les auteurs du tract refusent de jouer le jeu : « La présence sur l'estrade inaugurale de l'Exposition coloniale du président de la République, de l'empereur d'Annam, du cardinal archevêque de Paris et de plusieurs gouverneurs et soudards, en face du pavillon des missionnaires, de ceux de Citroën et Renault, exprime clairement la complicité de la bourgeoisie tout entière dans la naissance d'un concept nouveau et particulièrement intolérable : la "Grande France". C'est pour implanter ce concept-escroquerie que l'on a bâti les pavillons de l'exposition à Vincennes. Il s'agit de donner aux citoyens de la métropole la conscience de propriétaires qu'il leur faudra pour entendre sans broncher l'écho des fusillades lointaines. Il s'agit d'annexer au fin paysage de France, déjà très relevé avant-guerre par une chanson sur la cabane-bambou, une perspective de minarets et de pagodes[13]. »

Un second tract intitulé *Premier bilan de l'Exposition coloniale* paraît le 3 juillet à la suite d'un incendie au pavillon des Antilles néerlandaises qui détruit des spécimens de l'art provenant de Malaisie et de Mélanésie apportés à Paris par les Néerlandais, tout comme les Français l'ont fait pour le Cambodge. D'après les auteurs du tract, l'incendie ne fait que prolonger le pillage de cultures locales dont les produits arrivent en France tels des trophées coloniaux. On diffuse au moins 5 000 exemplaires des deux tracts dans les usines, les quartiers populaires et à l'entrée de l'exposition à la station de

13. « Ne visitez pas l'Exposition coloniale », in José Pierre (dir.), *Tracts surréalistes et déclarations collectives*, t. I : *1922-1969*, Paris, Terrain vague, 1980.

métro Porte-Dorée. Là où le premier tract critique le faste de la Plus Grande France dissimulant la violence de l'expansion coloniale, le second affirme un engagement des surréalistes au service de la révolution et des peuples opprimés : « Sans tenir compte des nostalgies qu'elle aura pu donner aux petits des bourgeois - saviez-vous que la France était si grande ? -, l'exposition dépose dès maintenant son premier bilan. Ce bilan accuse un déficit que ne comblera pas le prix du temple Angkor vendu à une firme cinématographique, comme ça tombe ! pour être brûlé. »

La vérité sur les colonies

Les tracts inspirent une contre-exposition anti-impérialiste intitulée *La Vérité sur les colonies*, montée dans l'immeuble qui a servi de pavillon « constructiviste » de l'URSS lors de l'Exposition des arts décoratifs et industriels modernes de 1925. Bien qu'attribuée souvent aux surréalistes, la contre-exposition qui ouvre ses portes vers le 20 septembre résulte d'une collaboration entre la Ligue internationale contre l'oppression coloniale et l'impérialisme, le Parti communiste français et la Confédération générale du travail unitaire. Son but anti-impérialiste est de démystifier les idées et les images reçues de la Plus Grande France, tout en dévoilant la politique d'expansion sous le vernis d'une mise en valeur à la fois didactique et divertissante. « Mais le défaut principal de la contre-exposition se trouve moins dans le petit nombre de visiteurs attirés que dans une régression qui réanime des distinctions binaires selon lesquelles les territoires occupés d'outre-mer constituent toujours une réserve d'objets, d'images et d'êtres qui se prêtent à l'exploitation[14]. » Peu connues, ces voix ont eu peu d'écho et n'ont touché qu'une élite, car la masse des Français était davantage attirée par l'impressionnante exposition, porteuse du discours officiel certes, mais aussi de la part de rêve qui lui permettait de s'évader du quotidien.

Si l'Exposition coloniale internationale de 1931 est aujourd'hui absente dans la mémoire collective des Français, il faut voir dans cet oubli les effets d'un refoulement plus large de l'histoire coloniale qu'il reste à régler. Le legs de Vincennes est celui d'une mise en scène exotique qui

---

14. Panivong Norindr, *Phantasmatic Indochina : French Colonial Ideology in Architecture, Film, and Literature*, Durham, Duke University Press, 1997, p. 71.

affirme une vision impériale et une culture coloniale à leur apogée, au moment même où la réalité que cette vision cherche à promouvoir commence à se défaire en mythe de plus en plus creux. Souvent qualifiée d'apothéose, Vincennes reste un phénomène charnière entre le sublime colonial à son sommet, une culture coloniale aboutie et l'entropie de la vision d'une France impériale qui cède, au cours des trois décennies suivantes, aux mutations politiques et sociales que provoquera la décolonisation.

« Aux colonies, les communistes travaillent à poignarder la France » ; « Travailleurs français ! Les meneurs communistes les voilà ! », propagande politique des Républicains nationaux, affiches d'André Galland, 1932.

L'UNION NATIONALE : LA « RENCONTRE » DES DROITES ET DES GAUCHES À TRAVERS LA PRESSE ET AUTOUR DE L'EXPOSITION DE VINCENNES

Par Pascal BLANCHARD

C'est une ambiance bien étrange qui entoure l'exposition en mai 1931 à la lisière de la capitale[1]. Depuis deux ans, le contexte en métropole a changé. Entre 1929 et 1931, le nombre des journaux coloniaux passe de 70 à 77, la grande presse est devenue coloniale en quelques mois, et Radio-Paris propose des conférences régulières sur l'empire. Les médias français montrent un engouement tout nouveau et préparent les Français à l'événement sous l'influence des partis politiques qui contrôlent, directement ou non, ces grands titres quotidiens. Mais que se passe-t-il donc en ce début des années 1930 ?

Même si cet engouement sera bien vite mis de côté à la fin de l'année 1932 - la « mode » de l'empire étant sans doute passée -, ce moment colonial par excellence doit être analysé comme un instant unique de l'union nationale derrière l'empire, dont la presse rend compte plus que tout autre espace. Éphémère certes, mais s'inscrivant dans une utopie plus globale qui voit dans l'empire une source essentielle de la puissance nationale, cet instant constitue une sorte d'aboutissement de la culture coloniale en formation depuis la fin du siècle précédent et souligne le long infléchissement

1. *L'Action française* écrit alors ces lignes : « Ces millions n'auront pas été employés en vain si les Français apprennent en feuilletant ce merveilleux album à connaître et apprécier les richesses et les possibilités d'un domaine colonial plus vaste que l'Europe et qui leur appartient. »

vers l'empire des principaux partis politiques français. L'exemple le plus marquant est sans aucun doute l'évolution progressive - d'un anticolonialisme politique virulent au soutien impérial - des mouvements issus de la droite nationale.

Nouvelle donne internationale et tropismes nationaux

Les bouleversements sociaux provoqués par le transfert - en faveur de la France et de la Grande-Bretagne principalement - des anciennes colonies allemandes après le traité de Versailles, les troubles consécutifs au démembrement de l'Empire ottoman, la croisade pour le « droit des peuples à disposer d'eux-mêmes » du président Wilson et la condamnation active du système colonial par l'Union soviétique sont autant d'éléments qui viennent redistribuer profondément les cartes du problème colonial au cours des années 1920. Pour la France, la « révolte » d'Abd el-Krim en 1925[2] et la « rébellion » de Yen Bai en 1930 sont les signes avant-coureurs de la crise qui s'annonce et du nécessaire regroupement derrière la défense de l'empire en danger. Empire qui devient à cette époque un enjeu économique majeur, mais aussi un espace de conflit politique dans la lutte contre les « rouges ». La main de Moscou étant, du Rif à l'Indochine, de l'Algérie à la Syrie (comme le soulignent les affiches de Galland pour les républicains nationaux), dénoncée derrière chaque mouvement nationaliste indigène.

C'est donc dans ce contexte, sur fond de crise économique, politique et morale à gauche comme à droite, qu'une nouvelle réflexion s'élabore, prenant sa source au milieu de la décennie précédente, intimement liée à la vie politique nationale et aux profondes mutations internationales. En tout état de cause, c'est le temps où l'entreprise coloniale ne semble plus être contestée en métropole, sauf par une infime minorité d'intellectuels et par le Parti communiste[3]. Un PCF relativement faible du point de vue poli-

2. La campagne des partis et mouvements nationalistes, mais surtout la pression virulente contre Abd el-Krim - couramment dénommé « Abd el-Kriminel » dans la presse maurrassienne - de leurs journaux comme *L'Action française*, *L'Écho de Paris*, *La Liberté* ou *Le Matin* et le Parti communiste français présenté comme son allié, vont amener le gouvernement d'Édouard Herriot à organiser une opération policière, largement médiatisée, contre l'école des cadres du Parti communiste.

3. Un discours que l'on peut illustrer brièvement à travers la déclaration faite au IIIe Congrès de l'Internationale communiste de juillet 1928 : « Capitalisme et impérialisme ne constituent que les deux formes d'une même exploitation. Colonisés et prolétaires étant victimes de la même oppression, la lutte coloniale ne représente que l'un des fronts de la lutte globale contre l'impérialisme. Il n'y a pas, en vérité, de lutte spécifiquement coloniale. »

tique jusqu'en 1934 et marginalisé dans sa lutte contre la politique coloniale de la France, tant par les attaques incessantes de la droite contre les menées communistes outre-mer que par le climat général, le « bain colonial » d'alors, qui assimile de plus en plus les attaques contre l'entreprise coloniale française à un comportement « antinational ».

La France traverse enfin une de ses premières grandes crises politiques du siècle, qui va se prolonger tout au long des années 1930. Cette époque voit s'ébranler les certitudes d'une large frange de la droite nationaliste et conservatrice... L'Occident, sur lequel la civilisation « blanche » fait reposer l'essentiel de la primauté de la « race », est en danger. On peut, dans ce contexte, parler d'atmosphère de crise permanente qui expliquerait le mirage du mythe impérial, grand ensemble économique autarcique, et l'attrait puissant du fascisme et des idéologies extrêmes pour un grand nombre de Français qui ont un sentiment de désarroi profond. Très rapidement, les Français s'interrogent sur la capacité du régime et de la démocratie à prendre en charge et à résoudre les problèmes contemporains de la nation...

Cette opinion publique a évolué significativement tout au long des années 1920, de façon plus ou moins uniforme dans son sentiment à l'égard de la question coloniale, jusqu'à se rencontrer naturellement au début des années 1930. On peut noter par contre que par la suite, en fonction des références idéologiques de chacun, les deux composantes politiques principales de la société française de l'époque vont prendre des voies diamétralement opposées (du moins au niveau du discours, guère en termes de pratique dans les colonies), dont les signes avant-coureurs étaient inscrits dans le débat entourant la guerre du Rif au milieu de la décennie précédente[4].

Il faut également moduler la perception politique spontanée que nous avons de ces années, même si le pays vire à « gauche » avec la victoire aux élections de 1932 et avec celle du Front populaire qui s'annonce pour 1936, après les graves troubles dans les rues de Paris de ligues nationales en février 1934. La « victoire » des forces de gauche doit être relativisée pour prendre pleinement conscience de la réalité politique de ces années troublées. Car, sans les radicaux (106 représentants en 1936), il n'existe aucune « gauche »

4. On pourra consulter pour plus de développements la maîtrise d'Edgar Mamame sur la politique coloniale du Cartel des gauches (1967) et surtout la thèse de Béatrice Mignot-Giorgi sur *Les Milieux politiques français et les Groupes de pression face à la guerre du Rif, 1924-1927*, soutenue en 1983 à Poitiers.

au pouvoir. Ces radicaux qui seront d'ailleurs deux ans plus tard les partenaires de la droite pour soutenir le gouvernement Daladier, « chantre de l'empire ». Il faut donc prendre en compte l'absence de grand parti de masse à gauche au cours de ces années ; le plus actif est le PCF, mais il ne regroupe qu'un nombre relativement faible de militants[5]. Les chiffres montrent que le parti de gauche qui connaît le plus de progression - plus de 90 % en quatre ans - ne parviendra jamais à atteindre l'importance numérique du Parti social français de La Rocque, qui à lui seul a plus de militants que tous les partis de gauche réunis dans les années 1936-1937. Mais militants ne signifient pas électeurs, et la gauche peut, de ce point de vue, se targuer d'un léger mieux que la droite depuis le début des années 1930.

Le spectre du déclin de la France

Au cours de ces années, les Français, de droite comme de gauche, sont convaincus que le pays est entré dans une période de *déclin* qui menace à terme sa survie. Cette remise en cause de la supériorité de l'Occident (pour l'homme de droite), ou du moins l'idée que celle-ci est en danger - supériorité qui a constitué le fondement essentiel de la bonne conscience coloniale, incarnée à l'extrême droite par une affirmation de la domination de la civilisation, de la religion et de la « race » -, marque profondément cette génération.

Cet Occident chrétien, dont la droite nationaliste et fasciste se prétend le dernier rempart, voit dans la défense de l'entreprise coloniale et la lutte contre l'« anti-France » outre-mer, (nationalismes indigènes, communisme, hitlérisme, juiverie internationale...) le principal combat à mener pour sauver l'avenir même de la nation, celui des puissances européennes, et même de la « race » blanche. Une réalité que traduit parfaitement Guernier en 1938, quand il écrit : « La mission civilisatrice de l'homme blanc, en effet, ne connaît que des succès, et voilà que de tous les coins de son empire immense grondent le mécontentement, l'envie et la haine... » Les temps changent, l'empire devient un enjeu de premier plan...

C'est quand même une situation bien étrange de voir les nationalistes

---

5. Si en 1921, au lendemain du congrès de Tours, il peut prétendre à 180 000 adhérents, il n'en compte plus que 25 000 en 1933 avant d'envisager des adhésions après un changement de stratégie. Aux élections législatives de 1932, il totalise à peine plus de 784 000 suffrages et 1 493 500 à celles de 1936.

les plus ultras, repliés sur le pré carré hexagonal, se faire les chantres virulents de l'entreprise coloniale et les plus fervents défenseurs de l'expansion française outre-mer aux côtés de la droite parlementaire, des radicaux et des socialistes. On peut s'interroger en effet sur l'abîme qui existe, à l'origine, entre le colonialisme et l'extrémisme de droite[6]. Abîme qui est franchi après la Première Guerre mondiale, les nationalistes découvrant de réelles possibilités d'avenir, tant économiques, militaires que politiques, dans ce qui n'était alors pour eux que des aventures éphémères. L'empire colonial vient régénérer le nationalisme français, donne cette « revanche » tant attendue contre l'ennemi allemand et devient un réel instrument de la politique nationale de la France. Les *nationaux* réévaluent quasi intégralement l'importance de l'idée coloniale. En effet, alors qu'au lendemain de l'Exposition coloniale internationale de 1931 la propagande faiblit dans la presse de droite classique - *Le Temps colonial* disparaît, *Le Figaro* supprime sa rubrique coloniale, le pourcentage d'articles sur les colonies dans la grande majorité de ces journaux tombe à moins de 1 %, et l'intérêt du public se fait moindre... -, la presse nationaliste met à nouveau en place de nombreuses rubriques coloniales, s'attachant de plus en plus à ces questions et se transformant en propagandiste de premier ordre pour l'empire...

Les positions de la gauche socialiste et communiste sur ces questions à la fin des années 1930 sont alors confuses et contradictoires. Ces atermoiements de la gauche française devant la politique à mettre en œuvre et l'assimilation constante, de la part des Français sensibles à la propagande de la droite nationaliste, entre les revendications nationalistes et les menées révolutionnaires rendront impossible ou rapidement illisible tout discours colonial réformateur explicite. D'ailleurs, dès les années 1930-1934, les communistes français, reconnaissant leur faible implantation dans les colonies, modifient leur stratégie. Le tournant décisif se produit après la visite à Moscou de Laval, alors ministre des Affaires étrangères, et s'incarne dans la déclaration commune qui suit - « [...] pour ne laisser affaiblir en rien les moyens de leur défense nationale » (le 15 mai 1935) -, discours ayant pour conséquence immédiate un relâchement de la propagande communiste dans l'empire et la fin du soutien aux nationalistes indigènes. La priorité de l'Internationale communiste devient la lutte contre le fascisme et le renforcement des pays européens face à l'Allemagne, que le développement de

6. « En théorie, un abîme sépare le nationalisme de l'impérialisme, écrit Hannah Arendt. Dans la pratique, cet abîme peut être et a été franchi par le nationalisme tribal et le racisme brutal. »

groupes nationalistes internes difficilement contrôlables rend menaçante. Le PCF dès lors fait passer en arrière-plan les questions coloniales.

En ce qui concerne les socialistes, Manuela Semidei souligne que, « face aux défenseurs de l'idée coloniale et aux néo-impérialistes, tout un courant de la SFIO restait cependant fidèle à la condamnation traditionnelle du colonialisme[7] ». Mais, s'ils condamnent l'expansion coloniale telle qu'elle a pu se pratiquer, très peu à la SFIO vont remettre en cause le postulat d'une hiérarchie des civilisations et l'idée même d'empire. La position de la majorité des socialistes est ambiguë car, s'ils condamnent l'entreprise coloniale guerrière et brutale, ils rejettent également l'insurrection armée des peuples colonisés - en vertu d'un « pseudo-pacifisme » -, tout en ne cessant d'insister sur l'intérêt économique des colonies et sur les « réformes » à mettre en œuvre. On connaît à ce sujet le résultat plus que médiocre des années Front populaire, notamment l'échec cuisant du projet Blum-Viollette[8] pour l'Algérie. Un discours contradictoire qui se retrouve dans les débats du congrès national de la Ligue des droits de l'homme en 1931 : « La colonisation, si elle a pour but l'élévation intellectuelle et morale, le développement économique et l'émancipation d'un peuple », devra être soutenue. Réflexion que traduit aussi parfaitement Léon Blum dans son discours à la Chambre du 10 juin 1927[9] : « Nous n'admettons pas, déclare-t-il, qu'il existe un droit de conquête, un droit de premier occupant au profit des nations européennes sur les peuples qui n'ont pas la chance d'être de race blanche ou de religion chrétienne. Nous n'admettons pas la colonisation par la force [...] mais, conclut-il, nous ne nous contenterons pas de cette solution à la fois trop simple et trop périlleuse qui consiste soit à prêcher l'insurrection et à faire appel à la guerre de races, soit à exiger l'évacuation immédiate avec tous les périls qu'elle comporterait et pour les colons et pour les indigènes eux-mêmes. » Les nombreuses hésitations, les positions souvent contradictoires et ces préférences pour une solution de conciliation peuvent également s'expliquer par le souci d'unité interne des socialistes, sans oublier l'attachement de plus en plus grand des électeurs à l'idée d'empire, et, enfin par la pression des fédérations d'outre-mer, notamment les élus d'Algérie ou les nombreux fonctionnaires coloniaux.

---

7. Voir notamment le numéro spécial du *Populaire* du 6 juillet 1931.
8. Le projet avait pour objectif d'accorder la citoyenneté française à une vingtaine de milliers d'Algériens. Cette réforme va échouer face à la droite conservatrice et nationaliste, associée aux lobbies coloniaux et aux maires d'Algérie.
9. *Journal officiel*, Chambre des députés, 10 juin 1927, p. 1841.

Le Cri de Paris, « Monsieur le Président, vous êtes notre père... », dessin de George Edward, 1922.

C'est l'empire et sa réalité économique qui engendre le plus d'uniformité dans les discours et professions de foi des partis politiques. En effet, à l'aube de la nouvelle décennie, le blocage des échanges internationaux et la déstructuration des économies traditionnelles accélèrent la prise de conscience d'un nécessaire réaménagement économique français. C'est notamment ce que souligne, dès 1928, le quotidien maurrassien *L'Action française* en demandant, pour l'avenir de la France, « une politique économique fondée sur la collaboration des colonies et de la métropole » dans l'intérêt « d'obtenir de nos colonies les denrées et les matières premières qui nous font défaut ». De ces lignes se dégage la volonté de la droite nationaliste de fonder un marché autarcique, mais dans l'unique intérêt de la métropole. Ce que certains appellent alors le « bloc impérial ». Tous les hommes politiques de droite et la grande majorité des radicaux attachés à l'empire se retrouvent dans cette idée de grand marché autarcique. À l'image d'Albert Sarraut, qui précise que « la France d'outre-mer nous libérera du tribut écrasant que nous payons à l'étranger », et de Guernier, qui dans *Pour une politique d'empire* publié en 1938 rappelle que, « nous coloniaux, nous disons que du moment qu'un territoire français d'outre-mer peut produire il doit être préféré aux autres ». Charles Maurras, dans *Pages africaines* (1940), reprend cette idée de l'empire autarcique, mais en souligne pourtant les limites : « La France continentale ne peut suffire à rien, elle manque d'un certain nombre de matières premières [...]. Seulement, faute de cette impulsion, de cet ordre, de ce frein, et toujours par la même absence de gouvernement, il est apparu des résultats scandaleux, tels que la concurrence économique [...]. Le risque est effrayant : ce qui devrait s'unir, ce qui devrait converger et coopérer, tend à se diviser et à se haïr. »

Le mythe impérial comme idée nationale

Cette décennie qui commence voit donc émerger un nouveau mythe impérial, moins théorique et d'une certaine manière plus politisé. C'est aussi celle où les consciences coloniales et la connaissance du continent africain s'accroissent, conséquence directe du progrès accompli dans l'étude des colonies et des peuples qui y vivent, dans tous les secteurs des sciences humaines. Cette période est celle des premières liaisons aériennes avec l'Afrique, celle des grands périples et voyages à l'intérieur du continent noir, celle où la littérature populaire exalte l'exotisme et l'aventure coloniale, et où le cinéma plonge ses caméras au cœur de l'Afrique. Une situation qui explique pourquoi, chez la quasi-totalité des hommes politiques de l'époque, l'empire c'est d'abord et avant tout l'Afrique, et pourquoi l'Afrique est essentiellement pour eux l'Afrique du Nord, qui apparaît comme le prolongement naturel de la France.

De fait, l'image d'une France de 100 millions d'habitants, répartis sur tous les continents, est présentée comme un des fondements essentiels de la conscience nationale. Dans cette nouvelle vision du monde, l'Afrique française occupe une place de premier plan, en opposition avec les possessions françaises d'Indochine ou des Antilles. L'Afrique inspire pourtant, en premier lieu, le mépris. Mépris profondément ancré, qui prend sa source à l'aube de la colonisation moderne et dans lequel, même si les mots ont changé après la guerre, la perception reste toujours celle du supérieur (le Blanc) observant un inférieur (le Noir, l'Indochinois ou l'Arabe). Maurice Martin du Gard, directeur des *Nouvelles littéraires* et écrivain colonial, n'écrit-il pas en 1931 dans *Courrier d'Afrique* que, s'il arrivait que des Africains, peu à peu, « puissent lire et écrire en français, ce serait parfait. Mais ils ne le pourront jamais tous, car, poursuit-il, c'est le génie de la race » qui leur manque. Et l'écrivain de conclure, dans un mélange de racisme et de ridicule, que, s'il importe « d'élever le niveau de leur vie, de les enrichir moralement et matériellement, de les initier aux cultures, aux travaux qui leur procureront de quoi se loger dans des cases confortables, et plus tard dans des maisons. [...] En tout cas, il y a vraiment peu de chances qu'on voie jamais des Noirs entrer à Polytechnique ou à Centrale [...]. Ne comptons pas sur eux pour illustrer le corps des ingénieurs ni grossir l'élite des laboratoires. »

Les principes inégalitaires dominent la culture coloniale et la pensée politique française au début des années 1930 et restent le prisme déformant par lequel l'Afrique et ses populations sont perçues. La grande majorité des Français est en phase avec Charles Maurras quand il affirme, dans *Pages africaines*, qu'« il était pourtant clair que ce droit des peuples à disposer d'eux-mêmes était de nature à nuire à tous les empires coloniaux [...]. Garder un empire colonial sous la fiction égalitaire ? On peut en défier n'importe quelle nation ! Comment admettre l'égalité du colon et du colonisé ? L'égalité des peuples est aussi absurde que celle des individus [...]. Nous n'apportons pas la liberté, nous ne pouvons pas l'apporter : ne suffit-il pas des bienfaits d'une économie et d'une morale supérieure ? Ni l'égalitarisme ni le libéralisme, conclut-il, ne valent dans un empire colonial tel que le nôtre [...]. Il n'existe pas d'égalité, il n'existe pas de liberté, il y a la fraternité

[...]. On est des frères sans être égaux, on est frères sans être exempts du rapport naturel d'infériorité et de supériorité »[10].

Cette volonté d'*unité coloniale*, la gauche y répond imparfaitement en la fondant sur le principe des droits de l'homme, de la morale et de l'égalité. Ce qui semble, pour une large majorité de l'opinion publique, inconciliable avec la diversité des statuts, des institutions, des religions et des « races » de l'empire français. La droite, fondant son idéologie sur l'inégalitarisme et sur une pseudo-parité sociale, apporte aux yeux de la majorité des Français, et surtout des coloniaux et des Français d'Algérie, une réponse plus compatible avec l'édifice impérial en formation. En fait, le discours élaboré et développé par les droites nationalistes n'est alors guère différent de celui qui domine en France. Pourtant, la réflexion *raciste* ne peut plus s'exprimer qu'avec modération et précautions oratoires par rapport à la période de l'avant-guerre. C'est ce que l'on constate dans un article de *L'Action française* de 1931 qui justifie l'emploi du mot *nègre* après protestation de certains lecteurs. Elle se défend de lui accoler « un sens péjoratif », cherchant seulement à désigner « la race » composée d'individus qui diffèrent des autres groupes, dans laquelle on retrouve le « Matabélé, le Congolais, le Cafre... », tous semblables par certaines caractéristiques anatomiques comme « l'angle facial aigu, crâne allongé, bras longs, avant-bras courts, muscles étirés et grêlés, [...] les talons saillants [...] », par leurs structures sociales et par le fait qu'ils n'ont « aucun art ». La phobie de l'invasion exotique s'installe, de fait, à la même époque. À l'image des articles de Coty dans *L'Ami du peuple* ou dans ses ouvrages *(Péril rouge en pays noir, Sauvons nos colonies...)* et des articles de Charles Maurras qui interpelle, le lecteur en de nombreuses occasions sur ce sujet en demandant : « Qui colonise désormais ? Qui est colonisé ? Eux ou nous ? » « De fait, affirme-t-il, le Blanc a besoin d'être protégé contre la nouvelle promiscuité du Noir » ou celle de l'« Arabe[11] ».

L'autre composante du discours, qui s'élabore au cours de la fin des années 1920 au sein des droites, est la volonté de description constante des caractéristiques spécifiques de l'« indigène » afin de démontrer la justesse du lien entre ses capacités et la fonction de producteur que l'on veut lui voir jouer. Le postulat essentiel est que l'esprit de l'indigène est « peu compliqué », d'une nature « simple et primitive ». Mais ce discours se trouve

10. Charles Maurras, *Pages africaines*, 1940, p. 170-174.

11. Charles Maurras illustre son discours en prenant l'exemple de la construction d'une mosquée « en plein Paris », édifice qui ne lui dit « rien de bon ». Car « ce trophée de la foi coranique sur cette colline Sainte-Geneviève [...] représente plus qu'une offense à notre passé : une menace pour notre avenir ».

rapidement inefficace devant la démonstration quotidienne d'une identité africaine, notamment dans le domaine de l'art ou de la culture et de l'émergence d'une opposition active, notamment à Paris, derrière différents revues et mouvements. Gustave Gautherot symbolise parfaitement, par ses écrits, ce nouveau discours sur l'indigène quand il affirme en 1930 que, isolés « jusqu'à nos jours des grands courants de la civilisation humaine et victimes de très dures conditions de vie, les nègres africains sont incontestablement inférieurs aux Blancs - par leur culture intellectuelle et par tout ce qui en découle ». La conclusion est évidente : à la différence des théoriciens nazis, on n'exclut pas la possibilité de les voir un jour s'« adapter », mais il faut prévoir que « de longues années, sans doute des siècles », vont s'écouler « avant l'établissement » de ce « niveau général ». De même, le capitaine Léon Lehurau précise l'acte colonial de la France en Afrique : « L'Afrique a été sauvée par la France, qui l'a délivrée de la barbarie, de l'esclavage, de la violence et de la cruauté des sanguinaires [...] Elle a apporté en ce vaste pays la paix et la justice en même temps que la leçon suprême des nations civilisées, la leçon du travail joyeux, fier et librement accepté... » Pour la droite, l'entreprise coloniale correspond, aussi, à un contrôle efficace des populations « de couleur » et à une sorte de ligne Maginot raciste pour se protéger de l'invasion...

Retour sur Vincennes...

L'ensemble de ce contexte politique se retrouve dans la multitude d'articles de presse concernant l'Exposition coloniale internationale de 1931, qui est d'une remarquable uniformité et très révélatrice de cette évolution doctrinale. Serge Hyr, dans les colonnes de *L'Ami du peuple*, en donne le ton : il est « enfin montré aux Français [...] une preuve éclatante du génie colonisateur de la France, [...] la glorieuse carrière de nos coloniaux, de nos fondateurs d'empire, des hommes audacieux, volontaires, héroïques qui, depuis des siècles, allèrent au loin conquérir des territoires pour les annexer au patrimoine national [...] ». De même, Georges Carré, dans *La Victoire* de Gustave Hervé, du 15 mai 1931, manifeste un sentiment similaire : « L'Exposition coloniale a, selon la formule, ouvert ses portes. Des milliers de visiteurs ont déjà admiré les vastes proportions, l'ensemble magistral et grandiose, se sont extasiés au spectacle de certains détails pittoresques... Eh bien ! Le grand public français - c'est-à-dire les vastes couches populaires de ce pays : des millions de travailleurs, en somme - ignore à peu près tout de la longue, difficile et pourtant splendide gestation de la France coloniale. Il n'en a eu que des échos imprécis, toujours tendancieux [...]. Autant dire aussi que ce public-là, les portes de l'exposition franchies, avance de révélation en révélation [...]. Nous savons, nous, qu'il n'y a pas la moindre illusion en tout ce qui évoque, à l'Exposition coloniale, les résultats de la mission civilisatrice de la France aux colonies. » Et il conclut : « Sachons tirer de cette manifestation de l'énergie française un enseignement et aussi une leçon exemplaire pour les générations montantes ! »

La question est maintenant un enjeu national, politique et essentiel. Il est temps de politiser le débat. *Le Figaro,* avec Gaëtan Sanvoisin - un des plus actifs chroniqueurs coloniaux des années 1930 -, précise d'ailleurs, quelques jours avant l'ouverture de l'exposition, après une longue description de l'extraordinaire « effervescence laborieuse d'une cité en construction », que, si l'exposition est magnifique, « il reste fort à faire pour construire et administrer cet empire »... De toute évidence, les temps ont changé. L'empire, d'une affaire de fonctionnaires et de spécialistes, devient une question politique !

Les droites et les gauches se retrouvent dans un discours glorificateur au moment de l'exposition (pouvait-il en être autrement ?), même si certaines critiques émergent ici ou là, mais marginalement... de chaque côté. C'est tout d'abord et très officiellement la droite modérée, alors au pouvoir et qui s'est pleinement investie dans l'« œuvre » coloniale qui est active. À l'image de Paul Reynaud, alors ministre des Colonies, qui symbolise parfaitement l'attachement de la droite parlementaire à l'empire et son implantation au sein du parti colonial. Son action au ministère permet une réorganisation des différents services qui sont sous ses ordres, l'élaboration et la préparation de l'Exposition coloniale, et la dénonciation des menées communistes lors d'un voyage qu'il entreprend en Indochine. Son discours d'inauguration de l'exposition en 1931 est révélateur des quelques notions clés à la base de la nouvelle pensée coloniale de la droite gouvernementale : « Le but essentiel de l'exposition est de donner aux Français conscience de leur empire, pour reprendre le mot des hommes de la Convention. Il faut que chacun d'entre nous se sente citoyen de la Plus Grande France, celle des cinq parties du monde... La France métropolitaine a le plus grand territoire de l'Europe après la Russie. Elle n'est cependant que la vingt-troisième partie de l'empire français. » Il développe alors l'idée d'« empire français », terme non officiel et vision relativement neuve à la tête de l'État, du moins au ministère des Colonies, de ce que doivent maintenant représenter les colonies dans l'imaginaire des Français.

Il suffit de s'attacher à la production d'articles et à leur importance sur le thème colonial dans la presse conservatrice au cours de l'année 1931 pour souligner l'engouement certain de l'ensemble des tendances politiques françaises pour l'événement de Vincennes. Situation d'ailleurs très bien identifiée par les observateurs d'alors, comme Benjamin Crémieux qui remarque dans les colonnes de *Candide* : « Du fait de cette Exposition coloniale, les livres sur les colonies se sont mis à pulluler. On lance des bibelots, des fétiches coloniaux. » Il est indéniable que cette période se caractérise par un regain d'intérêt dans la grande presse pour les questions coloniales. Regain dû non seulement à une certaine attente du lectorat, mais aussi conséquence directe de la présence de journalistes auprès du commissariat depuis avril 1930. Ce battage médiatique se déroule en parallèle de l'intense campagne de propagande gouvernementale et « étouffe » la « contre-exposition coloniale » organisée avenue Mathurin-Moreau, qui ne reçoit que 5 000 visiteurs[12].

La presse au diapason colonial

Un rapide tour d'horizon du monde médiatique français permet de remarquer une démultiplication du nombre d'articles abordant, et cela dès la première page, des questions coloniales[13]. Alors que tout au long des années 1920, comme le souligne Charles-Robert Ageron, on constate « qu'il pouvait se passer des semaines avant que la moindre question coloniale y fût mentionnée ».

12. La Ligue internationale contre l'oppression coloniale et l'impérialisme (créée en 1930), le PCF et la CGTU décident de lancer une grande campagne contre l'Exposition coloniale ou « Exposition internationale de l'impérialisme ». Ils organisent une contre-exposition, « La vérité aux colonies », au pavillon des Soviets, 8 et 12, avenue Mathurin-Moreau (métro Combat). Cette contre-exposition propose dans une première salle des photomontages sur les « atrocités » des guerres et de l'exploitation coloniale - « avec ses sauvageries et ses cruautés impitoyables » -, quelques dessins de l'ancienne *Assiette au beurre* et des cartes et graphiques sur les profits excessifs du capital aux colonies ; une deuxième salle présente d'« excellentes photographies de l'URSS et des vues [...] qui réconfortent après la visite aux horreurs de l'impérialisme » ; et enfin, dans une troisième, « de magnifiques spécimens de l'art primitif *des* indigènes » (*L'Humanité*, 3 novembre 1931). Mais cette exposition se révèle un échec avec seulement 5 000 visiteurs, soit moins que tous les encartés CGTU de Paris *intramuros* alors que l'exposition dure de juillet 1931 à février 1932. Les actions en province ont, semble-t-il, plus de succès. Notamment les diffusions de tracts (en langue française, vietnamienne, malgache, etc.) qui dénoncent l'oppression « sanglante » et présentent l'exposition comme une « exhibition de cannibales en cages ».

13. Cette étude repose sur une analyse de 650 titres de quotidiens, hebdomadaires et revues édités en France entre 1925 et 1940. Pour plus de détails, on se reportera à notre travail de thèse, *Nationalisme et Colonialisme*, Paris-I, 1994.

La grande presse, comme *Le Petit Parisien* - qui a le plus fort tirage français - avec les reportages d'Albert Londres ou *Le Temps* - largement soutenu par le Comité des forges et le monde des affaires - avec les articles de Robert Poulaine, se lance dans les grandes enquêtes et reportages sur les colonies. *Le Temps* propose ainsi à ses lecteurs, à partir du 6 mai 1930, un an avant l'ouverture de l'exposition, une rubrique coloniale régulière : « Le Temps colonial ». L'éditorial de Robert Poulaine pour le premier numéro de la rubrique est révélateur de la démarche que le journal entend suivre par la suite. En premier lieu, il rappelle le contexte dans lequel se situe cette initiative, un an jour pour jour avant l'inauguration de l'exposition : « Aujourd'hui l'éclatante manifestation du centenaire de l'Algérie, demain l'Exposition coloniale internationale de Vincennes, hier quelques liaisons aériennes retentissantes, quelques sensationnels reportages au pays du soleil, quelques faits divers aussi, cataclysmes, révoltes indigènes, quelques conférences, quelques débats parlementaires vite expédiés devant un quarteron de députés ont rappelé, rappellent ou rappelleront au citoyen français toujours conscient de ses droits sinon de ses devoirs que le soleil ne se couche jamais sur son domaine, sur son empire. [...] Droits de souveraineté et de contrôle, devoirs envers les peuples administrés en son nom, devoirs envers le monde entier vis-à-vis duquel il s'avère comptable de sa gestion de tuteur, devoir envers la mémoire de ceux qui sont allés si loin planter son drapeau, devoir envers ses compatriotes qui continuent de travailler obscurément là-bas à sa gloire et à sa prospérité, devoir envers lui-même qui symbolise l'avant-garde du progrès et de la civilisation. » Car la France n'a pas de politique coloniale. Il n'y en avait pas besoin hier, avec les « Gallieni, Lyautey, Roume... », mais « il faut aujourd'hui à leurs successeurs, pour mener à bien une tâche nationale, autre chose que des moyens réduits, et des moyens ne peuvent leur être dispensés que pour une opinion publique consciente... ». Le décor est posé...

Cette rubrique du journal *Le Temps* peut être considérée comme la première véritable page coloniale de qualité dans un journal de droite. Bien informée, elle propose au public chaque semaine des sujets sur l'ensemble des questions se rapportant à l'empire. On y retrouve les plus importantes signatures coloniales d'alors, comme Jean Leune - qui propose une enquête sur l'Afrique du Nord, « Le magnifique effort de l'Algérie » -, Henri Labouret, Maurice Reclus, Jacques de Lacharrière, Georges Meyer, Georges Hardy, Ernest Roume, Léon Petre, A. Quérillac (qui collabore aussi à *Je suis partout*), Maurice Besson... D'une certaine façon, elle préfigure les rubriques que nous retrouverons au milieu des années 1930.

Dans le même temps, *Le Journal des débats* lance sa chronique « Revue coloniale » (avec André Géraud, Marcel Homet, Pierre Bernus, Paul Bourget...) et insiste sur l'émerveillement devant une telle réalisation, notamment le parc zoologique, dans les articles d'Henri Daniel-Rops. *La République*, d'opinion radicale, propose une page coloniale ponctuelle, comme *Le Populaire* (organe de la SFIO), mais cette dernière disparaît dès 1932. *Paris-Soir* est un cas à part, présentant l'exposition uniquement dans le cadre de ses rubriques « magazine » où sont soulignés les aspects exotiques et sensationnels de Vincennes.

Les Nouvelles littéraires, sous l'impulsion de Maurice Martin du Gard, insistent sur l'« œuvre coloniale » de la France et sur l'engouement du public pour cet empire « révélé », et proposent régulièrement des articles de l'académicien Jean Ajalbert (auteur d'ouvrages sur l'Indochine, sur le Maroc et l'empire depuis le début du siècle), d'André Demaison ou de Paul Fierens... De même, la très conservatrice *Revue française* présente toute l'année des articles sur l'empire et l'Exposition coloniale, notamment son numéro spécial du 5 juillet 1931 qui réunit Louis Faivre (pseudonyme de Delavignette, le directeur de l'École coloniale de 1937 à 1946, qui collaborera plus tard à la rubrique coloniale de *Je suis partout*), Jean-Pierre Maxence, Stéphane Faugier, Charles Kunstler, Georges-R. Manue, Robert Brasillach, Antoine Rédier - qui voit dans cette exposition « une impression de grandeur et de juste fierté nationale » à regarder ces « beaux serviteurs lointains de la patrie » - Jean Renaud, le maurrassien Philippe de Zara, Léon Truitard (spécialiste du Togo et du Cameroun et directeur de l'Agence économique des territoires africains sous mandat).

Le très populaire et influent quotidien *L'Écho de Paris* propose aussi une page coloniale régulière, bien vite abandonnée, où collaborent Jean d'Esme (pseudonyme du vicomte Henry d'Esmenard), Albert Paluel-Marmont, Gérard Bauër, René Vanlande (qui collabore aussi à l'organe de la Fédération républicaine *La Nation* pour les questions coloniales la même année), Charles Pinchon, Henry Bordeaux, l'académicien Charles Le Goffic.

À l'ultradroite, de tendance maurrassienne, c'est *Candide* qui propose de nombreux articles admiratifs sur l'exposition sous la plume d'Alain Laubreaux, Benjamin Crémieux, Gustave Aubry. Alors que *Gringoire* offre pendant plus de six mois trois grands récits : « Aventure : dans la griffe des Jauniers » de la romancière Yvonne Schultz publié de janvier à mars 1930, « Périn » d'Henri de Monfreid et « Malikoko, président de la République » de Pierre Benard, particulièrement incisif, qui est présenté de juin à septembre 1931 en parallèle des articles sur l'exposition ou l'entreprise coloniale par Joseph Kessel, Pierre de Régnier, Raymond Recouly, Pierre Bonardi, Robert Thiriet, Maurice Martin du Gard... Enfin, *Je suis partout*, le titre le plus fascisant, propose aussi une rubrique « Dans les colonies » qui préfigure les pages coloniales que nous retrouverons dans ses colonnes à partir de 1933, sous divers titres : « L'empire français », « Notre empire », « Empire-armée-marine »...

Le Figaro de François Coty présente deux pages à parution irrégulière « Scènes de l'épopée coloniale » et « Richesses françaises d'outre-mer » (sous la direction de Jean Bazire), avec Joannès Tramond, Wilernoz, Dr A. Legendre - spécialiste de l'Asie -, Pierre Mille sur le Transsaharien, Georges Goyau que l'on retrouve à *La Croix*, véritable spécialiste des missions, Jacques Saint-Germain, Tristan Derème (pseudonyme du poète Philippe Huc), Auguste Thomazi, Georges-Henri Rivière, Simon Arbellot, Eugène Marsan, Abel Hermant, Gaëtan Sanvoisin, Faure Lebret, Jean et Jérôme Tharaud, Jean Selz, Pierre Lyautey... Dans l'autre fleuron cotyste - *L'Ami du peuple* -, c'est pratiquement un article tous les deux jours que nous retrouvons sur les colonies, généralement signé par le général Henri Nogués, Serge Hyb (pseudonyme d'Henry Berthelot), Jacques Mattei (le frère d'André Mattei, l'un des principaux chroniqueurs coloniaux de *L'Action française* de 1936 à 1938), Jean Renaud et surtout Coty lui-même (72 articles signés de son nom en 1930-1931 sur les colonies ou sur le communisme et les colonies).

De son côté, *Le Charivari* propose une page régulière au titre révélateur de son contenu par sa simplicité : « À l'Exposition coloniale » pendant toute la durée de la manifestation, avec Pierre Héricourt et Jacques Bainville. *L'Intransigeant* invite ses lecteurs à de « beaux voyages » dans l'exposition (par Jean La Veybie) où l'on parle « d'un semestre de merveilles » aux portes de Paris (Léon Bailby) dans des éditoriaux quasi quotidiens : « Les heures nouvelles. À Vincennes ». Quant à *La Croix*, le journal informe régulièrement ses lecteurs sur les manifestations autour de l'exposition, insistant sur l'« œuvre des missions » et parlant de véritable « révolution » (9 avril 1931) pour les Français que de découvrir cette « œuvre », et propose tous les deux ou trois jours un article sur l'empire, sous les signatures les plus variées (Dourliac, Thomas, Alexandre Pons, Henri Baron, Jean Osche, etc.).

Enfin, *L'Illustration* - « le journal de la France dans le monde » qui représente assez bien la bourgeoisie française de l'époque, mais qui est aussi lu par une large frange de l'opinion de droite -, consacre des numéros spéciaux remarqués. Tout comme le magazine *Vu* qui propose des numéros hors série à fort tirage. Dans les quatre mois qui précéderont l'ouverture de l'Exposition coloniale, ces *spéciaux* ne cessent de souligner l'engouement du public et sa fierté devant l'entreprise impériale, sous les signatures les plus diverses : Pierre Ichac présente un reportage sur les Touaregs, le directeur de la revue *Au jardin de la France* Jean Perrigault propose une enquête sur « Le bonheur des Noirs », l'historien Georges Lecomte, plusieurs études, et Eugène-Henri Weiss, de nombreux articles.

À travers ces quelques exemples (que l'on pourrait multiplier à l'identique), on constate aisément que la presse, dans son ensemble, montre alors un intérêt prononcé pour le domaine colonial au cours de cette année « impériale ». Tout comme Radio-Paris qui propose alors près de cinquante-deux conférences sur les colonies au cours de l'année. Cet intérêt va s'estomper fin 1932 (il n'y aura plus que cinq conférences radiophoniques de fin 1932 à fin 1934). Cette exposition est reconnue par tous - de la droite à la gauche, excepté les communistes - comme un véritable succès. C'est le sens de l'analyse et de la conclusion de l'étude d'Herman Lebovics[14].

Droites et gauches : rencontre impossible autour de l'empire

Il ne s'agit donc pas d'un phénomène de « mode », du moins pas pour toutes les tendances politiques de l'échiquier. En fait, les mouvements nationalistes, comme la presse de droite dans son ensemble, ont été sensibles au formidable succès de l'Exposition, à l'attirance du public pour l'empire. À leurs yeux, c'est bien le « pays réel » que l'on retrouve dans les rues et avenues de l'exposition, ce « peuple de droite » qui s'enthousiasme et prend conscience de la plus grande France. Toutefois, devant cette révélation, devant l'étalage des « échantillons représentatifs des possessions françaises », combien « y allèrent, comme aujourd'hui certains, en famille, vont au zoo, par divertissement ? » Très peu, en fait, en cette année 1931 se posent la question, à droite comme à gauche.

Un des effets immédiats, que l'on perçoit lorsque l'on étudie la presse

14. « Le succès esthétique et politique prend l'allure d'une boucle idéologique : certains signes - la fréquentation importante, le large soutien des milieux influents, le déroulement sans à-coups, la conjoncture politique - donnent aux organisateurs le courage de poursuivre. Affluence, bonne presse, et autres choses de ce genre, sont des signes, des présages, que la ligne de conduite que les organisations pensent devoir suivre est bien la bonne. De telles victoires sont en effet plus des "triomphes de la volonté" que des plébiscites donnant la mesure de l'opinion populaire. Si l'on considère, par exemple, le budget, la splendeur, le nombre de visiteurs, et l'enchantement que procura l'exposition, il ne fait pas de doute qu'elle eut plus d'impact que la contre-exposition organisée par les communistes. »

de droite française, est que celle-ci a tourné une page de son histoire coloniale, et ce définitivement. Alors que la gauche semble passer à côté de l'événement, balançant entre critiques en demi-teinte et silence patriotique. Les quelques irréductibles étant réduits à des individualités perdues dans la masse de l'acceptation générale de l'empire qu'il faut organiser. Car l'opinion, de droite comme de gauche, des bourgeois aux ouvriers, des patrons aux paysans, des femmes aux hommes, des instituteurs aux catholiques, des anciens combattants aux militaires..., semble globalement conquise par cet empire. Il faut souligner que le contexte des dernières années, le maintien par le lobby colonial d'une pression permanente depuis 1927 pour convaincre les Français, le centenaire de l'Algérie française, la propagande du gouvernement (stimulée par la présence au ministère de Paul Reynaud)[15], les grands reportages dans la presse, favorisent largement cet engouement[16]. Notons également que le nombre impressionnant de films sur les colonies avant 1931 participe pour beaucoup à cette prise de conscience des Français de cet empire français immense, véritable « prolongement de la métropole, source de richesse et d'influence dans le monde »...

Mais, au vu de cette très courte étude, peut-on véritablement considérer qu'il existe alors un véritable consensus sur la mise en valeur de l'empire et sur l'idée coloniale des deux côtés de l'échiquier politique français ? En fait, on constate aisément l'ambiguïté d'un tel moment. D'une part, la droite extrême, à l'image de *L'Action française*, trouve dans les colonies la seule réponse « immédiate » à la crise économique, à travers la création de ce marché franco-colonial et autarcique qui répondrait aux

15. Plus de 5 millions d'affiches en sept langues ont été diffusées, 5 millions de cartes postales en quinze langues, 1 million de dépliants scolaires, 4 millions de dépliants en quinze langues... Voir sur cette question les travaux de Thomas G. August, *The Selling of the Empire : British and French Imperialist Propaganda, 1890-1940*, et Sandrine Lemaire, *L'Agence économique des colonies : instrument de propagande ou creuset de l'idéologie officielle en France ?*, thèse non publiée, Institut universitaire européen, Florence, 2000.

16. La grande majorité des journaux de droite et de gauche (sauf *L'Humanité*) reçoivent des publicités pour l'Exposition coloniale - le magazine *Vu* les recevra toutes - ou des aides financières pour réaliser ou faire passer des articles en faveur de l'événement (une différence notable avec le centenaire de l'Algérie, où la grande majorité des articles de la grande presse furent achetés : Lyautey bloque rapidement les subventions pour ce type de propagande dirigée, préférant une approche plus ciblée et plus incitative). On peut citer les journaux, outre la presse coloniale et la presse étrangère, qui émargent le plus sur les listes consultées aux Archives d'outre-mer : *Le Journal, Le Matin, Le Petit Journal, L'Écho de Paris, Le Petit Parisien, Excelsior, La Croix, L'Ami du peuple, Paris-Soir, La Liberté, Le Temps, Paris-Midi, La Volonté, L'Ordre, Le Figaro, L'Action française*... et pratiquement toutes les revues de droite que nous avons citées jusqu'alors. Enfin, plus de 300 quotidiens de province et d'outre-mer reçoivent des fonds et des publicités à cette occasion.

attentes, pense-t-elle, du peuple de gauche. Il s'agit d'une situation paradoxale. La droite extrême et la droite conservatrice perçoivent dans l'empire qui s'éveille un espoir pour sortir de la crise, évangéliser des âmes perdues, contrôler les peuples de couleur en marche. Mais, en même temps, cette mouvance nationaliste est enfermée dans un carcan idéologique, reste prisonnière d'une partie de son lectorat et ne peut pleinement s'investir dans cette voie. De même, la gauche, socialiste ou radicale, se trouve en contradiction de plus en plus flagrante entre les idéaux qu'elle défend et les intérêts contradictoires de son électorat (paysans anticoloniaux à cause de la concurrence des produits importés, ouvriers et petits artisans opposés aux investissements coloniaux, rejet xénophobe de sections outre-mer, notamment en Algérie...). Autant de réalités qui heurtent de front l'engouement colonial de la gauche et condamnent les différentes tendances politiques à se rapprocher pratiquement quoique sur la base d'idéologies différentes.

Une conclusion s'impose à propos de ce discours et de cette rencontre « impossible ». Cette date de 1931 - avec les fastes et l'émerveillement de Vincennes - représente sans conteste une étape fondamentale dans la prise de conscience des droites et des gauches de l'engouement des Français pour leur empire et de l'importance des colonies pour établir un nouveau cadre économique dans une France angoissée par la crise à venir et qui frappe déjà une grande partie des pays industrialisés. Mais leur prise de conscience « commune » - et même si elles vont évoluer de manière distincte par la suite - souligne aussi leur aveuglement dans cette culture coloniale identique qui les voit plonger « ensemble » dans plus de quarante ans de conflits coloniaux, guerres d'indépendance et insurrections nationales, des événements de Yen Bai (1930) à la fin de la guerre d'Algérie (1962). À ce niveau, le tournant de 1931 est essentiel. Grand moment national pour les uns, patriotique pour d'autres, républicain pour la plupart, Vincennes reste et demeure un moment d'union nationale comme jamais jusqu'alors n'en avait connu l'entreprise coloniale en France.

« Algérie, 1830-1930, pays de grande production agricole », affiche de Dormoy, 1930.

BIBLIOGRAPHIE

Abel R., *The Ciné Goes to Town. French Cinema (1896-1914)*, Berkeley, University of California Press, 1998.

Ageron C.-R., *France coloniale ou parti colonial ?*, Paris, PUF, 1978.

Ageron C.-R., « L'Exposition coloniale de 1931 : mythe républicain ou mythe national ? », in Nora P. (dir.), *Les Lieux de mémoire*, t. I : *La République*, Paris, Gallimard, 1984.

Almeida-Topor H. (d'), « Commerce et publicité en Afrique », colloque *La Publicité, une histoire*, Paris, BNF, 5-7 juin 2002.

Araib A., « L'image de l'Arabe dans le cinéma français », *in Septième Art*, n° 52, 1985.

August T., *The Selling of the Empire : British and French Imperialist Propaganda, 1890-1940*, Londres, Greenwood Press, 1985.

Bancel N. et Blanchard P., « De l'indigène à l'immigré, images, messages et réalités », « Imaginaire colonial, figures de l'immigré, l'héritage colonial, un trou de mémoire », in *Hommes et Migrations*, n° 1207, mai 1997.

Bancel N. et Blanchard P., « Le colonialisme, un "anneau dans le nez de la République" », in *Hommes et Migrations*, n° 1228, novembre 2000.

Bancel N. et Blanchard P., « Les pièges de la mémoire coloniale », in *Les Cahiers français*, La Documentation française, n° 303, 2001.

Bancel N., Blanchard P. et Gervereau L., *Images et Colonies*, Paris, ACHAC-BDIC, 1993.

BANCEL N., BLANCHARD P., BOËTSCH G., DEROO É. et LEMAIRE S., *Zoos humains. De la Vénus hottentote aux* reality shows, Paris, La Découverte, 2002.

BANCEL N., BLANCHARD P., DELABARRE F., *Images d'empire*, Paris, la Documentation française/La Martinière, 1997.

BARROWS S., *Miroirs déformants. Réflexions sur la foule à la fin du XIXe siècle*, Paris, Aubier, 1991.

BEN AMMAR H., « Le cinéma colonial en Tunisie », in *Septième Art*, n° 51, 1984.

BENALI A., *Le Cinéma colonial au Maghreb*, Paris, Cerf, 1998.

BENSA A., « Colonialisme, racisme et ethnologie en Nouvelle-Calédonie », in *Ethnologie française*, 1988.

BESSIS S., *L'Occident et les Autres. Histoire d'une suprématie*, Paris, La Découverte, 2001.

BEYLIE C., « *La Bandera* et la presse », in *L'Avant-Scène cinéma*, n° 285, avril 1982.

BLANCHARD P. et BANCEL N., *De l'indigène à l'immigré*, Paris, Gallimard, 1998, rééd. 2002.

BLANCHARD P., BLANCHOIN S., BANCEL N., BOËTSCH G., GERBAUD H., *L'Autre et nous. Scènes et Types*, Paris, ACHAC/Syros, 1995.

BLANCHARD P., « La représentation de l'indigène dans les affiches de propagande coloniales : entre concept républicain, fiction phobique et discours racialisant », in *Stéréotypes dans les relations Nord-Sud, Hermès*, n° 30, 2001.

BLANCHARD P., DEROO É. et MANCERON G., *Le Paris noir*, Paris, Hazan, 2001.

BOËTSCH G. et FERRIÉ J.-N., « Le paradigme berbère : approche de la logique classificatoire des anthropologues français du XIXe siècle », in *Bulletin des mémoires de la Société d'anthropologie*, série I, nos 3-4, Paris, 1989.

BOËTSCH G. et FERRIÉ J.-N., « L'impossible objet de la raciologie. Prologue à une anthropologie physique du nord de l'Afrique », in *Cahiers d'études africaines*, 1993.

BOULANGER P., *Le Cinéma colonial de* L'Atlantide *à* Lawrence d'Arabie, Paris, Seghers, 1975.

BROCHEUX P. et HEMERY D., *L'Indochine, la colonisation ambiguë, 1858-1954*, Paris, La Découverte, 1995, rééd. rév. 2001.

BRUNETTA P., *L'Ora d'Africa nel cinema italiano, 1911-1989*, Trente, Materiale di Lavoro, 1991.

BRUNSCHWIG H., *Mythes et réalités de l'impérialisme colonial français, 1871-1914*, Paris, Colin, 1961.

BURGUIÈRE A. et REVEL J. (dir.), *Histoire de la France. Les Formes de la culture*, Paris, Seuil, 1991.

CADE M., « De la casquette du père Bugeaud aux moustaches du maréchal Lyautey », in *Les Cahiers de la Cinémathèque*, n° 49, 1993.

CHALAYE S., « La mascotte "Y'a bon" à l'affiche », in *Nègres en images*, Paris, L'Harmattan, 2002.

CHALAYE S., « La nouba du tirailleur », in *Nègres en images*, Paris, L'Harmattan, 2002.

CHALAYE S., « Théâtres et cabarets : le "nègre" spectacle », in Bancel N., Blanchard P., Boëtsch G., Deroo É. et Lemaire S., *Zoos humains...*, Paris, La Découverte, 2002.

CHALAYE S., *L'Image du Noir au théâtre de Marguerite de Navarre à Jean Genet (1550-1960)*, Paris, L'Harmattan, 1998.

CHANET J.-F., *L'École républicaine et les Petites Patries*, Paris, Aubier, 1996.

CHEVALDONNÉ F., « Le cinéma colonial ou le fonctionnement d'un code », in *La Révolution et le Cinéma*, Paris, Éditions des Quatre-Vents, 1988.

CONKLIN A., *Mission to Civilize. The Republican Idea of Empire in France and West Africa, 1895-1930*, Stanford, Stanford University Press, 1997.

COQUERY-VIDROVITCH C., « Le postulat de la supériorité blanche et de l'infériorité noire », in M. Ferro (dir.), *Le Livre noir du colonialisme*, Paris, Robert Laffont, 2002.

COQUERY-VIDROVITCH C., *L'Afrique et les Africains au XIXe siècle*, Paris, Armand Colin, 1999.

COQUERY-VIDROVITCH C., *Le Congo au temps des grandes compagnies concessionnaires, 1898-1930*, Paris, La Haye, 1972, rééd. EHESS, 2001.

CORBIN A. (dir.), *L'Avènement des loisirs*, Paris, Aubier, 1995.

DAENINCKX D., *Cannibale*, Paris, Gallimard, 1998.

DAENINCKX D., *Le Retour d'Ataï*, Paris, Verdier, 2001.

DARRÉ Y., *Histoire sociale du cinéma français*, Paris, La Découverte, 2000.

DEBOST J.-B., Le Petit Journal *à la conquête de l'Afrique. Étude de l'imaginaire populaire africaniste au travers d'un hebdomadaire du XIXe siècle (1884-1890)*, DEA, Paris-I, 1981.

DEMARGNE D., *La Représentation du Maghreb à travers les images du journal* L'Illustration *de 1843 à 1918*, Paris-I, 2000.

DINE P., *Images of the Algerian War*, Oxford, Clarendon Press, 1994.

EL-FTOUH Y. et PINTO M., in « L'image de l'Afrique dans le cinéma », *Images et Colonies*, Paris, ACHAC/BDIC, 1993.

EL-FTOUH Y., « L'Afrique dans les images coloniales », in *Écrans d'Afrique*, nos 9-10, 3e-4e trimestres 1994.

FABIAN J., *Time and the Other : How Anthropology Makes Its Object*, New York, Columbia University Press, 1983.

Fanoudh-Siefer L., *Le Mythe du nègre et de l'Afrique noire dans la littérature française de 1800 à la Seconde Guerre mondiale*, Abidjan/Dakar/Lomé, NEA, 1980.

Fourment A., *Histoire de la presse des jeunes et des journaux d'enfants, 1766-1988*, Paris, Éole, 1987.

Frayssinet-Dominjon J., *Les Manuels d'histoire de l'école libre, 1881-1959*, Paris, Presses de la FNSP, 1969.

Garrigues J., *Banania, histoire d'une passion française*, Paris, Du May, 1991.

Gaulupeau Y., « L'Afrique en images dans les manuels élémentaires d'histoire (1880-1969) », in *Images et Colonies (1880-1962)*, Paris, ACHAC/BDIC, 1993.

Gaulupeau Y., « Les manuels par l'image : pour une approche sérielle des contenus », in *Histoire de l'éducation*, n° 58, mai 1993.

Gauthier G. et Esnault P., « Le cinéma colonial », *in Revue du cinéma*, n° 394, mai 1984.

Gauthier M.-V., *Chanson, sociabilité et grivoiserie au XIXe siècle*, Paris, Aubier, 1992.

Ghozland F., *Un siècle de réclames alimentaires*, Paris, Milan, 1999.

Girardet R., *L'Idée coloniale en France de 1871 à 1962*, Paris, Hachette, 1990.

Gould S.-J., *La Mal-Mesure de l'homme*, Paris, Ramsay, 1983.

Greenhalgh P., *Ephemeral Vistas. The* Expositions universelles, *Great Exhibitions and World's Fairs, 1851-1939*, Manchester, Manchester University Press, 1998.

Hamon P., *Imageries. Littérature et image au XIXe siècle*, Paris, José Corti, 2001.

Hampâté Bâ A., *Oui mon commandant*, Arles, Actes Sud, 1994.

Hemmings F., *Theatre Industry in Nineteenth Century France*, Cambridge, Cambridge University Press, 1993.

Herzfeld M., « La pratique des stéréotypes », in *L'Homme*, n° 121, janvier-mars 1992.

Hodeir C. et Pierre M., *L'Exposition coloniale*, Bruxelles, Complexe, 1991.

Hoefert T., « Imperialism in British Films during the 1930's », in *Cahier d'histoire et de politique internationales*, n° 11, 1991.

Kalifa D., *La Culture de masse en France, 1860-1930*, Paris, La Découverte, 2001.

Le Roy É., « Le fonds cinématographique colonial aux Archives du film et du dépôt légal du CNC (France) », in *Journal of Film Preservation*, Bruxelles, n° 63, octobre 2001.

Le Van Ho M., *Travailleurs et tirailleurs vietnamiens en France pendant la Première Guerre mondiale*, thèse de troisième cycle, Paris-VII, 1986.

LEBOVICS H., *La « Vraie France » : les enjeux de l'identité culturelle, 1900-1945*, Paris, Belin, 1995.

LEFEVRE R., « Le cinéma colonial », in *Images et Colonies*, Paris, ACHAC/BDIC, 1993.

LEJEUNE D., *Les Sociétés de géographie en France et l'Expansion coloniale au XIXe siècle*, Paris, Albin Michel, 1993.

LEMAIRE S., « Le "sauvage" domestiqué par la propagande coloniale », in *Zoos humains. De la Vénus hottentote aux* reality shows, Paris, La Découverte, 2002.

LEMAIRE S., *L'Agence économique des colonies. Instrument de propagande ou creuset de l'idéologie coloniale en France (1870-1960) ?*, Florence, Institut universitaire européen, 2000.

LEPROHON P., *L'Exotisme et le Cinéma. Les chasseurs d'images à la conquête du monde*, Paris, Éditions J. Susse, coll. « Voyages et aventures », 1945.

LEPRUN S., « Exotisme et couleur », in *Ethnologie française*, 1990.

LEPRUN S., « Paysages de la France extérieure : la mise en scène des colonies à l'Exposition du centenaire », in *Le Mouvement social*, octobre-décembre 1989.

MACKENZIE J. (dir.), *Imperialism and Popular Culture*, Manchester, Manchester University Press, 1986.

MAGHERBI A., *Les Algériens au miroir du cinéma colonial*, Alger, SNED, 1982.

MAINGUENEAU D., *Les Livres d'école de la République, 1870-1914. Discours et idéologie*, Le Sycomore, 1979.

MANCERON G., « Le missionnaire à barbe noire et l'enseignant laïque », in *Images et Colonies*, Paris, ACHAC/BDIC, 1993.

MARSEILLE J., *Empire colonial et capitalisme français : histoire d'un divorce*, Paris, Albin Michel, 1984.

MARTIN M. (dir.), *Histoire des publics à la radio et au cinéma*, Paris, 1992.

MARTIN M., *Trois siècles de publicité en France*, Paris, Odile Jacob, 1992.

MAXWELL A., *Colonial Photography and Exhibitions. Representations of the « Native » People and the Making of European Identities*, Londres, Leicester University Press, 1999.

MEYER J., REY-GOLDZEIGUER A. et THOBIE J., *Histoire de la France coloniale*, t. *II : Des origines à 1914* et *L'Apogée, 1871-1931*, Paris, Agora, 1990.

MEYNIER G., *L'Algérie révélée. La Guerre de 1914-1918 et le Premier Quart du XXe siècle*, Publications de l'université de Lille, 1979.

MICHEL M., *L'Appel à l'Afrique : contributions et réactions à l'effort de guerre en A-OF, 1914-1919*, Paris, Publications de la Sorbonne, 1982.

MIGNOT-GIORGI B., *Les Milieux politiques français et les Groupes de pression face à la guerre du Rif, 1924-1927*, thèse, université de Poitiers, 1983.

MITCHELL T., *Colonising Egypt*, New York, Cambridge University Press, 1988.

MOLLIER J.-Y., « La naissance de la culture médiatique à la Belle Époque », in *Études littéraires*, 30 janvier 1997.

MORTON P., *Hybrid Modernities. Architecture and Representation at the 1931 Colonial Exposition, Paris*, Cambridge, The MIT Press, 2000.

MURRAY A., *Framing Greater France. Images of Africa in French Documentary Film, 1928-1940*, thèse non publiée, University of Virginia, 1998.

MUSÉE D'ORSAY, L'Africaine *ou les Derniers Feux du grand opéra*, Paris, Bibliothèque nationale, coll. « Les dossiers du musée d'Orsay », 1995.

NORA P. (dir.), *Les Lieux de mémoire*, t. I : *La République*, Paris, Gallimard, 1984.

NORINDR P., *Phantasmatic Indochina : French Colonial Ideology in Architecture, Film, and Literature*, Durham, Duke University Press, 1997.

OLIVIER-MARTIN Y., *Histoire du roman populaire en France de 1840 à 1980*, Paris, Albin Michel, 1980.

ORY P., *Les Expositions universelles*, Paris, Ramsay, 1982.

OZOUF J. et M., « *Le Tour de la France par deux enfants.* Le petit livre rouge de la République » in Nora P., *Les Lieux de mémoire*, t. 1, Paris, Gallimard, 1997.

OZOUF J. et M., *La République des instituteurs*, Paris, Gallimard-Seuil, 1992.

PIAULT M.-H., « L'exotisme et le cinéma ethnographique : la rupture de *La Croisière noire* », in *Journal of Film Preservation*, Bruxelles, n° 63, octobre 2001.

PIAULT M.-H., « L'Hexagone, une conquête coloniale ? », in *Ethnologie française*, 1988.

PIERRE J. (dir.), « Ne visitez pas l'Exposition coloniale », in *Tracts surréalistes et déclarations collectives*, t. I :*1922-1969*, Paris, Terrain vague, 1980.

POCIELLO C. et DENIS D., *À l'école de l'aventure*, Voiron, PUS, 1999.

PRATT M.L., *Imperial Eyes : Travel Writing and Transculturation*, New York, Routledge, 1992.

RAMIREZ F. et ROLOT C., *Histoire du cinéma colonial au Zaïre, au Rwanda et au Burundi*, Musée royal de l'Afrique centrale, Tervuren, 1985.

RIOUX J.-P. et SIRINELLI J.-F., *La Culture de masse en France de la Belle Époque à aujourd'hui*, Paris, Fayard, 2002.

RIOUX J.-P. et SIRINELLI J.-F., *Histoire culturelle de la France. Le Temps des masses*, Paris, Seuil, 1997.

RIPERT A. et FRÈRE C., *La Carte postale, son histoire, sa fonction sociale*, Paris, CNRS, 1983.

ROBIN R. (dir.), *Masses et culture de masse dans les années trente*, Paris, Éditions ouvrières, 1991.

RUSCIO A., *Le Credo de l'homme blanc. Regards coloniaux français, XIXe-XXe siècles*, Bruxelles, Complexe, 1996.

RUSCIO A., *Que la France était belle au temps des colonies. Anthologie de chansons coloniales et exotiques françaises*, Paris, Maisonneuve & Larose, 2001.

RYDELL R., *All the World's a Fair : Visions of Empire at American International Expositions, 1876-1916*, Chicago, University of Chicago, 1984.

SCHNEIDER W., *An Empire for the Masses. The French Popular Image of Africa, 1870-1900*, Londres, Greenwood Press, 1982.

SCHWARTZ V., *Spectacular Realities. Early Mass Culture in Fin-de-Siècle, Paris*, Berkeley, University of California Press, 1998.

SHERZER D., *Cinema, Colonialism, Postcolonialism*, Texas, University of Texas, 1995.

SMYTH R., « The Development of British Colonial Film Policy, 1927-1939 », in *Journal of African History*, vol. 20, n° 3, 1979.

TOBING RONY F., *The Third Eye. Race, Cinema and Ethnographic Spectacle*, Durham, Duke University Press, 1996.

TODOROV T., *Nous et les Autres*, Paris, Seuil, 1989.

UNGAR S., « Léon Poirier's *L'Appel du silence* and the Cult of Imperial France », *Journal of Film Preservation, Cinéma colonial : patrimoine emprunté*, n° 63, octobre 2001.

VALENSKY C., *Le Soldat occulté. Les Malgaches de l'armée française*, Paris, L'Harmattan, 1995.

VERGÈS F., *Abolir l'esclavage, une utopie coloniale. Les Ambiguïtés d'une politique humanitaire*, Paris, Albin Michel, 2001.

WEBER E., *La Fin des terroirs*, Paris, Fayard, 1983.

WEBER E., *Les Années 1930*, Fayard, 1994.

WILLIAMS R., *Dream Worlds. Mass Consumption in Late Nineteenth-Century France*, Berkeley, University of California Press, 1982.

YRZOALA MEDA J.-C., « Le cinéma colonial : les conditions de son développement », in *Écrans d'Afrique*, nos 9-10, 3e-4e trimestres 1994.

ZEYNEP Ç., *Displaying the Orient : The Architecture of Islam at Nineteenth-Century World's Fairs*, Berkeley, University of California Press, 1992.

« Ah ! bon Dieu ! S'il pouvait la bouffer ! », *Le Rire*, Albert Dubout, 1931.

BIOGRAPHIE DES AUTEURS

Nicolas BANCEL, historien, maître de conférences à l'université Paris-XI-Orsay (CRESS/UPRES EA 1609), vice-président de l'ACHAC, spécialiste de l'imaginaire colonial et des pédagogies corporelles et auteur ou coauteur de nombreux ouvrages sur ces questions, dont *Images et Colonies*, 1993 ; *L'Autre et nous*, 1995 ; *Images d'empire*, 1997 ; *De l'indigène à l'immigré*, 1998 ; « L'Afrique noire inventée », in *Historiens et Géographes*, 1999 ; « Ces zoos humains de la République », in *Le Monde diplomatique*, 2000 ; « Les pièges de la mémoire coloniale », in *Les Cahiers français*, 2001 ; et *Zoos humains. De la Vénus hottentote aux* reality shows, 2002.

Olivier BARLET, critique de cinéma, rédacteur en chef de la revue mensuelle *Africultures* (L'Harmattan), il dirige également aux éditions L'Harmattan la collection « Images plurielles ». Il a publié de nombreuses traductions de livres portant sur l'Afrique et d'auteurs africains. Il est l'auteur de plusieurs ouvrages, dont *Les Cinémas d'Afrique noire : le regard en question*, 1997 (prix Art et Essai 1997 du Centre national de la cinématographie).

Pascal BLANCHARD, historien (université Paris-I), chercheur associé au GDR 2322 Anthropologie des représentations du corps (CNRS, Marseille), président de l'ACHAC (Paris) et directeur de l'agence BDM (Paris), il travaille sur l'idéologie et les représentations coloniales. Il est l'auteur (ou coauteur) de plusieurs articles, numéros spéciaux de revue, expositions et livres sur ces questions, dont *Images et Colonies*, 1993 ; *L'Autre et nous*, 1995 ; *L'Empire* *colonial à son apogée*, 1996 ; *Images d'empire*, 1997 ; « Imaginaire colonial, figures de l'immigré », in *Hommes et Migrations*, 1997 ; *L'Afrique. Un continent, des nations*, 1997 ; *De l'indigène à l'immigré*, 1998, rééd. 2002 ; *Afriques*, 1998 ; *L'Afrique noire inventée*, 1999 ; « Le Colonialisme, un anneau dans le nez de la République », in *Hommes et Migrations*, 2000 ; « Ces zoos humains de la République coloniale », in *Le Monde diplomatique*, 2000 ; « Les pièges de la mémoire coloniale », in *Manière de voir*, 2001 ; *Le Paris noir*, 2001 ; et *Zoos humains. De la Vénus hottentote aux* reality shows, 2002.

Gilles BOËTSCH, directeur de recherche au CNRS, il dirige l'UMR 6578 Anthropologie : adaptabilité biologique et culturelle (CNRS, université de la Méditerranée) et le GDR 2322 Anthropologie des représentations du corps (CNRS). Ses domaines de recherche concernent l'anthropologie biologique, l'anthropologie démographique, l'anthropologie coloniale et l'anthropologie des représentations. Il a publié ou dirigé, seul ou en collaboration, les ouvrages et numéros de revue suivants : « Stéréotypes dans les relations Nord-Sud », in *Hermès*, 2001 ; *Le Corps dans tous ses états*, 2000 ; *L'Anthropologie démographique*, 1999 ; « Continuity, Collapse or Metamorphosis ? Demographic Anthropology and the Study of Change within Human Population », in *International Journal of Anthropology*, 1996 ; *L'Autre et nous*, 1995 ; « Mesurer la différence : l'anthropologie physique - le savant et le Berbère », in *Cahiers d'études africaines*, 1993 ; et *Zoos humains. De la Vénus hottentote aux* reality shows, 2002.

Sylvie CHALAYE, maître de conférences à l'université Rennes-II-Haute-Bretagne et membre du Laboratoire de recherches sur les arts du spectacle du CNRS (EP 1985). Elle est l'auteur de plusieurs ouvrages consacrés à l'image du Noir dans les arts de représentation, dont *Du Noir au nègre : l'image du Noir au théâtre de Marguerite de Navarre à Jean Genet*, 1998 ; et *Nègres en images*, 2001.

Catherine COQUERY-VIDROVITCH, professeur émérite d'histoire contemporaine de l'Afrique à l'université Paris-VII-Denis-Diderot et membre du laboratoire Sociétés en développement dans l'espace et le temps (SEDET/CNRS). Elle a dirigé une quinzaine d'études comparées sur les pays du tiers-monde et autant sur l'Afrique noire, dont *L'Afrique occidentale au temps des Français. Colonisateurs et colonisés, c. 1860-1960*, 1992. Elle a publié plusieurs ouvrages sur l'histoire de l'Afrique noire, dont parmi les plus récents : *Afrique noire. Permanences et ruptures*, 1992 ; *Histoire des villes d'Afrique noire* *des origines à la colonisation*, 1993 ; *Les Africaines. Histoire des femmes d'Afrique du* XIXe *au* XXe *siècle*, 1994 ; et *L'Afrique et les Africains au* XIXe *siècle*, 1999 ; en collaboration avec Henri Moniot, *L'Afrique noire de 1800 à nos jours*, 1974 (rééd. rév. sous presse). Elle a reçu en 1988 le prix d'Aumale de l'Académie française pour *Permanences et ruptures* et s'est vu décerner en 1999 l'African Studies Association Distinguished Africanist Award. Elle est depuis 2000, membre du bureau international du Congrès international des sciences historiques.

Éric DEROO, chercheur associé au GDR 2322 Anthropologie des représentations du corps (CNRS, Marseille), cinéaste, réalisateur de nombreux documentaires, dont *Le Temps des casernes*, Arte 2001 ; *Le Piège indochinois* ; FR3 1996 ; *L'Histoire oubliée*, FR3 1993 ; *Soldats noirs* ,FR3 1985 ; et auteur de plusieurs ouvrages, dont *Aux colonies*, 1992, consacrés à l'histoire coloniale française et à la constitution des imaginaires qui s'y attachent : *Les Linh Tap*, 1999 ; *Le Paris noir*, 2001 ; et *Zoos humains. De la Vénus hottentote aux* reality shows, 2002.

Sandrine LEMAIRE, professeur agrégée et docteur en histoire de l'Institut universitaire européen de Florence, vice-présidente de l'ACHAC (Paris), elle est spécialiste des mécanismes de la propagande coloniale au XXe siècle et de la construction des imaginaires coloniaux, et travaille sur les systèmes de propagande européens. Elle est l'auteur de plusieurs ouvrages et articles sur ces thèmes, dont *Afrique. Un continent, des nations*, 1997 ; « Gustave d'Eichthal, une ethnologie saint-simonienne. Entre racialisme ambiant et progrès », in *Études saint-simoniennes*, 2001 ; « Ces zoos humains de la République coloniale », in *Le Monde diplomatique*, 2001 ; et *Zoos humains. De la Vénus hottentote aux* reality shows, 2002.

Gilles MANCERON, historien, rédacteur en chef d'*Hommes et Libertés*, revue de la Ligue des droits de l'homme, il a publié sur le racisme et l'antiracisme, les différentes acceptions de l'exotisme au début du XXe siècle (travaux sur Victor Segalen), les mouvements anticolonialistes et de défense des droits de l'homme en France, l'histoire de la guerre d'Algérie. Ses ouvrages : *D'une rive à l'autre. La Guerre d'Algérie de la mémoire à l'histoire*, 1993 (avec Hassan Remaoun) ; « Images et idéologies. L'Europe, l'Afrique et le monde arabe dans les manuels scolaires d'hier et d'aujourd'hui », in *L'Autre et nous*, 1995 ; *Le Paris noir*, 2001.

Alain RUSCIO, docteur ès lettres, chercheur indépendant, a consacré de nombreux travaux à l'Indochine coloniale et à la décolonisation. Il a dirigé récemment la publication d'une bibliographie-filmographie de la guerre française d'Indochine (1945-1954). Depuis quelques années, il a également porté son attention sur la notion de *regard* colonial. Il a publié, dans cet esprit, *Le Credo de l'homme blanc*, 1996 ; *Amours coloniales*, 1996 ; et *Que la France était belle au temps des colonies. Anthologie de chansons coloniales (et exotiques) françaises*, 2001.

Steve UNGAR, professeur de français et de littérature comparée à l'université de l'Iowa, est l'auteur (ou coauteur) de livres sur Roland Barthes, 1983 et 1989, Maurice Blanchot, 1995, et l'identité française, 1996. Il termine avec Dudley Andrew un livre consacré aux politiques de la culture à l'époque du Front populaire. Un article sur *Chronique d'un été* (1961) de Jean Rouch et Edgar Morin est prévu pour début 2003 dans *French Cultural Studies* (Grande-Bretagne). Ses recherches actuelles portent sur la topographie urbaine et le cinéma colonial.

Françoise VERGÈS, diplômée de l'université de Berkeley en sciences politiques, professeur au Goldsmiths College, université de Londres, et membre du centre de recherches WISER (Johannesburg). Elle travaille plus spécifiquement sur les îles de l'océan Indien (diasporas, pratiques interculturelles) et a publié de nombreux articles sur Frantz Fanon, l'esclavage et la théorie postcoloniale, dont *Monsters and Revolutionaries. Colonial Family Romance and Métissage*, 1999 ; et *Abolir l'esclavage : une utopie coloniale. Les Ambiguïtés d'une politique humanitaire*, 2001.

ACHAC
Association Connaissance de l'histoire
de l'Afrique-contemporaine
75, avenue Gambetta
75020 Paris
memoire.coloniale@achac.com

Ce collectif de chercheurs, d'universitaires, de cinéastes, de journalistes et de scénographes travaille depuis 1989 sur les représentations et les imaginaires coloniaux et postcoloniaux. Constitué autour d'un réseau de compétences, en partenariat avec différentes institutions, groupes de recherches ou universités, sa démarche consiste à mettre en œuvre des actions sur trois axes : programme de recherches (avec la constitution d'un fonds iconographique), programme d'éditions (livres, articles, catalogues, brochures pédagogiques, partenariats...), manifestations scientifiques (colloques, conférences, séminaires, forums...) ou ouvertes sur le public (programmes pédagogiques, expositions, documentaires...).

Depuis son programme *Images et Colonies*, ses actions périphériques (*Miroirs d'empire, L'Appel à l'Afrique, Images d'empire*...) et son approche sur les prolongements contemporains de la représentation coloniale (*De l'indigène à l'immigré*), l'équipe de l'ACHAC travaille à la compréhension du passage d'un racisme scientifique à un racisme colonial en Occident. Toujours en partant des images et des imaginaires, de la culture et des idéologies, elle s'attache à suivre les mécanismes complexes qui structurent notre relation actuelle à l'Autre (dans la continuité du programme *L'Autre et nous* initié en 1995).

Dans cette longue genèse de notre « conscience » coloniale, l'ACHAC souhaite contribuer au débat sur l'émergence d'une véritable réflexion liée aux enjeux de la mémoire coloniale et de la culture diffusée dans le pays pendant plus d'un siècle. C'est dans cette dynamique qu'elle vient de publier différentes études et approches - notamment dans *Manière de voir* en juillet 2001 et dans *Les Cahiers français* en septembre 2001 - et qu'elle organise, sur les trois prochaines années, le programme de recherches et de manifestations internationales *Zoos humains* en partenariat avec le GDR 2322 et les différentes actions autour de la mémoire coloniale, dont les trois volets de *Culture coloniale* sont un des axes majeurs.

De nombreux travaux de membres de l'ACHAC (ou en partenariat) structurent cette approche depuis dix ans. On peut citer *L'Autre et nous* (1996),

Images et Colonies (catalogue d'exposition et actes du colloque, 1993), *L'Afrique. Un continent, des nations* (1997), *Images d'empire* (1997), *De l'indigène à l'immigré* (1998/2002), « Ces zoos humains de la République coloniale », in *Le Monde diplomatique* (2000), « Le zoo humain, une longue tradition française », in *Hommes et Migrations* (2000), « Le miroir colonial brisé », in *Le Monde diplomatique* (2000), « Les non-dits de l'antiracisme français : la République coloniale », in *Politique et Altérité* (2000), « De l'indigène à l'immigré. Images, messages et réalités (1). Le retour du colonial (2) », *Hommes et Migrations* (1997), « Le colonialisme, un "anneau dans le nez de la République" », in *Hommes et Migrations* (2000), « L'invention de l'indigène », in *Passerelles* (1998), « L'Afrique noire inventée », in *Historiens et Géographes* (1999), « Entre apothéose et oubli », in *Manière de voir* (2001), *Le Paris noir* (2001), *Zoos humains. De la Vénus hottentote aux* reality shows (2002), « Colonisation, immigration : le complexe impérial », in *Migrations Société* (2002)...

TABLE DES MATIÈRES

Perçues comme des « leçons de choses », à même de toucher un public de masse en un temps très court et capables de frapper l'opinion de manière durable, les expositions dans lesquelles colonies et colonisés ont été exhibés ont constitué des relais essentiels de la culture coloniale en France. Relayées par de multiples supports et une médiatisation allant *crescendo* depuis la fin du XIXe siècle jusqu'aux années 1930, comment ont-elles été élaborées et dans quelle mesure ont-elles imprégné l'imaginaire populaire français ?

p. 55 **Sciences, savants et colonies**

Gilles Boëtsch

Le développement des sciences de l'homme au début du XIXe siècle correspondait à des préoccupations en émergence liées à un besoin d'inventaire de la nature et de connaissance des mécanismes biologiques ainsi que des lois physiques. La conjonction du savoir scientifique et de la maîtrise technique allait permettre de dominer (pour les forces physiques) ou de dompter (pour les forces animales) cette nature souvent jugée insaisissable. Dans un tel contexte, le rapport entre science et colonisation allait connaître, tout au long de la période de conquêtes coloniales de la IIIe République et ce jusqu'aux premières heures de la Grande Guerre, des relations plus que complexes.

p. 67 **Littérature, chansons et colonies**

Alain Ruscio

Littérature et chansons relatives aux colonies ont indéniablement marqué les esprits populaires français entre la fin du XIXe siècle et la Grande Guerre. En effet, cette période correspond à l'essor de ces genres et surtout à leur grande diffusion, contribuant à ce qu'on a pour habitude de nommer la « culture de masse », développée grâce à ce type de supports accessibles au plus grand nombre. C'est en abordant successivement l'une et l'autre que nous tenterons de cerner les images véhiculées par ces productions et leur imprégnation dans le champ culturel français.

p. 81 **Spectacles, théâtre et colonies**

Sylvie Chalaye

Au tournant du siècle, le théâtre reste un genre artistique populaire qui touche les masses et peut facilement façonner l'opinion. C'est au théâtre que l'on voit se construire, avec notamment la représentation de l'Afrique qui cristallise les premiers élans coloniaux de l'empire, ce que l'on pourra appeler l'« idéologie coloniale ». Il s'agit alors de légitimer la conquête en la justifiant par l'aide qu'elle apporte en pacifiant, en soignant, en arrachant les « sauvages » à leur ignorance et à leur hébétude.

cinéma colonial a été le principal promoteur de la diffusion de la culture coloniale en France. En tout cas, il fut le vecteur par excellence de ce désir d'ailleurs et du rêve colonial. Par contre, en termes de public touché, le cinéma demeure secondaire par rapport aux images fixes ou aux expositions, qui ont été beaucoup plus populaires. Ce n'est qu'à la fin des années 1920 que la puissance évocatrice du cinéma a alors transcendé la réalité coloniale pour construire une sorte de voile infranchissable entre la fiction et la réalité, entre le désir d'appropriation et la mise à distance.

p. 137

Propager : l'Agence générale des colonies

Sandrine Lemaire

Populariser, éduquer, justifier et convaincre constituaient les objectifs de l'Agence générale des colonies. Or cette véritable machine à « informer » a conduit à un ancrage visuel et intellectuel de la colonisation, telle qu'elle était présentée aux Français, pour correspondre parfaitement aux intérêts de ses partisans ainsi qu'aux idéaux universels de la République. Instrument de propagande omniprésent, elle est parvenue à produire une image déformée de la relation coloniale à travers un discours édulcoré. Le mythe d'intérêts réciproques, de bienfaits multiples apportés aux colonisés, de monde colonial sans heurts, a pu ainsi prendre racine et se fixer dans la culture française bien au-delà des cercles coloniaux.

p. 149

Civiliser : l'invention de l'indigène

Nicolas Bancel et Pascal Blanchard

L'invention de l'indigène consacre la transformation de la figure de l'Autre colonisé - fruit d'un long processus de métamorphose, qui commence avec celle de l'esclave au XVIIe siècle pour évoluer, trois siècles plus tard, vers celle de l'immigré type - et devient centrale dans l'imaginaire collectif français à partir de la grande poussée expansionniste coloniale des années 1880-1910. Cette évolution, durant la Première Guerre mondiale, est une étape fondamentale. Un moment charnière d'autant plus essentiel que cette image demeure à la fois une des pièces majeures de l'architecture idéologique du colonialisme « à la française » et un élément structurant de la culture coloniale.

Au lendemain de la guerre de 1870, les milieux politiques français avaient encore grand mal à se laisser persuader par les « expansionnistes » que les colonies étaient une « bonne affaire ». Seule une minorité croyait dur comme fer à la « richesse » prometteuse d'un nouvel empire et s'évertuait à convaincre les Français de la nécessité de commercer avec la Plus Grande France. Pourtant, sans nécessairement le savoir, le marché français, aussi bien dans le monde des affaires que dans la vie quotidienne, notamment à l'issue de la Grande Guerre, va être imprégné de culture marchande coloniale. Non que les colonies aient nécessairement répondu à l'attente du « lobby colonial » qui en faisait un marché de cocagne, mais parce que c'est la société française, aussi bien dans ses mécanismes économiques d'ensemble qu'au niveau du commerce de détail, qui s'est trouvée investie par le marché colonial.

L'entre-deux-guerres marque l'apogée de la culture coloniale en France. C'est donc une période fondamentale - qui autorise l'expression « bain colonial » -, qui marque la conjonction de trois processus historiques. Le premier est politico-idéologique et peut se résumer à la rencontre des idées de nation et d'empire ; le deuxième est proprement culturel : comment se structurent, dans leurs formes les plus efficientes, des dispositifs imaginaires véhiculés par une multitude de productions culturelles et instrumentés par des institutions, qui vont fixer durablement des représentations coloniales dans l'imaginaire collectif ; et enfin le troisième est social : comment se mettent en place des formes inédites de mobilisation autour de l'empire qui permettent de former souterrainement les acteurs sociaux.

p. 191 **Coloniser, éduquer, guider : un devoir républicain**
Françoise Vergès

C'est le désir d'expansion coloniale, qui se pense comme nécessaire à la construction de la République, à sa régénération à la fin du XIXe siècle, qu'il faut interroger. Il faut rappeler les ambiguïtés du discours colonial républicain afin de comprendre comment et pourquoi il séduisit, et continue à séduire sous de nouvelles formes, la société française. Revenir sur les slogans d'alors : « Notre France est bonne et généreuse pour ceux qu'elle a soumis » permet de mieux en mesurer la prégnance. Car ce sont les traces, les échos, les modèles de ce discours qu'il faut savoir repérer dans les discours et représentations actuels afin d'éviter de croire que tout est fini, oublié, et que la culture coloniale est morte.

p. 201 **La France impériale exposée en 1931 : une apothéose**
Steve Ungar

L'Exposition coloniale internationale de Vincennes en 1931 constitue un véritable *lieu de mémoire* de la culture coloniale française. En effet, elle marque sans aucun doute, et de manière spectaculaire, ce qu'il est convenu d'appeler aujourd'hui une apothéose coloniale. Véritable féerie, précurseur des parcs d'attractions des temps modernes, l'exposition invitait le public à venir faire « le tour du monde en un jour ». Or c'est bien par ce voyage imaginaire, dans un univers qualifié d'authentique mais en réalité totalement factice et reproduit selon une hiérarchie sans cesse affirmée entre monde « civilisé » européen et mondes « primitifs », que les esprits ont été imprégnés d'une vision de la relation coloniale toujours à l'avantage de l'Occident. L'architecture et l'esthétique générale du décor participent alors à l'illusion dont les Français vont se souvenir durablement.

p. 213

L'union nationale : la « rencontre » des droites et des gauches à travers la presse et autour de l'Exposition de Vincennes

Pascal Blanchard

Une nouvelle ère coloniale s'ouvre en France à la veille de l'Exposition coloniale internationale de Vincennes de 1931. À cet instant, le paysage politique français est quasi unanime dans son soutien à l'entreprise coloniale. La droite parlementaire et conservatrice a terminé sa mue coloniale, la gauche radicale est plus que jamais au cœur du parti colonial, la gauche SFIO, ponctuellement critique, est de plus en plus active dans le soutien à l'empire, les communistes commencent à se retirer de l'engagement anticolonialiste et, aux extrêmes, derrière *L'Action française*, l'empire est enfin entré dans l'imaginaire des droites nationalistes. Tous semblent partager un sentiment identique : l'empire est nécessaire à la France, la France est une puissance coloniale, et être anticolonial, c'est plus que jamais être antifrançais.

Éditions Autrement

Abonnements au 1er janvier 2003 : la collection « Mémoires », complémentaire des collections « Monde », « Mutation » et « Morales », est vendue à l'unité ou par abonnement (France : 120 € ; étranger : 146 €) de 8 titres par an. L'abonnement peut être souscrit auprès de votre libraire ou directement à Autrement, Service abonnements, 77, rue du Faubourg-Saint-Antoine, 75011 Paris. Établir votre paiement (chèque bancaire ou postal, mandat-lettre) à l'ordre de NEXSO (CCP Paris 1-198-50-C). Le montant de l'abonnement doit être joint à la commande. Veuillez prévoir un délai d'un mois pour l'installation de votre abonnement, plus le délai d'acheminement normal. Pour tout changement d'adresse, veuillez nous prévenir avant le 15 du mois et nous joindre votre dernière étiquette d'envoi. Un nouvel abonnement débute avec le numéro du mois en cours. Vente en librairie exclusivement. Diffusion : Éditions du Seuil.

Achevé d'imprimer en décembre 2002 chez Corlet, Imp. S.A.,
14110 Condé-sur-Noireau (France). N° 61460.
Dépôt légal : 1er trimestre 2003. ISBN : 2-7467-0299-1. ISSN : 1157-4488.
Imprimé en France.